Olhai os lírios do campo

2005
CENTENÁRIO DE

Erico
Verissimo

Erico Verissimo

Olhai os lírios do campo

Ilustrações
Paulo von Poser

Prefácio
Flávio Loureiro Chaves

40ª reimpressão

À Mafalda.

Maurício,
Quero que teu nome fique inscrito também no pórtico deste livro que viste amadurecer e que enriqueceste com mais de uma sugestão preciosa. Ele ficará como um marco significativo em nossas vidas, o símbolo duma funda amizade, a recordação dos sonhos de solidariedade humana que sonhamos juntos.

E.V.

10 Prefácio — A conquista do realismo
16 Prefácio do autor

19 Parte I
150 Parte II

274 Crônica histórica
279 Crônica biográfica

Prefácio

A conquista do realismo

Entre 1936 e 1938 — ano da publicação de *Olhai os lírios do campo* — Erico Verissimo dirigiu a revista *A Novela*, cujo programa editorial consistia essencialmente na divulgação de grandes narradores estrangeiros desconhecidos no Brasil. Residiu aí o suporte do que viria a ser, logo depois, a célebre Coleção Nobel, na qual apareceram, entre outras, as traduções de Balzac, Proust e Virginia Woolf. O dado que pretendo salientar encontra-se dentro da própria revista: os dois escritores que aparecem com maior frequência e bem distanciados de todos os demais são, respectivamente, Somerset Maugham e Katherine Mansfield, quase sempre traduzidos pelo próprio Erico. Denunciando o gosto literário e as preferências pessoais do diretor de *A Novela*, essa informação também esclarece a gênese de *Olhai os lírios do campo*.

O escritor estava interessado na literatura de língua inglesa, situando-se na contramão da influência francesa, que, como se sabe, era preponderante na cultura brasileira da época. Mas já não navegava nas águas de Aldous Huxley e de *Contraponto*, que traduzira em 1934, na antecedência direta ao aparecimento de *Caminhos cruzados*. Seu estilo realista, aprimorando-se, encontrava novos parâmetros.

Os contos de Katherine Mansfield traziam ao primeiro plano a problematização das personagens, envolvendo-as numa densa atmosfera existencial, buscando na valorização dos detalhes aparentemente desimportantes a instauração de significados indispensáveis à decifração do mundo oferecido. Foi o que levou o crítico Jorge de Sena a falar de "uma argúcia realista, que é tecnicamente uma das mais sutis do período". A primorosa versão de *Bliss* para a língua portuguesa, em que Erico trabalhou justamente nesses dias, viria à luz em 1940 sob o título *Felicidade*. Creio que por essa via acentuou-se a sua preocupação com a verossimilhança afetiva dos protagonistas, porventura flexibilizando o traço forte da caricatura que prevalece nos primeiros romances, se lembrarmos a tipologia esboçada em *Música ao longe* ou *Um lugar ao sol*.

O caso de Somerset Maugham terá peso ainda maior na formação do escritor. Há vários depoimentos de Erico Verissimo dizendo abertamente que o considerava (ao lado de Pirandello) o narrador mais importante da época; por isso assumiu, como assessor da Editora Globo, a responsabilidade pela compra de seus direitos autorais, o que resultou na publicação de quase toda a obra narrativa de Maugham no Brasil durante os anos 40. No mesmo ano de *Olhai os lírios do campo*, a editora lançou *Um drama na Malásia*; e achava-se em pleno andamento — por indicação pessoal de Erico — a tradução do romance de 1915, que colocara Maugham na galeria dos grandes sucessos mundiais: *Servidão humana*. Era a história da formação de um jovem médico, Philip Carey, e sua difícil trajetória na Inglaterra vitoriana em busca da realização pessoal numa sociedade de discriminações e injustiças — tudo iluminado pelo foco realista em que Maugham ajustava a sua visão do mundo, isenta de todo e qualquer traço romântico. Estou convencido de que assim se encontra uma das sugestões mais fortes que atuaram na origem de *Olhai os lírios do campo*.

De fato, aí se lê o itinerário de Eugênio e Olívia, recém-egressos da Faculdade de Medicina na Porto Alegre dos anos 30. No entanto, trata-se de algo mais do que um simples tema versado com relativa frequência pela literatura da época e consagrado em *Servidão humana*. O exercício da medicina é um passaporte que permite às personagens o trânsito por variados cenários, diferentes classes e, principalmente, o desdobramento de uma vasta galeria humana e seus inumeráveis dramas individuais. Apropriando esse recurso narrativo, Erico Verissimo revitalizava e dava seguimento ao romance da vida urbana, que iniciara alguns anos antes, e tinha um objetivo certo, como ele mesmo veio a reconhecer: "o corte transversal duma sociedade". Ora, essa era a sociedade brasileira daquele momento histórico, que se achava em acelerado processo de transformação, quer pelo desenvolvimento das grandes cidades, quer pela afirmação da classe média ou, ainda, pela convulsão política advinda da implantação do chamado Estado Novo sob o talante absolutista de Getulio Vargas.

Este último dado não é desprezível. A ditadura getulista fora instaurada em 1937, ano anterior à publicação de *Olhai os lírios do campo*, trazendo em seu rastro o cerceamento à liberdade de expressão. Erico Verissimo vira-se obrigado a encerrar um programa radiofônico que mantinha numa das estações de Porto Alegre, dirigido à audiência infantil. Então o "passaporte" também deveria funcionar neste outro sentido: o tema da profissão médica (aí embutida uma proposta de socialização da medicina) servia como blindagem para contornar a censura vigente e dar seguimento à análise social cuja voltagem o escritor vinha aumentando a partir da crítica aos padrões da burguesia formulada em *Caminhos cruzados*. Se ele não estava alinhado à esquerda, também não pertencia à direita. Em todo caso, sua postura ideológica reivindicava um "socialismo humanista", que transparece em uma elocução muito clara nas propostas que Olívia deixa registradas em seu diário e nas cartas dirigidas a Eugênio.

Tal substrato político, habilmente embaralhado na trama narrativa, vai situá-lo como um escritor da resistência, a resistência a todas as formas de totalitarismo — atitude que se manterá inalterável daqui até *Incidente em Antares*, em 1971, quando lhe cabe declarar oposição a um outro regime ditatorial. Mas também é um dos fatores que podem explicar o sucesso imediato e impressionante do romance, que, num acontecimento inédito dentro do mercado brasileiro, passou a esgotar edição sobre edição desde o seu aparecimento. Erico Verissimo obteve um perfil legítimo da sociedade brasileira dos anos 30, já no limiar da modernidade. Suas grandezas e misérias espelham-se na palavra de Olívia, assim como na dramática tomada de consciência de Eugênio. Desde logo os leitores entenderam e acolheram a história dos dois jovens médicos.

No entanto, a interpretação pode tornar-se redutora se limitarmos *Olhai os lírios do campo* à planície do "romance social". Não é difícil perceber que aí também se inscreve — sem prejuízo do primeiro — um romance psicológico, cuja vigência garante o aprofundamento da narrativa. Precisamente por isso adquire relevância a questão do refinamento dos meios expressivos que Erico teria obtido na convivência de Katherine Mansfield, na tradução da prosa de filigranas existenciais urdida pela escritora neozelandesa. Refiro-me sobretudo à primeira parte da narrativa, que é a mais bem elaborada e centra-se na reconstituição biográfica de Eugênio Fontes. Trata-se de uma personalidade dilacerada que a observação do narrador acompanha desde a infância humilde e cheia de privações para localizar a origem das frustrações afetivas, a sensação de inferioridade nunca totalmente superada, e também a obsessão por uma escalada social, que jamais acontece sem concessões e negaças.

Entretanto, a narrativa não é linear. Inaugura já no ponto de maior tensão, ou seja, nas poucas horas que antecedem a morte de Olívia e na desesperada tentativa para ainda alcançar seus momentos derradeiros. Aqui a concentração do tempo implica uma intensificação dramática. Sucede-se a série de retrocessos e associações mentais em que Eugênio resgata o passado, integrando-o a um presente altamente problemático, porque está cifrado em culpa e remorso. Ora recuperando os traumas infantis, ora lembrando a generosa entrega de Olívia, a memória se desenha como um intrincado mosaico onde se agrupam fragmentariamente as recordações. Ao fim, Eugênio há de reconhecer-se a si mesmo, distante da fé; antes vivenciando dúvidas e contradições numa rica dimensão de humanidade.

Erico Verissimo trabalhou com o tempo da memória, chegando a estabelecer, no caso de *Olhai os lírios do campo*, equilíbrio notável entre a sequência dos episódios narrados e o desdobramento de uma individualidade. É isso que sustenta toda a estrutura do romance e nos permite ver que o eixo da narrativa está ancorado na complexa psicologia das criaturas de ficção.

Nesse sentido, é interessante restaurar uma outra característica do texto. A personagem Olívia (tal como nos é revelada aqui) nós só conhecemos *através* das lembranças e dos sentimentos de Eugênio. A imagem que ele constrói está banhada de subjetividade, pois a história lança seu ponto de partida exatamente na morte de Olívia. Ausência presente, ela só existirá no espaço muito peculiar do território das recordações. E talvez provenha daí mesmo o fascínio que vem exercendo há mais de meio século. Tal como acontece com Eugênio, temos de resgatá-la supondo o que restou por dizer, adivinhando os seus silêncios, ingressando na zona de sombra dum passado nunca revelado de todo. Jamais a conheceremos integralmente, num retrato pronto e acabado. Mas acaso não é esse o paradoxo intransponível que rege a vida e o conhecimento das pessoas reais? Atingindo aqui a maturidade de sua expressão, o narrador garante a verossimilhança das suas criaturas fictícias e abre um espaço largo ao imaginário dos leitores. Olívia vem a ser então uma das personagens cuja presença se faz definitiva em nossa literatura.

Por outro lado, ela constitui a parte forte da relação afetiva com Eugênio, ora como paradigma de generosidade e perseverança, ora exercendo a consciência crítica que vai orientá-lo na busca do lugar ao sol. Ainda depois da morte, permanecerá em Anamaria, a filha que deixa para o seu companheiro, e nas cartas e no diário que este descobre como legado inestimável. Se a observarmos no conjunto da obra toda de Erico Verissimo, podemos incluí-la na mesma linhagem a que pertencem, mais adiante, Ana Terra, Bibiana, Maria Valéria — aquelas mulheres que protagonizam *O tempo e o vento* e representam a concepção humanista do escritor. Na visão do mundo que ele nos oferece, o feminino prevalece sempre diante do masculino; constitui uma força vertical de preservação que se sobrepõe às diversas formas de destruição. A personagem de Olívia é uma de suas melhores expressões.

Quando releu *Olhai os lírios do campo*, quase trinta anos depois da primeira edição, Erico Verissimo não foi indulgente e se disse desgostoso com a "filosofia salvacionista" que perpassa o texto. De fato, talvez o curso do tempo tenha modificado a sociedade e também as nossas avaliações ideológicas, para melhor ou pior. Ele mesmo, nas etapas mais avançadas da sua obra, radicalizaria de maneira acentuada o seu juízo da História e do homem, tudo filtrado numa desencantada ironia. Mas não é o que mais importa. As personagens que criou, num momento de renovação profunda do seu estilo realista, estas permanecem.

Olhai os lírios do campo ainda hoje é o livro mais lido do escritor. Foi traduzido para vários idiomas, do inglês ao indonésio. Olívia e Eugênio continuam sua trajetória, criaturas imaginárias que ganharam autonomia.

Flávio Loureiro Chaves
Doutor em Letras pela Universidade de São Paulo, professor titular de literatura na Universidade de Caxias do Sul. Autor de Erico Verissimo:
o escritor e seu tempo

Prefácio do autor

Com a publicação de *Olhai os lírios do campo* operou-se uma mudança considerável em minha vida. O romance obteve tão grande sucesso de livraria, que se esgotaram dele várias edições em poucos meses, deixando editores e escritor igualmente satisfeitos e perplexos. Tamanha foi a influência deste livro no espírito de certos leitores, que ele teve a força de arrastar consigo os romances que o autor publicara até então em tiragens modestas que levavam quase dois anos para se esgotarem.

Posso afirmar que só depois do aparecimento de *Olhai os lírios do campo* é que pude fazer profissão da literatura.

Como explicar o êxito deste livro? Talvez se deva à sua natureza romântica e ao fato de ter uma "intriga". Olívia transformou-se numa espécie de ídolo dum vasto público, feito principalmente de mulheres. Suas cartas passaram a ter para muita gente um sabor evangélico.

Confesso, entretanto, que não tenho muita estima por este romance. Acho-o hoje um tanto falso e exageradamente sentimental. Sua popularidade às vezes chega a me deixar constrangido.

Vejamos claramente o que tenho contra ele. Para principiar, a construção. A primeira parte é intensa e cheia dum interesse que jamais enfraquece. Na segunda, porém, esse interesse declina, e a história se dilui numa série de episódios anedóticos sem unidade emocional. Eu mesmo já tratei de justificar esse defeito dizendo que a vida no fim de contas é assim, isto é, não se trata de algo simétrico e arrumado como nos romances benfeitos. A verdade é que nem eu mesmo consegui aceitar a validade de meus próprios argumentos.

A dedicação, o altruísmo e a nobreza de Olívia me parecem inumanos. Não convencem. Pouco convincente também é a covardia de Eugênio. A cena em que o vemos a fazer sua primeira operação, do ponto de vista da mera redação, está razoavelmente benfeita; do ponto de vista da verdade psicológica, porém, é um absurdo. Um homem de estômago fraco e que tem horror ao sangue jamais se dedicaria à cirurgia e, se se dedicasse, com o tempo acabaria por habituar-se a cortar a carne dos pacientes sem que isso lhe provocasse arrepios, náusea ou medo. Acaso não teria ele, como estudante, frequentado o necrotério e os ambulatórios da Santa Casa?

Ao dar com Florismal, na última releitura que fiz de *Olhai os lírios do campo*, lembrei-me do Cuca Lopes de *O tempo e o vento*. (A parecença, no entanto, é meramente física.)

O pavor de Eugênio ao despertar no quarto escuro do internato, numa noite de tempestade (Quem sou? Onde estou?), havia de repetir-se muitos anos mais tarde em *O Continente*, com Bolívar Cambará na sua noite de angústia, na véspera do enforcamento do negro Severino.

Como Bolívar, o Mr. Tearle de *Olhai os lírios do campo* vivia assombrado pela lembrança dum homem que matara na guerra.

E, como muitas de minhas personagens em diversos romances, Eugênio sente quase todas as emoções no estômago, na forma duma náusea.

Há em *Olhai os lírios do campo* uma filosofia salvacionista barata que me faz perguntar a mim mesmo como pude escrever tais coisas, mesmo levando-se em conta o fato de haver atribuído essa filosofia a personagens do livro.

Não posso, no entanto, afirmar que o romance me desagrade de princípio a fim. Encontro nele páginas que ainda hoje me comovem e parecem das melhores dentre quantas este autor haja escrito *en su perra vida*, como diria Don Pepe García. Entre elas destaco a cena em que Eugênio à hora do jantar encara o pai, depois de ter fingido não conhecê-lo na rua àquela tarde; e a da visita do mesmo Eugênio a Florismal, que está à morte num leito da Santa Casa de Misericórdia; e ainda muitos dos diálogos entre Olívia e Eugênio.

Talvez *Olhai os lírios do campo* deva ser considerado mais uma parábola moderna na forma de romance do que um romance propriamente dito.

Seja como for, aqui está o livro, com algumas correções no que diz respeito à linguagem.

Se a história deu prazer a tanta gente (a julgar pelas milhares de cartas que até hoje venho recebendo e por manifestações pessoais de viva voz da parte de incontáveis leitores), não vejo razão para impedir que ela continue a sua carreira.

Erico Verissimo
1966

Parte 1

I

O médico sai do quarto nº 122. A enfermeira vem ao seu encontro.
— Irmã Isolda — diz ele em voz baixa —, avise o doutor Eugênio. É um caso perdido, questão de horas, talvez de minutos. E ela sabe que vai morrer...
Silêncio. Uma golfada de vento atravessa o corredor. Ouve-se o ruído seco duma porta que bate. A irmã de caridade sente um calafrio, lembrando-se da madrugada em que morreu o paralítico do 103; a enfermeira de plantão lhe contara horrorizada ter sentido o sopro gelado da morte entrar no quarto do doente.
— Ele está na casa da família, doutor?
— Não. Telefone para a chácara do sogro, em Santa Margarida. Diga ao doutor Eugênio que a Olívia quer vê-lo. Talvez ele ainda possa chegar a tempo...
Encolhe os ombros, pessimista. Acende um cigarro com dedos um tanto trêmulos.
Irmã Isolda caminha para o fundo do corredor, entra na cabina do telefone, disca para o centro.
— Alô! Alô! Interurbano? Aqui é o Hospital Metropolitano.
As lágrimas lhe escorrem pelo rosto.
"... sobreveio uma hemorragia...", diz a voz velada e distante.
Como se tivesse recebido a mensagem de desgraça primeiro que o cérebro, o coração de Eugênio desfalece, suas batidas se tornam espaçadas e cavas.
"... O doutor Teixeira Torres diz que é um caso perdido. Ela sabe que vai morrer... pediu para vê-lo..."
Eugênio sente essas palavras com todo o corpo, sofre-as principalmente no peito, como um golpe surdo de clava. Uma súbita tontura lhe embaça os olhos e o entendimento. Deixa cair a mão que segura o fone. Só tem consciência de duas coisas: duma impressão de desgraça irremediável e da pressão desesperada do coração, que a cada batida parece crescer, inchar sufocadoramente. A respiração é aflitiva e desigual, a boca lhe arde, o peito lhe dói — é como se de repente lhe tombasse sobre o corpo toda a canseira duma longa corrida desabalada. Pendura o fone num gesto de autômato e dirige-se para a janela, na confusa esperança de que alguém ou alguma coisa lhe grite que tudo aquilo é apenas um sonho mau, uma alucinação.
O sol da tarde doura os campos. O açude reluz ao pé do bosquete

de eucaliptos. Mas Eugênio só enxerga os seus pensamentos. E dentro deles está Olívia, pálida, estendida na mesa de operações, coberta de panos ensanguentados. "Ela sabe que vai morrer... pediu para vê-lo..." Ele precisa ir. Imediatamente.

Uma voz infantil flutua no silêncio da tarde, num grito prolongado. É o rapazito que vai dar de beber a uma vaca malhada, tangendo-a para a beira do açude. As imagens do animal e da criança se refletem na água parada. Paz — pensa Eugênio —, a grande paz de Deus de que Olívia sempre lhe falava...

De novo o silêncio, e uma sensação de remorso, a certeza de que vai começar a pagar os seus pecados, a expiar as suas culpas.

Os olhos de Eugênio se inundam de lágrimas. Passam-se os segundos. Aos poucos a respiração se lhe vai fazendo normal e o que ele sente agora é uma trêmula fraqueza de convalescente.

Mas da própria paz dos campos e da ideia mesma de Deus lhe vem de repente uma doida e alvoroçada esperança, que lhe toma conta do ser. É possível que Olívia se salve. Seria cruel demais se ela morresse assim. Acontecem milagres — ele se lembra de casos...

Apanha o chapéu e precipita-se para a escada. Mas por que se detém de súbito no patamar, como se tivesse encontrado um obstáculo inesperado? Tem aguda consciência dum sentimento aniquilador: a sua covardia, aquela imensa e dolorosa covardia num momento em que devia esquecer tudo e correr para junto de Olívia.

Fica um instante parado, amassando o chapéu nos dedos nervosos. Sua mulher está lá embaixo no jardim e agora ela pode descobrir toda a verdade... Ele precisa inventar uma desculpa para aquela viagem precipitada. Olívia está agonizante, seria monstruoso deixá-la morrer sem lhe dizer uma palavra de carinho, sem ao menos lhe pedir perdão.

E no instante mesmo em que formula esse pensamento, Eugênio sente que seu orgulho e a sua covardia não lhe permitirão esse gesto de humildade diante de estranhos.

Meu Deus, mas eu preciso ir, custe o que custar, aconteça o que acontecer!

Começa a descer a escada devagar... Imagina-se no hospital. Olívia estendida na cama... O dr. Teixeira dando explicações friamente técnicas. Os outros... Olhares de quem tudo sabe... Cochichos... Quem? Amantes... Ah! Ele é o doutor Eugênio Fontes, casado com a filha daquele ricaço, o Cintra, conhece?

Eugênio agarra com força o corrimão, o coração a bater-lhe com desesperada fúria.
Lágrimas quentes lhe escorrem pelas faces. Ele as enxuga, todo trêmulo, e caminha para o jardim, gritando:
— Honório! — O chofer aparece. — Tire o carro depressa. Precisamos ir à cidade numa corrida. É um caso urgentíssimo.
Eunice lê no jardim, sentada à sombra dum amplo guarda-sol de gomos vermelhos e azuis.
— Preciso ir à cidade a toda pressa — diz-lhe Eugênio, esforçando-se por dominar a voz.
Ela ergue os olhos do livro, com ar de indiferença, e fita-os no marido.
— Que é que tens? Estás tão pálido...
— Nada. Foi uma notícia que recebi... — hesitou, desviou o olhar. E mentiu: — É sobre o Ernesto...
Os olhos dela têm uma luz fria e penetrante, parecem enxergar através daquelas palavras mentirosas.
— Não precisas explicar. — Pausa. Contemplam-se por um instante como dois estranhos. — Naturalmente não voltas hoje...
Ele consulta o relógio.
— São quase seis. Chego à cidade às nove, nove e pouco... Acho que só posso estar de volta amanhã pela manhã.
Eunice atira a cabeça para trás e, como se falasse para as nuvens, diz:
— Tu sabes que eu faço questão de não me meter na tua vida. Faze como entenderes. Em todo o caso, obrigada pelo aviso.
— Teu pai chega daqui a pouco. Assim, não passarás a noite sozinha.
— Ora! Não te preocupes comigo. Posso tomar conta de mim mesma. Além do mais, tu sabes, gosto da solidão. Ela nos convida a exames de consciência. E já que falamos nisso, deves estar precisando também de um...
Eugênio sente-se corar. Eunice torna a baixar os olhos para o livro. Ele fica a contemplá-la, por um curto instante, sentindo uma raiva fina e fria.
— Até amanhã — diz.
Sai apressado, como quem foge.
— Até amanhã — murmura Eunice, sem erguer os olhos do livro.

O auto põe-se em movimento, passa o grande portão da chácara e ganha a estrada real.
— A toda velocidade, Honório!
Sem se voltar, o chofer responde:
— Quando a gente entrar na faixa de cimento, vou embalar o carro pra noventa.
A luz da tarde é doce e tristonha. O gado pasta nos campos, um quero-quero solta o seu grito estridente, um cachorro late longe.
Eugênio sente vontade de saltar para o banco da frente e confiar a sua angústia e os seus segredos ao chofer. No fundo ele sabe que pertence mais à classe de Honório que à de Eunice. Nunca o pôde tratar com a superioridade com que a mulher e o sogro lhe dão ordens, como se ele fosse feito duma matéria mais ordinária, como se tivesse nascido exclusivamente para obedecer.
— Precisamos chegar à cidade em menos de três horas, Honório. É uma questão de vida e de morte.
Eugênio cerra os olhos. Olívia pálida, estendida na cama, morta...

2

Foi no pátio da escola, à hora do recreio. Eugênio abaixou-se para apanhar a bola de pano, e de repente atrás dele alguém gritou:
— O Genoca tá com as carça furada no fiofó!
Os outros rapazes cercaram Eugênio numa algazarra. Houve pulos, atropelos, pontapés, cotoveladas, gritos e risadas: eram como galinhas correndo cegas a um tempo para bicar o mesmo punhado de milho. No meio da roda, atarantado e vermelho, Eugênio tapava com ambas as mãos o rasgão da calça, sentindo um calorão no rosto, que lhe ardia num formigamento. Os colegas romperam em vaia frenética:

Calça furada!
Calça furada!
Calça furada-dá!

Gritavam em cadência uniforme, batendo palmas. Eugênio sentiu os olhos se encherem de lágrimas. Balbuciava palavras de fraco protesto, que se sumiam devoradas pelo grande alarido.

> *Calça furada-dá!*
> *No fio-fó-fó-fó!*
> *Oia as calça dele, vovó!*
> *Calça furada-dá!*

Do outro lado do pátio as meninas olhavam curiosas, com ar divertido, pulando e rindo. Em breve começaram a gritar também, integrando-se no coro, num alvoroço de gralhas.

O vento da manhã que agitava os ciprestes do pátio levava no seu sopro frio aquelas vozes agudas, espalhava-as pela cidade inteira, anunciando a toda a gente que o menino Eugênio estava com as calças rasgadas, bem naquele lugar... As lágrimas deslizavam pelo rosto do rapaz e ele deixava que elas corressem livres, lhe riscassem as faces, lhe entrassem pela boca, lhe pingassem do queixo, porque tinha ambas as mãos postas como um escudo sobre as nádegas. Agora, de braços dados, os rapazes formavam um grande círculo e giravam dum lado para outro, berrando sempre: *Calça furada! Calça furada!* Eugênio cerrou os olhos como para não ver por mais tempo a sua vergonha.

Soou a sineta. Terminara o recreio.

Na aula, Eugênio sentiu-se humilhado como um réu.

Na hora da tabuada a professora apontava os números no quadro-negro com o ponteiro e os alunos gritavam em coro.

> *Dois e dois são quatro!*
> *Três e três são seis!*

E o ritmo desse coro lembrava a Eugênio a vaia do recreio. *Calça furada-dá.*

Que vergonha! O pai estava devendo o dinheiro do mês passado, a professora tinha reclamado o pagamento em voz alta, diante de todos os alunos. Ele era pobre, andava malvestido. Porque era quieto, os outros abusavam dele, davam-lhe trotes, botavam-lhe rabos de papel... Sábado passado ficara de castigo, de pé num canto, por estar de unhas sujas. O pior de tudo eram as meninas. Se ao menos na aula só houvesse rapazes...

Meu Deus, como era triste, como era vergonhoso ser pobre! O Nelson escrevia com uma caneta de âmbar cheia de anéis dourados. Heitor tinha uma mochila de couro onde trazia livros e cadernos. Nas festas do fim do ano quem fazia os discursos para a professora era o Tancredo, porque andava limpinho e bem vestido, cheirando a extrato.

Oito e oito são dezesseis. Calça furada-dá!

Eugênio, diga a seu pai que venha resgatar o recibo do mês passado. Sim senhora, eu digo. Resgatar. Palavra horrível. Resgatar. Rasgar. Calça rasgada. Papai sacudindo a cabeça, queixando-se: "Só o colégio pros meninos me custa os olhos da cara".

Um rosto se voltou para Eugênio no banco da frente: o de Ernesto, seu irmão mais moço. Ele também havia ajudado a vaiá-lo. Sem-vergonha! Tu me pagas...

À hora da saída Eugênio atrasou-se de propósito, foi o último a sair. Nem assim conseguiu fugir à nova vaia. Um grupo de seis meninos o esperava de emboscada numa esquina. Quando Eugênio passou, romperam de novo:

Calça furada! Quió, galinha carijó!
Calça furada! Calça furada!

Eugênio caminhava acossado pela gritaria. Voltaram-lhe as lágrimas. Ernesto cochichou:

— Não seja besta, não chora que é pior. Finge que não dá confiança.

Quando o bando o deixou em paz, seguindo outro rumo, Eugênio continuou a andar, de cabeça baixa.

O vento varria a rua, sacudia as árvores sem folhas, fazia voar pedaços de palha, fragmentos de papel, grãos de poeira.

Eugênio tinha vergonha de olhar para as pessoas que passavam. Decerto todos sabiam *daquilo*. Agora felizmente o seu velho sobretudo preto, esverdeado de tão velho, tapava o rasgão da calça. Não conseguia, porém, fazê-lo esquecer a humilhação da vaia. A seu lado, o irmão mais moço caminhava em silêncio, mas sorrindo com o canto da boca. Eugênio sentia nos pés (as solas dos sapatos estavam furadas) o frio penetrante das lajes. De repente Ernesto rompeu a cantarolar, marcando o compasso da marcha:

Um dois, feijão com arrois!
Um dois, feijão com arrois!

Insensivelmente Genoca começou a acompanhar a cadência, acertou o passo. Pôs-se a assobiar baixinho para espantar a raiva, o despeito, a amargura. Mas nunca mais lhe sairia da memória aquela vaia, nem que ele vivesse mil anos.

Ernesto calou-se, tirou do bolso um toco de cigarro, meteu na boca e acendeu-o.

— Tu levou cigarro na aula, sem-vergonha!

Ernesto encolheu os ombros, soltou uma baforada de fumaça, jogou longe o pau de fósforo.

— Não é da conta de ninguém.

— Se a professora te pega tu vais ver o que é bom.

— Ela não é minha mãe.

— Mas o papai e a mamãe não querem que tu fumes.

— Eu gosto, pronto!

Quando avistaram a casa, Ernesto jogou fora o toco de cigarro e cuspiu, com ar viciado. Eugênio enxugou as lágrimas com as costas da mão.

— Ernesto, venha lavar os pés antes da boia!

Eugênio já enxugava os seus com a grossa e áspera toalha feita dum saco de farinha. Da bacia de folha, da água esbranquiçada de sabão, subia um vapor quase invisível.

D. Alzira sentou o filho mais moço na cadeira e meteu-lhe os pés dentro da bacia.

— A água do Genoca tem cascão! — protestou Ernesto.

— Não seja luxento. Cascão têm os teus pés. Não sei onde é que estes meninos se sujam tanto. Nem parece que andam de sapatos.

Eugênio olhava para o pai, enquanto enfiava as meias de lã. Lá estava o velho, encurvado sobre um par de calças, cosendo. Era um homem calado e murcho, envelhecido antes dos quarenta. Tinha uma cara inexpressiva, dois olhos apagados e um ar de resignação quase bovino. Usava óculos, pois a vista já lhe estava curta (as malditas fazendas pretas, essa luz fraca). Mais tossia do que falava. Quando falava era para se queixar da vida. Queixava-se, porém sem amargura, sem raiva.

Eugênio tinha uma grande pena do pai, mas não conseguia amá-lo. Sabia que os filhos devem amar aos pais. A professora falava na aula em "amor filial", contava histórias, dava exemplos. Mas, por mais que se esforçasse, Eugênio não lograva ir além da piedade. Tinha pena do pai, isso sim. Porque ele tossia, porque suspirava, porque se lamentava, porque se chamava Ângelo. Ângelo é nome de gente infeliz, nome de assassinado.

Eugênio não podia olhar para o pai sem se lembrar da sétima lição do Segundo Livro de Leitura. Sentira ao lê-la pela primeira vez uma comoção tão grande, que ficara um dia inteiro sob a impressão da tragédia.

Ângelo era um velho português muito trabalhador e honrado agricultor nos arredores de uma pequena vila de Portugal.

Em certa ocasião seguiu para o lugarejo, levando consigo abundante carregamento de cereais, produto de seu labor, a fim de expô-lo à venda na feira pública, que havia ali mensalmente.

Tendo feito bom negócio, voltava para a sua casinha conduzindo fazendas e outros objetos de que carecia a idolatrada família.

Um salteador, que durante a feira lhe seguira os passos intencionalmente e o vira vender bem os seus cereais, foi esperá-lo na estrada da montanha para assassiná-lo e roubá-lo.

Quando o pobre velho seguia contente a estrada que levava à sua choupana, salta-lhe de repente o malfeitor e crava-lhe o punhal.

Ângelo pôde apenas pronunciar estas palavras, exalando o último suspiro: "Malvado! Quem com ferro fere, com ferro será ferido!".

Debalde a polícia procurou saber quem fora o assassino de Ângelo. Não havia testemunha e o crime ficou impune. Passado apenas um ano, o salteador, estando na mesma feira, provocou um conflito e deram-lhe uma punhalada.

O salteador, conhecendo que ia morrer, confessou ter sido o autor do assassinato do pobre Ângelo e disse:

— Bem que ele exclamou na hora da morte: "Quem com ferro fere, com ferro será ferido!".

A história provocara em Eugênio ecos misteriosos. Sempre que a relia, ele emprestava ao assassinado a cara do pai, que era pobre como o outro Ângelo e decerto também andava com as calças furadas naquele lugar. Eugênio como que sentia na própria carne, nos próprios nervos aquela punhalada. E um desejo de justiça começava a nascer em sua consciência. Ele se fazia perguntas, que ficavam sem respostas. De que servia matar? Por que existiam homens maus no mundo? Ele não era capaz de arranhar um colega, de jogar pedras nos cachorros; não fazia malvadeza nem com os bichos nem com as pessoas. Doía-lhe ver os outros sofrerem. Tinha horror ao sangue. Como era então que havia no mundo gente que tinha a coragem de apunhalar honrados lavradores como o pobre Ângelo? Eugênio imaginava a tristeza da "idolatrada família", que decerto ficara na miséria; via em pensamentos o burrico troteando desamparado pela estrada ou então ao pé do dono morto, lambendo-lhe o rosto com amor. "Quem com ferro fere, com ferro será ferido." Essas palavras lhe traziam à mente outras que a mãe costumava dizer: "Deus castiga".

Um dia caiu um raio na casa do velho Galvão, matando-o e ferindo-lhe a filha. Mamãe disse: "Deus castigou. Eles eram muito malvados". Além do castigo da professora, do castigo dos pais da gente, havia então um castigo maior e mais tremendo — o castigo de Deus?

Eugênio temia esse Deus que em vão a mãe o queria fazer amar. Quando à noite rezava o "Padre nosso, que estais no céu..." — ele imaginava um ser de forma humana mas terrível, misterioso e implacável. Era invisível, mas estava em toda a parte, até nos nossos pensamentos. A ideia do pecado, então, começou a perturbar Eugênio. Estudava as lições e portava-se bem na aula porque temia os castigos da professora. Não fumava, não dizia nomes feios nem "fazia bandalheiras" porque tinha medo dos castigos da mãe. Fugia dos maus pensamentos e não fazia má-criações nem às escondidas, porque Deus estava em todos os lugares e enxergava tudo. Um dia, enumerando a lista dos grandes pecados, alguém lhe disse: "Não amar os pais é pecado". Então ele estava pecando! Por mais que se esforçasse não podia amar aquele pai que nunca levantava a mão para bater nele, que nem mesmo chegava a erguer a voz para o repreender.

Na escola os outros meninos contavam vantagens e proezas de pessoas da família. "Meu pai já foi no Rio de Janeiro... O teu já foi?" "Meu tio derrubou um negro com um soco." "Tenho um irmão que é remador do Barroso." Genoca, humilhado, ficava escutando num silêncio invejoso. Não tinha nada a contar. Seu pai era apenas o pobre Ângelo.

Eugênio enfiou as chinelas e, tiritando de frio, foi buscar revistas velhas para folhear enquanto esperava o jantar.

— Não bote os pés no chão, menino! — gritou d. Alzira para Ernesto. — Vais pegar uma constipação.

Ângelo ergueu os olhos cansados.

— Era só o que faltava um dos meninos cair de cama agora.

D. Alzira segurou Ernesto pela cintura, sentou-o na mesa e começou a vestir-lhe as meias. Ângelo levantou a agulha contra a luz e, com um olho fechado, procurou enfiar nela a linha preta.

Eugênio molhava na língua a ponta do indicador e ia folheando as revistas. Eram velhos números de *L'Illustration* que ele apanhara no lixo da casa dum engenheiro belga que morava nas redondezas. Quantas vezes tinha passado os olhos por aquelas figuras? Cem? Mil? Jamais cansava de olhar... As estampas tinham um encanto misterioso. Ele gostava particularmente das que lhe mostravam veleiros esquisitos nos rios da Indochina, anamitas de chapéus cônicos, europeus vestidos de branco, com capacetes de cortiça na cabeça. Para Eugênio esses homens eram sempre "valentes exploradores". Ele sabia que as pessoas que iam caçar feras na Índia e na África usavam aquele chapéu engraçado. As legendas das gravuras estavam escritas numa língua que ele não entendia. Seu Florismal dizia que era francês. Devia ser bom saber falar francês, alemão, inglês, africano...

Eugênio olhava agora para a figura dum anamita: lá ia ele pela beira do rio levando às costas uma canga com pesados cestos nas extremidades. Sua sombra se refletia na água. Era triste. Dava vontade de chorar. Genoca não sabia bem por quê. O chinês, o pobre Ângelo da história, papai — imagens tristonhas que se misturavam...

Eugênio tornou a olhar para o pai. Ângelo estava encurvado sobre o trabalho. Encurvado, como se um malvado naquele instante o tivesse apunhalado pelas costas. O pobre Ângelo...

Vivia fugindo dos credores. Quando batiam à porta, estremecia, erguia-se ligeiro, já tratando de se esconder ou de fugir pelos fundos da casa.

Eugênio não esquecia o que se passara havia alguns dias. Seu Jango do armazém tinha vindo em pessoa cobrar a conta atrasada.

— Diga que não estou, Alzira, que fui à Intendência... — cochichou Ângelo, com ar alarmado.

D. Alzira deu o recado:

— Olhe, seu Jango, não vê que o Ângelo não está em casa...

Atrás da porta do quarto, Ângelo escutava, mordendo o lábio. Ouviram-se passos fortes no corredor. E a voz de d. Alzira, mais apressada, já aflita.

— Mas, seu Jango, que é isso? Eu lhe disse que o Ângelo saiu...

Jango entrou de supetão na varanda. Era um homem grande, forte, moreno, de dentes muito brancos. Quando o viu entrar assim, em mangas de camisa, com os braços musculosos e peludos à mostra, Ernesto cochichou ao ouvido de Eugênio:

— Credo! Parece o Maciste.

Estranho... Eugênio ao vê-lo pensou logo no Destino. Sempre que acontecia à família alguma coisa desagradável, d. Alzira dizia: "Foi o Destino".

29

O Destino era um ser cruel, todo-poderoso e implacável. Seu Jango era o Destino.

Ângelo não teve outro remédio senão aparecer. Saiu do esconderijo acovardado, de cabeça baixa.

— Então, seu Ângelo, enganando os outros, hem? Pensa que eu sou algum bocó? Conheço bem a minha freguesia.

— Ora, seu Jango — murmurou Ângelo, mal ousando encarar o credor. — Não foi por mal. É que a gente tem vergonha...

— É muito fácil de dizer. Se tem vergonha, por que não paga? Eu não vivo de brisa, vendi e quero o meu dinheirinho.

— O senhor tenha paciência... — interveio d. Alzira.

— Estou pra entregar uma roupa a um freguês... — reforçou Ângelo. — Vou receber aí uns oitenta e cinco mil-réis e então...

Jango alteou a voz:

— Essa cantiga é muito conhecida. Todo o mundo vai receber dinheiro, mas ninguém paga. O senhor devia era ter mais vergonha nessa cara, ouviu?

Ângelo estava pálido. Eugênio ouviu-o murmurar numa súplica:

— Seu Jango, por favor, os meninos estão ouvindo...

— Pois que ouçam, que saibam que o pai deles é um grandessíssimo caloteiro.

Saiu pisando duro e bateu com a porta.

Um dia — pensou Eugênio — alguém vai à casa de seu Jango e diz pra ele todas essas coisas que ele disse pro papai. "Quem com ferro fere, com ferro será ferido." Alguém há de vingar o pobre Ângelo. Talvez Deus, ou então... Pela primeira vez Eugênio pensou em se fazer homem, estudar, ficar doutor e ganhar dinheiro, para livrar a família daquela vergonha, daquela miséria.

D. Alzira bateu palmas.

— Venham comer ligeiro, senão a boia esfria!

Sentaram-se todos em torno da mesa. No centro dela fumegava a travessa de arroz com guisado de charque.

Começaram a comer em silêncio. Quem falou primeiro foi Ernesto:

— No colégio hoje deram uma vaia no Eugênio porque ele estava com a calça furada atrás.

Encolheu-se todo, reprimindo o riso, e seus olhinhos brilharam de malícia. Eugênio ficou com o rosto em fogo. D. Alzira sacudiu a cabeça, vagarosamente, e olhou para o filho mais velho.

— Eu não te disse que não botasse aquela calça de riscado? Por que não botou a preta?

Eugênio baixou os olhos para o prato e ficou calado.

Ângelo serviu-se de mais arroz e disse com ar reflexivo:

— Parece mentira... Filho de alfaiate e com as calças rasgadas.

Quando o silêncio se fez de novo, eles ouviram o minuano uivando lá fora.

— Coisa triste, o inverno! — suspirou d. Alzira.

Eugênio olhou para a mãe. Ela era bonita, sim, muito mais bonita que muitas mulheres ricas que ele conhecia. Dizia sempre que eles ainda haviam de ser felizes e de viver com todo o conforto. "Ninguém foge do destino", eram as suas palavras, "eu acho que se ele nos tem trazido tanta coisa ruim, um dia pode nos trazer coisas boas."

Ângelo havia cruzado os talheres, quando bateram à porta. Marido e mulher se entreolharam.

— Deve ser o Florismal — disse ele.

— Vá abrir, meu filho — pediu d. Alzira a Eugênio. Mas logo em seguida acrescentou: — Não. Deixa que eu vou, você é capaz de receber um golpe de ar e pegar uma pulmonia.

Florismal... Para Eugênio aquele nome tinha um secreto encanto. Florismal aparecia quase todas as noites, chegava muito calmo, fumando o seu charuto de tostão e ia logo sentando na cadeira de balanço. Era um homem baixo, de cabelos ralos, quase calvo. No rosto gorducho e redondo, a barba forte era sempre uma sombra azulada, mesmo quando ele se escanhoava. Os dentes eram maus e miúdos. Florismal tinha uma voz macia e uma certa dignidade de estadista. Era um espírito conciliador e gabava-se de ter muita lábia. "Nasci para advogado", dizia. "Se eu tivesse tido mais um pouco de juízo quando moço..." Calava-se, entortava a cabeça, batia a cinza do charuto e ficava em atitude sonhadora. Decerto a ver mentalmente o seu passado, os seus erros e uma carreira perdida. Ou então pensava apenas no efeito que aquelas palavras e aquela sugestiva postura podiam estar produzindo nos interlocutores. A verdade era que amigos e conhecidos de Florismal sempre o chamavam para dar sentenças e resolver questões. Dizia-se que o homenzinho arranjava causas para advogados sem clientela e ganhava com isso gordas comissões. Muito figurão tirava o chapéu ao cumprimentá-lo na rua. Florismal fazia até discursos políticos. Por isso tudo, os amigos lhe chamavam *dr. Florismal*. A princípio, diziam *doutor* com uma pontinha de ironia. Florismal aceitava o título sorrindo, entre lisonjeado e divertido. Acabou ficando mesmo dr. Florismal. Com o tempo os amigos, que gostavam dele, esqueceram que aquilo era uma brincadeira e acabaram acreditando no título.

Naquela noite o dr. Florismal entrou sombrio.

— As coisas estão feias na Europa — foi logo dizendo, mesmo antes do boa-noite.

Todos os olhares se fixaram nele. O homem sentou-se na cadeira de balanço, acendeu um charutinho e, como um estadista que fala a um conselho de ministros, disse pausadamente, com ar grave:

— A Alemanha invadiu a Bélgica.

Marido e mulher se entreolharam, numa muda consulta. Não liam jornais, mas tinham ouvido falar que na Europa as coisas não andavam boas.

— Então a guerra sai mesmo? — perguntou Ângelo.

O dr. Florismal entortou a cabeça e fez o gesto de quem afasta de si qualquer responsabilidade.

— É inevitável. O *Kaiser* quer.

Silêncio. Ângelo ficou olhando aparvalhado para o amigo.

— Agosto, mês de desgosto — murmurou d. Alzira, levantando-se para desfazer a mesa e lavar os pratos. A guerra era lá longe na Europa e, fosse como fosse, não teria força para alterar o ritmo da vida naquela casa.

— Mas o que é que o senhor acha, doutor Florismal?

Ângelo apelou para o amigo, como se ali sentado na cadeira de balanço, chupando o magro charuto, ele tivesse nas suas mãos rechonchudas, bem tratadas e quase femininas, a sorte do mundo. O dr. Florismal alisou com carinho os ralos cabelos. Depois, com voz branda e levemente velada, deu a sua opinião:

— O que eu acho, Ângelo amigo, é o seguinte: a Alemanha esmaga a Bélgica e ataca a França. Ora, a Inglaterra não pode ficar de braços cruzados e entra no conflito. Vai ser uma guerra monstruosa. Num ponto as minhas previsões falham. Não sei com quem irá a Itália e a Holanda. — (Tinha grande admiração pela Holanda.) — Os holandeses é que me preocupam. Que grande povo!

Ficou um instante calado e imóvel, num devaneio.

Ângelo sacudiu a cabeça, dizendo:

— Mas sem nenhum auxílio o *Kaiser* não pode aguentar tanta gente em cima.
— Aguentar, aguenta. Você sabe que os alemães inventaram o raio da morte? Não sabe? Pois é. Um invento terrível, mata assim da distância de vários quilômetros, e o pior é que o raio é invisível. Uma coisa bárbara.
— Veja só... — Ângelo sacudiu de novo a cabeça, enrolando um cigarro de palha.
Eugênio escutava, compreendia... Ia haver guerra na Europa. O *Kaiser* queria. Ele conhecia o *Kaiser* dum retrato de *L'Illustration*. Era um homem carrancudo de chapéu de ferro e bigodes retorcidos e duros. A palavra *guerra* lembrava-lhe a história do pobre Ângelo. Ele tinha visto as figuras coloridas dum livro sobre a guerra russo-japonesa. Davam medo. Cossacos barbudos numa carga, japoneses de baioneta calada, cadáveres ensanguentados no chão, um soldado sem cabeça, outros de braços e pernas decepados, barrigas abertas... *Kaiser*... Palavra assustadora. Mais assustadora — ele achava — porque se escrevia com *k*. Crime devia ser *krime*. *Kaiser* era também o Destino. O *Kaiser* agora lhe aparecia confusamente como o assassino do pobre Ângelo.

O dr. Florismal fazia profecias, pintava um futuro negro e sangrento para a Europa e para o mundo.

Deixava, porém, no quadro de dor e catástrofe uma brecha por onde podia entrar um raiozinho tímido de esperança:

— Se eu fosse o presidente dos Estados Unidos da América do Norte, eu evitava a hecatombe.

A última palavra encheu-lhe a boca. Todos adivinharam nela uma significação misteriosa, enorme — porque não lhe conheciam o sentido. D. Alzira, que ia levando uma pilha de pratos para a cozinha, parou um instante no meio da varanda. Olhou para o dr. Florismal e ficou esperando que ele salvasse o mundo.

Florismal expôs o seu plano de pacificação. Tudo neste mundo com jeito se arranja...

Com a boca levemente entreaberta, a respiração suspensa, Eugênio escutava. Como ele admirava o dr. Florismal. Ali estava um homem que sabia tudo. Decerto tinha viajado e estudado muito.

— Venha cá, seu Genoca. Me diga quem foi Florismal.

Era assim que ele lhe perguntava sempre que aparecia. E, sem compreender o que dizia, Eugênio tinha de dar direitinho a resposta que aquele engraçado amigo de papai lhe ensinara:

— Foi um dos Doze Pares de França!

O dr. Florismal sorria satisfeito, mordendo o charuto, com seus dentes miúdos e escuros.

Naquela noite Eugênio foi para a cama, impressionado. Rezou o seu padre-nosso imaginando que Deus, o *Kaiser* e o Destino eram uma e a mesma pessoa. Os três eram poderosos, invisíveis e impiedosos. Deus era dono do mundo. O *Kaiser* queria vencer a Europa inteira. O Destino era o culpado de todas as coisas ruins que aconteciam no mundo.

Debaixo das cobertas, com as pernas encolhidas (temia que as almas do outro mundo lhe viessem fazer cócegas nos pés), Eugênio ficou por algum tempo com a atenção dividida entre seus pensamentos e o zum-zum das conversas na sala de jantar. Lá fora o vento ainda uivava, mexendo as telhas, sacudindo o arvoredo, fazendo tremer as vidraças.

D. Alzira entrou no quarto, botou um tijolo quente entre os pés dos dois meninos e saiu sem fazer barulho.

Eugênio ouviu mais uma vez a vaia dos colegas, fraca, no fundo da sua memória, cortada pela voz mais viva do dr. Florismal. Calça furada! Calça furada! O *Kaiser* também estava na roda que girava ao redor dele, gritando e pulando. Ele lhe via o capacete de ferro, os bigodes eriçados. Calça furada! As meninas também gritavam e riam. Que vergonha!

Adormeceu ao som da vaia... Sonhou que era rico. Acordou pouco depois quando os pais já se preparavam para dormir. A cama do casal ficava ali mesmo no quarto, pois a casa só tinha três compartimentos. Ângelo tossiu, gemeu, suspirou.

— Tu devias deixar o cigarro — disse-lhe a mulher, em voz baixa.

Eugênio sentia na nuca a respiração quente do irmão, que dormia a seu lado. Escutava a conversa dos pais, que era entrecortada de silêncios longos, de suspiros e gemidos abafados. Houve um momento em que ele disse:

— Queira Deus que essa guerra não venha até cá.

— Deus sabe o que faz — retrucou a mulher.

Depois de alguns segundos tornou a falar:

— Ainda estás com os pés frios?

— Estão que nem gelo!

— Queres um tijolo quente?

— Não carece.

Silêncio. E depois, ao cabo de não se sabe que pensamentos, a voz dolorosa do pobre Ângelo soou tremida no quarto quieto, escuro e frio, quase num soluço:
— Ai! Isto não é vida.
Essas palavras doeram em Eugênio, que adormeceu pensando nelas.

Os minutos passavam. O auto desliza em grande velocidade pela faixa de cimento.
Eugênio tira o chapéu, passa a mão pelos cabelos. Tem na mente, numa inquietadora sucessão, as imagens das pessoas que sacrificou à sua carreira, ao seu egoísmo, à sua cega ambição. Fui um louco, um bruto — pensa ele. Considerara apenas o seu futuro, a sua ascensão na vida. A carreira estava em primeiro lugar. Depois vinham os outros. Os outros... Os que o amaram sem pedir compensações, os que não lhe exigiram nada e lhe deram tudo. O pai obscuro, humilde, humilhado, ferido de morte pela vida. A mãe que sacrificara sua mocidade ao marido, aos filhos, ao lar. Agora ambos estavam mortos. Era o irremediável. E para Eugênio o que mais dói é a certeza de que se lhe fosse dado viver de novo os anos da infância e da adolescência, ele não poderia portar-se de outro modo, não lograria amar os pais como eles mereciam.
Pensa em Olívia. Ela lhe deu tudo quanto uma mulher pode dar ao homem que ama. Como ele foi insensato! Teve nas mãos um tesouro fantástico e — néscio! — jogara-o fora. Levou anos para compreender Olívia. O desejo de sucesso, a preocupação de olhar para si mesmo o tornaram cego a tudo quanto o rodeava. Ele queria subir, a mediocridade o sufocava, a pobreza cheirava a morte. E a sua carreira finalmente tinha sido como um elefante sagrado caminhando sobre um tapete de criaturas humanas, de almas que suas patas brutais esmagavam.
Agora todo o seu velho sonho está desfeito em poeira, é como cinza áspera que lhe foge por entre os dedos, deixando-lhe na alma um ressaibo amargo.
No fim de contas que é ele ao cabo de tantas crueldades, de tanta agitação, de tantos conflitos? Nada. Um homem medíocre que, tendo procurado o sucesso através dum casamento rico, acabou encontrando nele apenas as mesmas inquietudes e incertezas do tempo de pobreza, a antiga e dolorosa sensação de inferioridade. Hoje ele é simplesmente o marido de Eunice Cintra.
E Olívia vai morrer... Justamente agora que ele acaba de lhe descobrir a alma, agora que ele procura humanizar-se para se tornar digno dela, para reparar o mal que lhe fez.

O auto corre. Ainda mais duas horas de viagem. E se Olívia já estiver morta?

Eugênio desfaz o nó da gravata, desabotoa o colarinho.

Onde está Deus, o Deus de Olívia? Será que Ele insiste em se revelar apenas na forma dum cruel castigo?

Eugênio olha para fora.

Um colhereiro de asas cor-de-rosa voa rente ao verde lustroso dum arrozal.

3

Era setembro. Naquela manhã de domingo, sentado na soleira do portão do internato, Eugênio sentia como nunca as mudanças que se haviam operado no seu corpo e na sua vida, depois que ele completara quinze anos. Sim, não existia a menor dúvida: estava ficando homem. Agora se examinava com frequência ao espelho — de longe, de perto, de soslaio — com fúria de analista obstinado. Achava-se feio e rude, e isso o angustiava. Deus bem lhe podia ter dado outra fisionomia, já que não lhe dera riqueza. Rebentavam-lhe espinhas no rosto, no pescoço, nas costas: era também primavera no seu pobre corpo de adolescente. O buço apontava forte, sombreando-lhe o lábio superior. Uma nuvem de estranheza e selvagem desconfiança lhe velava os olhos, que não conseguiam fixar-se por muito tempo no rosto das outras criaturas. Andavam quase sempre entrecerrados, eram torvos e davam àquelas feições uma expressão quase imbecil.

Com surda cólera Eugênio contemplava a imagem do espelho. Era como se estivesse diante dum inimigo — inimigo perigoso que lhe conhecia todos os segredos, todos os pecados, até os mais sórdidos e escondidos.

O pior de tudo, porém, era a voz. Soava de ordinário velada e rouca, descia inesperadamente às notas mais graves para de repente saltar em guinchos desafinados, voltando quase sem transição para o tom profundo que no fim das frases se esfarelava num ronco. Essa era uma de suas maiores fontes de inquietação e de vergonha. Quando tinha de ler em aula algum trecho em voz alta, sofria horrores. Os colegas riam dele e até os próprios professores às vezes não conseguiam ficar sérios. E por isso Eugênio se fazia mais calado do que era.

Por que tudo nele era feio e desagradável? — perguntava-se a si mesmo. — Por que tudo quanto lhe pertencia era desajeitado e sem graça, desde as pobres roupas que o pai lhe fazia até o corpo que Deus lhe dera?

Eugênio sentia a nostalgia da beleza e talvez fosse por isso que sua paixão por Miss Margaret, a filha do diretor do colégio, era tão grande, tão infeliz e desesperançada.

Sim, pensava Eugênio, ele estava ficando homem. Sentia como nunca o corpo e agora tratava de descobrir que misteriosa relação podia ter a primavera com os seus desejos e com a sua ânsia. Lembrou-se duma cena que se passara em casa nas últimas férias. Mamãe se queixara para o dr. Seixas: "Olhe, doutor, eu sinto uma coisa aqui, no fígado. Não é bem dor, é uma coisa...". E o médico respondera: "Quando a gente sente algum órgão é porque esse órgão está doente".

Eugênio sentia o sexo dum modo estranhamente pungente que era ao mesmo tempo doloroso e agradável. Era ele como que o centro da sua vida, atraía-lhe quase todos os pensamentos, desviando-os dos outros assuntos. E isso o inquietava e revoltava, porque os sermões do rev. Parker, o Velho Testamento e o mistério com que se cercavam as coisas do sexo estavam berrando que aquela parte do corpo era a fonte dos mais nojentos pecados.

O que ele sentia seria natural ou era a consequência dalguma doença? Eugênio tinha malícia suficiente para chegar à conclusão de que era natural. Para a maioria dos rapazes do internato os assuntos sexuais não tinham mistério. Os alunos mais velhos quase todos já haviam conhecido mulher.

Quanto a Eugênio, o que ele antes desejava apenas com a curiosidade e com pruridos precoces, passara a desejar agora ardentemente, com todo o corpo. Era uma tortura, pois a ideia do pecado se misturava com o desejo, tornando-o ainda mais intenso e doloroso. Entre o seu corpo e o objeto de seus sonhos fogosos erguia-se o castigo dos professores e, ainda mais assustador, o castigo de Deus. A verdade, porém, era que nada disso conseguia apaziguar-lhe os apetites, que ele saciava solitariamente, no silêncio do quarto, cheio de medo, de vergonha e dum trêmulo e ansiado prazer. Vinham-lhe depois tremendas lutas de consciência. Os professores faziam circular entre os alunos livros de educação sexual em que havia pavorosas ameaças para os que se entregavam àquelas satisfações solitárias e pecaminosas. A natureza castigava os que transgrediam suas sábias leis. Eugênio lia e relia as torvas ameaças e já se considerava perdido, a caminho da imbecilidade, incapaz para o estudo e para a vida. Consultava o espelho, via manchas arroxeadas ao redor dos olhos, sentia a cabeça umas vezes oca e outras, pesada como chumbo. Doíam-lhe as costas, a memória era fraca. Não havia dúvida, eram os sintomas que o livro dava... Era preciso emendar-se antes que ficasse irremediavelmente perdido. Atufava-se no estudo, fugia das revistas em que houvesse gravuras eróticas, procurava espantar os pensamentos maus, evitava os colegas que gostavam de conversar obscenidades. Só não conseguia era fugir de seus desejos, de seu corpo.

E, naquela manhã, Eugênio sentia como nunca esse corpo.

Ele pulsava por baixo das roupas leves e ásperas, estava vivo e aos poucos se ia enchendo duma força tão grande, quente e estranha, que Genoca tornava a achar possível que estivesse mesmo doente.

Do campo de esportes onde alguns rapazes batiam bola, vinham gritos trazidos pelo vento perfumado que arrepiava a pele de Eugênio, despertando-lhe pensamentos lúbricos.

Para fugir às imagens pecaminosas, ele pensou em Margaret. O amor que tinha por ela era diferente. Ele *queria* que fosse diferente. Amava-a desde o ano anterior. Passara os três meses de férias desejando a volta para o internato, pensando na menina, cheio duma saudade esquisita temperada de esperança, desconfiança, temor e suave desespero. Ela nunca chegaria a saber daquele amor... Tão loura, tão delicada, tinha olhos azuis de boneca, uma vozinha doce, um jeito de estampa colorida. Sim, de estampa. Ele não achava outra comparação, por mais que procurasse. Margaret não era bem real: era uma pintura.

Eugênio suspirou, encostou a cabeça no pilar do portão e ficou olhando o céu. Margaret estava tão longe dele como aquele corvo que voava lá perto das nuvens. Ela era bonita. Ele era feio. Ela era delicada. Ele era bruto. Ela era pura. Ele era um porco.

Arrancou do chão uma lâmina de capim e mordeu-a com fúria. Por que lhe vinha de repente aquela vontade frenética de morder as árvores, morder as folhas, morder a carne das próprias mãos?

Um rapaz de calções brancos e curtos e camiseta vermelha passou correndo.

— Vamos bater bola, Genoca? — gritou.

Continuou a correr sem esperar resposta.

Eugênio pensava ainda em Margaret. Aquele amor secreto era a melhor coisa de sua vida. Tinha um gosto de romance, um romance que ele escrevia com a imaginação, com o desejo, já que a vida se recusava a dar-lhe um romance de verdade. No silêncio de certa noite, em que o luar lhe entrava pela janela do quarto, ele pensou em Margaret, estendido na cama, de olhos fechados. Imaginou mais um encontro noturno, debaixo das árvores do jardim. (Nessas conversas ele perdia a timidez, era como se a luz da lua conseguisse limpar-lhe o rosto das espinhas e a alma dos pecados, era como se o luar fizesse até o milagre de lhe dar uma voz agradável, parelha e máscula.) Os dois ficaram a contemplar-se em silêncio. Os cabelos dela pareciam de prata. Os dele, de bronze. Um organista misterioso tocava músicas muito doces na capela. Margaret contou-lhe histórias do tempo em que sua família morava na China, onde seu pai fora missionário. Em troca, ele lhe descreveu sonhos, planos de vida. Pretendia estudar cada vez mais e um dia havia de se formar em engenharia. Engenharia? Não. Medicina. Seria médico para curar o pai daquela doença do peito e para ajudar os pobres, como o dr. Seixas. Ficaria famoso e rico, deixaria de ser simplesmente o Genoca para se transformar no dr. Eugênio Fontes. Os outros haviam de respeitá-lo, de tirar o chapéu quando ele passasse na rua. "Como está, doutor?" Depois ele viria num dia de sol pedir a mão de Margaret. O próprio rev. Parker os casaria na capela do colégio. Depois os noivos sairiam de braços dados pela alameda de plátanos que vai desde a porta da igreja até o portão central. Seria primavera, as ameixeiras e pessegueiros estariam cobertos de flores. Lá se vão os noivos muito juntinhos por entre alas de árvores e gentes. Que cochichos são esses? "Quem é a noiva, comadre?" — "Não sabe? É Miss Margaret Parker." — "E o rapagão?" — "É o doutor Fontes, um médico que salvou a família, está muito rico, tem fama."

Mas de repente todo o sonho desapareceu, e lá estavam apenas no quarto nu do internato as camas de ferro, o lavatório, a mesinha de pau, a mala e aquele cheiro ativo de óleo de linhaça.

Eugênio nunca sentira tanto as mudanças de seu corpo e de sua vida como naquela manhã. Que era que esperava ali sentado? Nem ele mesmo sabia com certeza. Talvez esperasse o fim do culto em língua inglesa que se estava realizando na capela, pois Margaret se achava lá dentro. Com grande alvoroço ele a vira entrar, toda de azul, levando nas mãos o chapéu de palha amarela, de abas enormes e bambas. Eugênio a imaginava naquele instante junto do órgão. Pela rosácea tricolor do fundo da capela decerto se coava a luz do sol, que pintava reflexos de ouro nos cabelos da menina...

Os sinos começaram a tocar. O som musical enchia o ar, parecendo aumentar-lhe a luminosidade. Eugênio passou a sentir aqueles sons com todo o corpo. Estremecia e ficava vibrando a cada badalada. Lembrava-se de outros sinos, de outras igrejas, em outros tempos. Viu e ouviu mentalmente a sineta do seu primeiro colégio. Sentiu na memória os ecos tristes daqueles mesmos sinos que dobraram finados no dia em que morrera de tifo um dos alunos do colégio. De repente teve vontade de chorar. Os sinos lhe traziam tantas recordações... O pai contava que tinha sido sacristão quando criança, o padre mandava-o puxar a corda dum velho sino rouco. A mãe cantava uma cantiga tristonha e arrastada que falava nos sinos da tarde. Sino... Incêndio. Procissão. Missa. Enterro.

Era alegria ou desespero o que ele sentia? Eugênio apertava os lábios, fechava os olhos. Os sinos estavam nos seus ouvidos, na sua memória, na sua epiderme, nos seus nervos.

— Decerto eu estou doente — murmurou.

Um automóvel parou à frente do portão. Desceram dele uma mulher e um homem. Eugênio abriu os olhos e num relance percebeu que ambos eram louros e magros, estavam vestidos de claro e deviam ser ingleses. Por um segundo vislumbrou o rosto avermelhado e sorridente da mulher, iluminado de sol e projetado contra o fundo azul do céu. O casal caminhou para o portão. Num gesto automático o rapaz se ergueu. E quando os desconhecidos passaram, ele teve a estranha impressão de que era um mendigo à porta de uma igreja e que o homem ia jogar-lhe um níquel no chapéu. Ao pensar nisso corou. Por que era que se sentia tão inferior diante daquela gente? Talvez porque eles passavam sem lhe dar atenção, como se ele fosse uma pedra, uma formiga, um graveto.

Tornou a sentar-se. O casal seguia pela alameda na direção da capela.

Em breve um bando de homens e mulheres se aproximou do portão. Vinham todos conversando animadamente em inglês. Eugênio viu uma confusão de rostos claros, tostados, cabelos esvoaçantes, ruivos, brancos, bronzeados, louros... Tornou a levantar-se e teve vontade de fugir. Sentia-se mal na presença daquela gente que, apesar de tudo, ele tanto admirava. Tinham tudo quanto ele sonhava, tudo quanto ele não possuía; personalidade, um belo físico, roupas limpas e elegantes, dinheiro, posição.

O bando passou. Eugênio sentou-se outra vez. Os sinos se calaram.

A nuvem que se erguera por detrás do morro já estava no céu alto, esgarçava-se, levada pelo vento. O arvoredo farfalhava. Devia ser assim o som do mar nos dias de calmaria. Eugênio tinha saudades do mar, que na realidade nunca vira. Do mar... Margaret. Pensou em levantar-se e ir até a porta da igreja para ouvi-la cantar. Ela era solista do coro.

Voltou a cabeça para o lado, atraído por um latido. Viu um homem alto, ruivo, com casaco cor de charuto e calças de flanela creme. Trazia um cachorro preso por uma corrente prateada. Atravessou o portão apressado, deu dois passos e voltou-se:

— Eh, rapaz! — gritou.

Eugênio ergueu-se. O desconhecido estendeu a mão com a corrente.

— Segura este cachorro.

Falou em tom autoritário e seco. Eugênio obedeceu sem refletir. O homem fez meia-volta e dirigiu-se em passadas largas para a capela.

O cachorro pulava e latia desesperadamente, puxando a corrente e esforçando-se por seguir o dono. Eugênio olhava para o animal com ar estúpido, o coração a bater-lhe com mais força, o rosto afogueado. Tudo aquilo se passara com tanta rapidez, que ele não tivera a menor hesitação: obedecera. Era uma vergonha, um desaforo. Olhou com ódio para o homem de casaco havana e calças de flanela creme que agora entrava na igreja. Segura este cachorro! Como se ele fosse um criado, um escravo. O seu sentimento de humilhação era tão grande, tão fundo que Genoca sentia desejos de se esconder. Procurou com os olhos um refúgio. Achou-o entre uma das grandes colunas do pórtico e o corpo do edifício. Dirigiu-se para lá e sentou-se no degrau de granito. Seus pensamentos eram um tumulto. Ele e o cachorro — as duas figuras centrais do mundo naquele momento. O cachorro era mais bonito, mais bem cuidado e mais feliz que ele. Eugênio Fontes, menos que um cachorro! Gente pobre: vida de cachorro. Meu pai e eu: olhos de cachorro, cachorro escorraçado. Os ingleses pensam que somos cachorros. (Lera histórias da guerra no Transvaal. Autores que diziam que os ingleses acham que Deus pôs no mundo os outros homens só para lhes servirem de criados. Os ingleses e os americanos — ele sabia — tinham horror ao negro.) Ele fora tratado como um negro. Não era ninguém. Valia menos que as formigas que caminhavam ali em cima das lajes, carregando folhas e gravetos, menos que as formigas que o cachorro do inglês agora procurava lamber com sua língua úmida e vermelha.

Encolhido naquele canto, segurando a corrente, Eugênio ficou pensando na sua situação no internato. Se podia dar-se ao luxo de frequentar um colégio de primeira classe, era porque a mãe pagava a pensão e o ensino lavando toda a roupa branca do Columbia College. Todas as segundas-feiras o pobre Ângelo vinha conferir o rol na sala de rouparia em companhia da ecônoma. Eugênio se escondia nessas ocasiões para não ver o pai atravessar o jardim, muito humilde, sorrindo servil para as pessoas que encontrava, para os professores que mal o cumprimentavam e para os alunos que riam dele e às vezes lhe davam trotes — trotes que o pobre homem tolerava com um sorriso de paciência, com ar de quem no fim de contas ainda devia pedir desculpas. Um dia, passando pela frente da janela aberta da rouparia, Eugênio ouvira a voz autoritária da ecônoma dizer: "Lençóis, sessenta e cinco" e a voz apagada e macia do pai responder: "Confere". Ficara com essa palavra nos ouvidos por muitos dias. Através dela, toda a vida de servilismo do pai. Confere. Mesmo que o número de lençóis estivesse errado ele não teria coragem de protestar. Confere. Sempre concordava com tudo, resignava-se. Por causa dessa resignação Eugênio tinha pena e ao mesmo tempo ódio do pai. Ódio por causa de sua falta de energia. O pai falhara na vida. Devia ter dado aos filhos um nome, uma situação cômoda e decente no mundo. Preferia, entretanto, continuar dizendo "confere" com ar tímido, sem coragem para a luta.

Eugênio olhava sombrio para o cachorro. Sentiu ímpetos de dar-lhe um pontapé, de matá-lo, mas arrependeu-se logo desse pensamento. Devia estar doente por pensar aquelas coisas... Veio-lhe uma ternura morna e o olhar que em seguida lançou para o animal foi de piedade.

Enfim, não podia esconder a realidade. Era um pobre-diabo. Os outros rapazes sabiam de sua situação. Ele sempre sentira um certo elemento de desprezo na maneira como a maioria dos colegas o tratava.

Nos esportes ele se revelara um fracasso. Fora experimentado no primeiro time de futebol. Mostrara-se um mau jogador, sem nenhum ímpeto agressivo, preocupado demais com não machucar, não ferir. Os outros interpretavam mal essa atitude. E classificavam logo: "O Genoca é um galinha".

Não andava metido em grupos, não acompanhava o bando que todos os dias depois de cada refeição se reunia atrás do pavilhão das aulas para fumar cigarros e conversar imoralidades. Por isso tudo, lhe chamavam maricas. Eugênio se esforçava por entrar na alegria berrante das horas de recreio, dos bailes que os rapazes improvisavam no grande salão de ginástica. Era inútil. Um dia gritara no meio da balbúrdia e ficara o resto do tempo a ouvir o eco interior da própria voz naquele grito sem graça, sem alegria, sem espontaneidade, sem juventude. Envergonhara-se de si mesmo.

Por outro lado via como os rapazes do quinto ano procuravam a companhia de Margaret. Eram convidados para chás semanais e almoços mensais na casa do diretor. Só por imaginá-los ao redor da mesa, a pouca distância de Margaret, Eugênio sofria. Os alunos do quinto ano eram mais velhos do que ele, alguns eram rapagões bonitos, todos sabiam conversar com uma moça, vestiam-se com uma elegância simples e natural.

Eugênio não tinha outro remédio senão procurar compensação nos livros. Estudava muito, distinguia-se na sua classe, ocupava os primeiros lugares. Isso lhe valia novas inimizades e essas inimizades o empurravam cada vez mais para a solidão. Sua alma sensitiva registrava com exagerada precisão os assaltos do mundo exterior, ressentia com aguda sensibilidade os golpes que os outros deliberada ou inadvertidamente lhe dirigiam. Ia, assim, ficando com uma visão deformada do mundo. As humilhações a que o submetiam como que se lhe incrustavam na personalidade, aleijando-a.

Aquela corrente lhe queimava a mão. Se, saindo da igreja naquele instante, Margaret o visse ali com o cachorro, ele morreria de vergonha. Se os rapazes o descobrissem, haviam de dar-lhe uma vaia. Por que era tão covarde? Por que não largava o animal, mandando o inglês para o diabo?

Ergueu-se de inopino e saiu a caminhar apressado, indo esconder-se debaixo das árvores do parque, atrás do grande pavilhão do internato. Havia ali uma sombra fresca e azulada. Quando o sino soasse de novo, anunciando o fim do culto, ele se ergueria para entregar o cachorro àquele bife odioso.

Sentado ao pé dum plátano, com as costas e a cabeça apoiadas no tronco duro, Eugênio procurava tranquilidade, lutava pela paz. Queria ser sereno e feliz como os outros. Por que não conseguia? Era aleijado? Seria por acaso diferente dos demais rapazes?

O vento agitava as folhas dos plátanos. Eugênio sentiu cair-lhe na cabeça, no rosto e nas mãos um pó verde, de cheiro acre e excitante. Sorveu o ar perfumado e teve a impressão de que respirava seiva. Pensou numa mulher nua e um calor perturbador percorreu-lhe o corpo. Por que era que as árvores, o vento, a paisagem toda lhe sugeria aqueles pensamentos? Que era que a primavera tinha a ver com seus desejos? Não lhe bastavam já as outras preocupações? Aquela poeira verde e finíssima decerto caía das folhas dos plátanos... Pensou em pólen. Viu mentalmente o professor de botânica, com o lápis na mão, os óculos brilhando. "Estudaremos hoje a fecundação a distância." Sim, ele estava respirando pólen. Os pássaros que beijam as flores trazem pólen no bico. O pólen também é levado pelo vento. Se ele fosse flor agora ficaria grávido. Odiou esse pensamento, mas não pôde evitar a ideia de gravidez. Na sua mente apareceu a imagem da mãe com o ventre inchado, a gravidez de seu terceiro filho, que nascera morto. Lembra-se de tê-la visto grávida, antes mesmo de compreender com clareza como nasciam as crianças. Depois uma outra imagem apagou a primeira. Margaret grávida. Horroroso! Como podia pensar em tais coisas? Seu rosto se crispou numa careta: reflexo físico daquele pensamento monstruoso. E então pela primeira vez, dolorosamente, ele desejou Margaret com a carne. Era uma revelação inesperada, o coração começou a pulsar-se-lhe mais forte. O foco central de sua vida de repente crescia, latejante, e tornava-se o centro mesmo do universo. A culpa era da primavera — explicava ele para si mesmo. As árvores rebentavam em brotos verdes. O vento levantava o vestido duma mulher que ia passando lá longe, na estrada. Eugênio odiou a natureza. Ela não tinha pudor de amar assim abertamente, de gritar seus pensamentos libidinosos em plena luz do sol. Procurou afastar dela a atenção, como quem desvia o olhar duma gravura obscena.

Mas o seu corpo continuava ali, palpitando.

Decerto estou doente — pensou.

O cachorro latia para um gato preto que caminhava no telhado da casa do diretor.

Eugênio acordou no meio da noite. Passando da escuridão dum sono sem sonhos para a escuridão do quarto — nos primeiros segundos ele foi apenas uma criatura sem memória. Era ainda o atordoamento do sono que lhe enevoava as ideias, que lhe dava aquela sensação aflitiva e confusa que devia ser parecida com a da loucura. Durante alguns instantes ele só teve consciência daquela angústia, daquela ânsia, daquela pressão no peito, dum formigueiro no corpo e do desejo de luz e de ar. Era uma impressão de fim de mundo. E ali na sua cama, deitado de costas, Eugênio procurava vencer a escuridão, a névoa e a angústia. Durante rápidos segundos perguntou-se a si mesmo quem era e onde estava. Estendeu um braço e sentiu nas costas da mão o contato frio do ferro da cama. Aos poucos ia compreendendo... Estava no seu quarto do Columbia College. Quanto tempo dormira? Horas ou minutos? Lembrava-se vagamente de uma conversa que tivera com Mário, o companheiro de quarto, antes de deitar.

Ouvia o gemido do vento e isso lhe aumentava a aflição. Sentia no corpo a tempestade que lá fora estava prestes a desabar. Era sempre assim. Acordava de repente, como que sacudido por um misterioso aviso. Depois vinha aquele desejo formigante de saltar da cama, de acordar os companheiros, pedir luz aos berros, abrir as janelas e respirar todo o ar que houvesse no mundo.

Com um gesto cego e quase desesperado jogou longe as cobertas, porque era sufocante o calor que lhe percorria o corpo.

Que fazer? Pensou em chamar o companheiro. Inútil. Mário não acordaria. Se acordasse era para lhe dizer um nome feio e cair de novo no sono.

Se ao menos o vento parasse... O vento era que lhe fazia mais mal. Não. O pior mesmo era a falta de ar. Desabotoou o casaco do pijama com tão brutal sofreguidão que um dos botões, arrancado, saltou longe, caiu no chão com um ruído seco. Eugênio se mexeu na cama. Deitou-se de bruços, apertou o coração contra o travesseiro, cerrou os punhos. Sentiu-se um pouco melhor assim. Devia sofrer do coração. Não podia ser natural o que sentia. Como era que os outros dormiam em noite de tempestade?

O sono parecia vir vindo, devagarinho... Eugênio cochilou. E de repente, sem saber como, estava de novo acordado a perguntar a si mesmo se tinha dormido ou não. A aflição lhe voltou, muito mais forte. O vento soprava com fúria e ele como que via o vento lançando o desespero na noite. O calor parecia ficar mais opressivo à medida que o tempo passava. De súbito Eugênio teve a impressão perfeita de que via os relâmpagos lá fora, via-os, apesar da escuridão do quarto e das janelas fechadas.

Ia morrer asfixiado. Desde que lera uma certa história ficara com o pavor de ser entaipado vivo. No enterro dum colega o ano anterior vira com horror meterem o caixão num carneiro. Pobre do Eduardo! Sem ar, no escuro, sozinho e para sempre. Os entaipados do cemitério decerto ouviam o uivo do vento nas noites de tempestade.

E agora ele também estava entaipado. Se não abrisse a janela, morreria...

Saltou da cama, caminhou na direção do companheiro e procurou-o às apalpadelas. Sacudiu-o de leve.
— Mário... Mário...
O outro se mexeu. Depois dum instante resmungou:
— Hum...
— Sou eu... o Eugênio...
— Que é?
Aquela voz era um consolo, um socorro, uma esperança. Eugênio sentiu os olhos úmidos. E foi num tom de miséria que suplicou:
— Não te importas que eu abra a janela?
Ouviu o rangido da cama, sentiu que o outro se voltava para a parede e tornava a mergulhar no sono. Era bom não ter coração. Ele sentiria inveja do outro se não estivesse apavorado. Apavorado porque de novo ia ficar sozinho. Fazia esforços desesperados para se chamar à razão, para se convencer a si mesmo de que não havia nada de anormal. Tinha a experiência de outras ocasiões semelhantes. No dia seguinte de manhã, riria das aflições da noite. O mundo não ia acabar. E no dormitório havia ar suficiente para todos os alunos respirarem a noite inteira. Ele não estava entaipado, essa ideia era absurda, maluca. Sim, maluca... Podia ficar louco. Tinha medo de enlouquecer. Se o vento não parasse, enlouqueceria. Se não conseguisse luz e ar era capaz de sair correndo aos gritos pelo corredor na direção da escada, da porta, do ar livre...

Deu dois passos procurando a janela. E de repente se sentiu perdido na escuridão. Não sabia mais onde ficava a sua cama, onde estava a cama de Mário, a porta, a janela. Ajoelhou-se, encostou as palmas das mãos no soalho e começou a engatinhar devagarinho. O vago sentimento de ridículo daquela posição se misturava com a aflição de estar desorientado, com a ânsia de achar a janela. E sempre o vento, as batidas do coração, o formigueiro ardente no corpo.

A mão de Eugênio encontrou um objeto duro e frio. Pelo tato sentiu-lhe a forma: era o lavatório de ferro. A janela devia estar perto! Moveu-se mais alguns palmos para a frente e com alegria encontrou a parede e, erguendo-se, a janela. Abriu-a com fúria. A vidraça de guilhotina estava descida. Lá fora a escuridão era densa. Mas a luz dum relâmpago trespassou a treva e num relance Eugênio viu o vulto dos morros. Era como se o mundo não existisse e de repente aquela luz mágica e rápida criasse toda uma paisagem. Era, entretanto, uma paisagem de mistério e horror. Teve a impressão de que as montanhas também estavam aflitas, e sofriam. Nem lá fora havia salvação. Outro relâmpago. Eugênio vislumbrou o céu de ardósia, as nuvens carregadas que entaipavam o mundo. Pensou em erguer a vidraça para que o vento lhe refrescasse o rosto, as mãos, o corpo e o coração. Teve medo, pois agora tudo ia ser pior, já que no mundo não encontrava socorro. Oh! Se chovesse, se as nuvens se despejassem, aquela pressão, aquele peso, aquela aflição lhe deixariam em paz o pobre corpo cansado e ele poderia dormir. Como era bom dormir!

Voltou para a cama, deitou-se e afundou a cabeça no travesseiro. De instante a instante relâmpagos clareavam o quarto. Eugênio desejava que a manhã viesse, que a sineta soasse, que os outros alunos acordassem, para ele ter a certeza de que estava vivo, de que estava salvo.

Sobressaltou-se. Alguém tinha falado. Sim. Ouvia uma voz humana. Suspendeu a respiração. Não ousava abrir os olhos. Outra vez a voz.

— Ó Genoca... Genoca...

Era Mário. Eugênio voltou-se para o lado. Um relâmpago alumiou o quarto e à luz lívida ele viu o companheiro sentado na cama.

— Vai fechar a janela — pediu o outro.

Eugênio ficou onde estava, imóvel, sem falar.

— Fecha essa droga!

Mário saltou da cama. Eugênio ouviu o ruído macio e surdo de pés descalços no chão. Depois, a batida da janela. Seu mal-estar aumentou. Outra vez a escuridão. Eugênio chamava a si pensamentos agradáveis. Pensou em Margaret como um marinheiro em meio da tempestade em alto-mar pensaria na santa padroeira do navio. Sentiu que o sono lhe doía nas pálpebras. Apertou o coração contra o colchão, viu-se de braços dados com Margaret, passeando na alameda de plátanos. Eles caminhavam, caminhavam, a alameda não terminava mais, era uma perspectiva sem fim, os dois vultos iam ficando cada vez mais minguados...

Dormiu. Quanto tempo? Despertou de repente e verificou, angustiado, que ainda não havia amanhecido. Teve vontade de saber que horas eram. Não ouvia mais o sussurro do vento. O calor aumentara, a aflição voltava. Precisava de luz. Ergueu-se, foi até a cama do companheiro e sacudiu-o.

— Mário...

— Ãan...

— Tens uma vela?

Pausa. Ronco de impaciência. E depois:

— Tenho. Na gaveta da mesa. Fósforos também. Mas que é que tu tens?

Eugênio não respondeu. Procurou a mesa às apalpadelas, abriu a gaveta, tirou a vela, os fósforos, e acendeu o pavio.

— Cuidado com esse negócio — recomendou Mário.

Eugênio sentou-se à mesa, pegou uma revista, abriu-a e pô-la de pé atrás da vela, procurando impedir que a luz desta fosse visível por cima da meia-parede que dava para o corredor. Ficou olhando idiotamente para a chama amarela e para as páginas da revista. Pensamentos confusos, pálpebras pesadas... Se ao menos o sono viesse... Felizmente o vento tinha parado. Abriu um livro. Elementos de física. *Denomina-se ar atmosférico ou simplesmente ar...* E de repente um estrondo formidável rasgou a noite, sacudiu o edifício, seguido dum trovão que ficou ribombando longamente. Raio — pensou Eugênio. E no automatismo do medo começou a murmurar uma oração havia muito esquecida. Viu a mãe no meio da casa murmurando: "Santa Bárbara, são Jerônimo".

Mário estava sentado na cama, com os pés para fora. E quando o estrondo do trovão morreu longe, num vago rolar abafado, esforçando-se para parecer corajoso, ele murmurou:

— Que venha o mundo abaixo! — E na sua voz se notava um leve tremor.

Eugênio olhava para o relógio, ouvia agora no silêncio o seu tique-taque ritmado. O ponteiro dos segundos andava à roda; mas como era lenta, como era invisível a marcha do ponteiro maior!

Se ao menos chovesse a atmosfera ficaria mais descarregada, mais... De súbito se ouviu um brutal estalo, como o de um gigantesco chicote de metal, seguido do estrondo da trovoada. Os dois rapazes se entreolharam. Mário forçou um sorriso. Eugênio apenas olhava. Agora se lembrava do Eugênio de seis anos, explicando a causa do trovão a Ernesto: "Estão de mudança lá no céu. São Pedro está arrastando os móvel...".

Quando a trovoada cessou ouviu-se um desesperado grito humano. Ambos suspenderam a respiração por um instante e entreolharam-se. O grito tinha partido do próprio dormitório. Grito de assassinado, grito de pavor. Mário soprou a vela num gesto de defesa. E no escuro os dois ficaram escutando...

— Decerto é o "Pancada" — sussurrou Mário.

Sim, devia ser Mr. Tearle. Era o professor mais moço e mais novo do colégio. Viera dos Estados Unidos havia menos de um ano e trouxera consigo a marca da guerra. Fora para a Europa com as primeiras tropas americanas: voltara das trincheiras com os nervos estraçalhados. Por intermédio dum membro da Igreja Episcopal, que havia sido companheiro de universidade de seu pai, conseguira aquele lugar no Columbia College. Tinha-se esperança de que o tempo e tranquilidade da vida num país de paz e bom clima curassem o rapaz. Mas ali no internato Mr. Tearle constituía um objeto de ridículo. Era a primeira vez que os alunos viam um resto de carne para canhão. Não compreendiam... Todos achavam graça e nenhum se lembrava de ter pena daquela criatura envelhecida antes dos trinta, daquele homem desarvorado que não encontrava sossego, que tinha gestos bruscos, que costumava caminhar só e sem rumo, com ar de louco, e que às vezes, sonhando ninguém sabia com quê, soltava berros no meio da noite. Frequentes vezes o apanhavam falando sozinho em inglês. E uma noite em que lhe cabia fiscalizar o estudo, não podendo conter o zum-zum das conversas, com os olhos chispando e a boca crispada num sorriso de ódio, Mr. Tearle tirou da cintura um revólver, pô-lo com uma nervosa calma em cima da mesa, dizendo por entre dentes: "Meto uma bala na cabeça do primeiro que abrir a boca para falar!". Depois dessas palavras se fez um silêncio de morte. Um dos alunos mais velhos queixou-se mais tarde ao diretor. Mr. Tearle foi chamado à ordem e o caso deu motivo a que o rev. Parker viesse com seu jeito bondoso explicar que Mr. Tearle estava doente, era um caso de "*shellshock*". Os rapazes deviam ter paciência, como bons cristãos, fazer as vezes de enfermeiros, ajudar a cura do pobre moço. Citou trechos da Bíblia, invocou o espírito de Jesus, anatematizou a guerra e terminou afirmando sua absoluta confiança nos rapazes do Columbia College. Quando o diretor se calou, os alunos romperam em aplausos. Mas dois dias depois, no estudo da manhã, um dos meninos do curso médio fez estourar na palma da mão um envelope cheio de ar. Pof! Mr. Tearle, que estava à mesa, em cima do estrado, deu um pulo e ficou de pé, com uma cara de desvairado. Pelo seu olhar passou primeiro o pavor e depois o ódio. Era um homem alto e forte, estava meio inclinado para a frente com as grandes mãos segurando as bordas da mesa, os ombros encolhidos e a cabeça um pouco afundada no meio deles. Parecia um orangotango e ofegava como uma fera malferida. Ficou assim vários segundos. Depois começou a bater com os punhos fechados na mesa, gritando: "Buros! Buros! Buros!". Falava com os lábios apertados, pronunciava um *u* fechado que quase soava como *e*. "Buros! Buros! Buros!" A mesa estremecia. Os alunos mantinham-se em silêncio. Ao cabo de alguns segundos Mr. Tearle caiu em grande prostração. Sentou-se, passou a mão pela cabeça, soltou um suspiro e disse *Sorry, boys!* Enrugou a testa e continuou a ler como se nada tivesse acontecido.

Eugênio e Mário aproximaram-se da porta. Sim, era o Pancada. Sempre acontecia aquilo nas noites de trovoada. Decerto ele se lembrava da guerra, imaginava-se entocado na trincheira, imobilizado pelo bombardeio.

Ruído de passos no corredor, passos que se aproximavam. Com o rosto quase colado à porta, os dois rapazes sentiram Mr. Tearle passar. Ficaram horrorizados ao ouvirem a respiração dele, que parecia o resfolegar duma fera acossada, quase um estertor. Os passos se afastaram, tornaram-se mais rápidos na escada. Curto silêncio. Depois, a batida da porta.

Mário atravessou o quarto e abriu a janela.

— Venha ver, Genoca.

Eugênio foi. Olhou para baixo, por cima do ombro do amigo.

— Onde?

— Perto do portão.

Quando o primeiro relâmpago clareou a noite, Eugênio viu Mr. Tearle abrindo o portão. Outro clarão. Eugênio avistou o homem atravessando a rua. Novo relâmpago. Mr. Tearle corria na direção do campo de esportes. Com a imaginação Eugênio viu o professor fardado como um soldado americano (lembrou-se de fitas de guerra), viu-lhe o capacete rebrilhar à luz dos relâmpagos. Mr. Tearle corria de baioneta calada, na última carga. Ia sozinho, correndo pelo campo. O único sobrevivente dum regimento aniquilado... Decerto investia contra a trovoada, contra a tempestade.

— Tomara que um raio caia na cabeça desse estupor... — disse Mário.

Eugênio ficou calado. Gostava de Mr. Tearle. Tinha pena dele. Era dos poucos amigos com que o americano contava entre os estudantes. Eugênio via nele uma espécie de aliado. Mr. Tearle não era também um humilhado? No internato os outros mal o toleravam. Não estava ali por favor? Não era um solitário? Tudo isso o aproximava do estrangeiro. Mr. Tearle não levou muito tempo a compreender a simpatia do rapaz. Retribuía-a fazendo-lhe confidências. E numa noite de profunda depressão, sentado nos degraus do pórtico do edifício, contara-lhe o "seu segredo". Sentia-se perdido. Havia uma coisa que não podia esquecer. Tinha na vida um fantasma que o perseguia por toda a parte, até quando ele dormia. Era a imagem do alemão que matara. Sim, devia ter matado muitos, de longe, sem ver. Mas *aquele* tinha sido diferente. Numa carga de baioneta...

(Na noite em que revelou o seu segredo, Mr. Tearle apanhou no quarto o cachimbo e uma lata de fumo, preparando-se para a vigília. À noite passada o homem que ele assassinara lhe aparecera em sonhos. Agora ele estava com medo de dormir, pretendia passar a noite caminhando e fumando.)

Um corisco rasgou o céu. E, à luz dum relâmpago, Eugênio procurou o vulto do americano.

Naquele momento a chuva desabou. Começou a cair em pingos grossos, que se esborrachavam contra as vidraças. Eugênio esqueceu o Pancada e ficou ouvindo a música macia da chuva. Aos poucos uma sensação de alívio e bem-estar lhe invadiu o corpo. Estendeu-se na cama, pensando em Margaret. Sentiu-a a seu lado e adormeceu beijando-lhe os cabelos.

Quem primeiro encontrou o cadáver no outro dia foi o preto Bernardo, jardineiro do colégio. O corpo de Mr. Tearle estava estendido de borco, no meio do campo, completamente encharcado e frio. O revólver com uma cápsula detonada se achava perto da mão direita do suicida. A bala lhe tinha atravessado o peito e o médico que examinou o cadáver declarou que a morte devia ter sido instantânea.

O colégio agitou-se tremendamente naquele dia. O rev. Parker estava aniquilado. Aquele suicídio, além de ser em si um ato horrível, contrário às leis divinas, podia também de certo modo manchar a reputação daquele estabelecimento de ensino.

O corpo de Mark Tearle foi velado no salão nobre do Columbia College.

Eugênio viu entaiparem Mr. Tearle num carneiro do cemitério. Teve a estranha impressão de que nem ali ele encontraria paz nas noites em que cá fora a trovoada estalasse, lembrando os bombardeios da guerra.

E, nos meses que se seguiram, em muitas noites o fantasma de Mr. Tearle apareceu nos sonhos de Genoca.

Eugênio olha a paisagem. Cones de palha à beira da estrada, montanhas azulando ao longe, uma lagoa, uma plantação de eucaliptos... Bangalô cor--de-rosa, mulher à janela, homem no jardim, pijama listrado, chapéu de palha, regando as flores. Tudo rápido, fugindo...

Eugênio pensa nas suas relações com Eunice. Ao cabo de pouco mais de três anos de vida matrimonial descobriram o grave erro que ambos cometeram. Não têm nada de comum. Ele vira nela a sua carreira, a oportunidade de fugir da luta sem glória, dos subúrbios e do anonimato. Não se conformava com a ideia de ser médico de gente pobre. Queria ter consultório num bom edifício do centro, automóvel, muitos livros... Amava o conforto, buscava a paz, ansiava por se libertar da pobreza que assombrava a vida de toda a sua família. No fim de contas, casando com Eunice, não fizera nenhum sacrifício. Ela era atraente. Ele chegara até a andar iludido por algum tempo, julgando amá-la. O que lhe parecera amor, entretanto, não passara de curiosidade, de simples desejo animal de posse.

Passam grandes cartazes de propaganda. Marcos. Um caminhão enorme. O auto atravessa uma ponte.

Eugênio pensa em Olívia. E ao lado dela vê agora uma criança que lhe sorri. Anamaria. Como pôde passar todo este tempo sem pensar nela?

A minha filha... — *balbucia ele num desfalecimento, como quem acaba de fazer uma suave descoberta. Se Olívia morrer, que será de Anamaria?*

Eugênio passa a mão pelo rosto, que um frio suor inunda.

4

Quando, naquela tarde ao sair da faculdade de medicina, o Alcibíades se aproximou dele e tomou-lhe do braço com intimidade, Eugênio sentiu um grande contentamento. Orgulhava-se da amizade de Alcibíades, um dos rapazes mais admirados e invejados da turma. Era filho do secretário do Interior, tinha automóvel, cavalos de corrida e quarenta gravatas notabilíssimas.

— Temos que ir a pé hoje, bichão — disse Alcibíades. — O meu carro está na oficina. Eu ando mais é com vontade de pedir uns cobres ao velho pra comprar um Cadillac modelo 1924...

— Mas o teu está ainda tão novo...

Subiram juntos a rua. Eugênio aspirava o perfume que envolvia o amigo. Era doce e levemente agreste. Devia ser Nuit de Noël e custava — ele sabia — quase cem mil-réis o vidro.

— Este segundo ano é uma canja, seu Genoca, você viu hoje? A gente ainda pode levar a coisa na flauta. O terceiro é que é duro.

— O difícil mesmo é entrar para a faculdade. Depois a história não é tão feia como dizem...

Lembrou-se das lutas dos tempos de preparatoriano, das dificuldades em que se vira para pagar a matrícula. Obtivera a muito custo o lugar de repórter policial num jornal. Trabalhava até de madrugada e odiava aquele serviço. Pensava noutros colegas pobres mais felizes que ele, pois tinham conseguido bons empregos públicos. A mãe lhe dissera um dia: "Este teu amigo Alcibíades bem podia te arrumar um emprego. O pai dele não é um mandachuva?". Realmente, Alcibíades, se quisesse, poderia arranjar-lhe alguma coisa. Mas Eugênio repelia a ideia de pedir. Preferia continuar roendo pedra. Pedir era humilhar-se e ele estava farto de humilhações.

Alcibíades assobiava baixinho o "Biombo chinês". Era outono e Eugênio não sabia por que sentia naquela luz doce da tarde qualquer coisa a lembrar-lhe um convalescente. A cor do céu não era parelha nem brilhante: parecia cinza polvilhada de azul desbotado. Era quase violeta a sombra das árvores nas calçadas. Os sapatos pisavam em folhas secas.

Continuaram a subir a rua.

— Vais à sessão do Grêmio hoje? — perguntou Alcibíades.

Eugênio ia. Queria ouvir a conferência do Narciso — "Se Deus Existe, a Ciência O Descobrirá". No Grêmio dos Acadêmicos de Medicina havia ateus e católicos. Travavam-se debates. Eugênio se inclinava para os ateus. Era um deslumbrado da ciência. Lia Darwin e via em cada homem um macaco. Quando o secretário do jornal o encarregava de fazer reportagens nos subúrbios pobres, ele descrevia seus habitantes como um bando de gorilas a vegetarem no lodo: mal alimentados, malvestidos, sem higiene, sem alegria, sem nada. Deus podia existir? Claro que não. Sendo, como se dizia, a Suma Bondade, não devia permitir a existência daquela miséria, daquela sordidez, daquela sub-humanidade. As criaturas das zonas pobres eram animais e não homens. Que artista podia orgulhar-se de ter criado seres tais? O secretário da redação coçava a cabeça, dizendo: "Mas isto é literatura, é folhetim! Eu quero uma reportagem simples, honesta!". Nas aulas de anatomia, diante dos cadáveres que dissecava, o prof. Mota Leme mostrava a perfeição do corpo humano, pretendia provar com ela a existência de Deus.

— Vejam, meus amigos — dizia ele com sua voz mansa e sibilada. — Só uma Inteligência Superior podia ter criado uma máquina tão perfeita como o corpo humano.

Eugênio escutava com um sorriso de desprezo. Lembrava-se do

pai, da pobreza triste de sua casa, dos gorilas, de suas reportagens. Ruminava as suas lutas, as suas humilhações, pensava nas desigualdades da vida, nas injustiças sociais... Se Deus existia, tinha esquecido o mundo, como um autor que esquece voluntariamente o livro de que se envergonha. Não, mas Deus *não* existia. Ele "queria não acreditar" em Deus. Além do mais, achava uma certa beleza no ateísmo.

Vinham-se, porém, momentos de dúvida. Era quando lhe parecia vislumbrar Deus através de suas impressões de beleza ou pavor. Quando se comovia ouvindo um trecho de boa música ou lendo uma história de abnegação e bondade, ele se reconciliava com a vida e se inclinava a aceitar ou pelo menos a procurar Deus. Nas noites de tempestades, quando lhe voltava a velha aflição, com a cabeça tonta de sono e daquele inexplicável pavor — Eugênio se entregava a Deus.

Mal raiava o dia, mal revia o sol e sentia a volta da calma, Eugênio ria dos pavores da noite. Mas a ideia de Deus ainda estava dentro dele, como uma melodia longínqua. Lendo a vida de Pasteur, ele se comovia até as lágrimas. E não compreendia como era que aquele homem excepcional, cujas descobertas o levavam para o materialismo, cada vez se aproximava mais de Deus.

Fora ainda lendo a história dos grandes benfeitores da humanidade que Eugênio decidira estudar medicina. Havia, entretanto, outra razão mais poderosa que essa. Desde menino vivia impressionado com o sofrimento do pai e com a figura do dr. Seixas, um médico que se sacrificava pelos pobres, que era ele mesmo um pobre, pois aos quarenta e vários anos não tinha automóvel, não possuía um tostão de seu, vivia crivado de dívidas e atormentado por compromissos de dinheiro que vinham dos tempos de estudante. O dr. Seixas não tinha inventado nenhum soro, nem descoberto qualquer micróbio, mas era à sua maneira um benfeitor da humanidade. Havia uma grande e dramática beleza na sua vida de renúncia. Ficava furioso quando algum dos clientes pobres lhe falava em dinheiro, tornava-se agressivo quando alguém lhe queria testemunhar gratidão. Eugênio admirava-o. Queria ser médico para seguir os passos do dr. Seixas e para curar o pai. Pelo menos assim pensava no tempo dos preparatórios.

Mas hoje... Agora via o mundo com outros olhos. A função de repórter pusera-o em contato com a verdadeira miséria. A pobreza de sua gente chegava a ser riqueza, comparada com a indigência que ele agora conhecia. Como lhe era difícil aproximar-se daquelas casinholas fétidas, daquela gente repugnante! Olhava de longe, anotava, fazia perguntas apressadas e depois sua fantasia completava a reportagem. Mas quando fosse um médico que se quisesse dedicar aos pobres seria obrigado a botar o dedo naquelas feridas, respirar longamente o ar viciado daquelas casas, sentir na cara o hálito pestilencial daquela gente. Eugênio já não via mais beleza na profissão do dr. Seixas. Além disso, a amizade com Alcibíades lhe abria as portas dum novo mundo. E ele reconhecera nesse mundo o seu clima ideal. A primeira vez que fora à casa do amigo chegara a ficar comovido. Como era bom afundar nas poltronas fofas daquele palacete.

Chão de parquê, tapetes coloridos, quadros deslumbrantes, móveis lavrados, graves, escuros, belos. Alcibíades mandara vir chá com sanduíches e ficara depois a mostrar-lhe livros raros, encadernações de luxo, coleções de revistas estrangeiras, objetos de arte... Na hora inesquecível que passara naquela casa, ouvindo sem compreender os sonetos que Alcibíades lhe lia com voz comovida, Eugênio se imaginava doutor e rico, dono duma residência como aquela. Esquecia o pai, a mãe, o dr. Seixas, os gorilas do submundo... O ambiente em que se encontrava era de tal modo sutil e delicado que não permitia o florescimento de recordações sombrias. Como Alcibíades devia ser feliz!

Olhando para seus sapatos velhos e sem lustro, para a roupa de três anos com joelheiras e algumas manchas, Eugênio sentiu renascer-lhe a velha sensação de inferioridade. E compreendeu com uma nitidez dolorosa que as atenções que Alcibíades lhe dispensava tinham um caráter de favor, de esmola. Que encanto ou interesse poderia encontrar nele um rapaz rico e adulado que jamais tivera dificuldades na vida? Que era que ele, um pobre-diabo, podia oferecer como compensação a uma criatura como aquela que vivia no melhor dos mundos? Qual a razão do convite para a visita? Alcibíades lhe mostrara tudo: o guarda--roupa cheio de fatiotas, gravatas, chapéus... Os perfumes, loções e cosméticos do toucador. Os livros, a máquina de escrever, a coleção de moedas... Por que todo esse exibicionismo senão para atormentá-lo? Na Academia se falava muito na vaidade do Alcibíades...

Mas agora, subindo a rua ao lado do colega, Eugênio admirava--lhe a roupa, a postura, o perfume, e se sentia lisonjeado com aquela intimidade.

— Quero ver se vou a Buenos Aires nas próximas férias... — Imediatamente, sem transição, no mesmo tom de voz: — Sabes que vou montar uma *garçonnière*! Estou dando em cima duma pequena e fica sem jeito eu levar ela para um desses *rendez-vous* vagabundos, tu não achas?

Sem esperar resposta continuou a falar. Como Alcibíades era fútil e vaidoso! — pensava Eugênio. — Só sabia elogiar-se a si mesmo, contar vantagens. Mas era inegável que tinha boa-pinta, como os rapazes diziam, sabia agradar às mulheres e o seu prestígio social era incontestável.

Quando chegaram à praça Marechal Deodoro, Alcibíades apertou mais forte o braço de Eugênio.

— Olha lá o Castanho! — exclamou alegremente, fazendo um sinal com a cabeça na direção da calçada oposta. — Vamos falar com ele.

Atravessaram a rua. Eugênio estava comovido. Conhecia na faculdade a lenda de Acélio Castanho, que estava a terminar o curso de direito. Era dos alunos mais notáveis que haviam passado pela Academia em todos os tempos. Até os lentes lhe respeitavam a sólida cultura científica e literária. Seus artigos já apareciam com sucesso nos jornais. Fora o primeiro a escrever no Rio Grande sobre Einstein. Os rapazes procuravam-no para fazer consultas, pedir conselhos. "Ó Castanho, que é que tu achas desse tal Freud?" — "Me diz uma coisa, Acélio, qual é o livro de Proust por onde a gente deve começar?"

Castanho descendia duma família ilustre e tinha condes e barões no passado. Morava numa velha casa de aspecto senhorial na cidade alta e os maliciosos diziam que o casarão se dava ao luxo de ter fantasmas de sangue azul e criados de libré. Comentava-se a rígida disciplina moral e mental de Castanho, que era casto e familiar dos clássicos. Erguia-se todas as manhãs, fazia ginástica e lia Byron ou Keats durante meia hora. Tomava depois um copo de leite e entregava-se a seguir aos clássicos gregos. Falava-se num grande ensaio que estava escrevendo sobre a tragédia grega. Entre os estudantes das escolas superiores o nome de Castanho era pronunciado com respeito. Eugênio sempre desejara aproximar-se dele. Se não o fizera antes fora por causa não somente de sua invencível timidez como também da atitude fria e remota do outro. Era por isso que, ao atravessar a rua, ele sentia uma comoção vivíssima.

Alcibíades tocou de leve nas costas de Acélio Castanho, que voltou a cabeça e parou.

— Então, Castanho, como vai essa cultura?

Castanho limitou-se a estender a mão para o outro, com um sorriso polido nos lábios finos. Era um rapaz de estatura mediana, tinha uma testa enorme, um rosto pálido e de expressão grave e uma corcova bem pronunciada. Vestia-se com discrição e usava bengala.

— Já conhecias o Castanho, Genoca? Não...? Pois este é o grande Acélio Castanho, naturalmente já ouviste falar... O Eugênio está comigo no segundo ano.

Eugênio estendeu a mão, balbuciando o nome e sobrenome; o outro deu-lhe a ponta dos dedos finos e frescos, murmurando:

— Prazer.

Alcibíades tomou-lhe do braço.

— Aonde vais, Acélio?

— Vou até as livrarias. — Ir às livrarias para ele era cumprir um rito. Adorar os bons livros, uma religião.

— Vamos descer juntos, então.

Os três retomaram a marcha. Eugênio agora se sentia abandonado. Alcibíades dava toda a sua atenção e os seus abraços ao outro. De repente virara homem sério, preocupava-se com a política, com a cultura. Instintivamente Eugênio foi ficando para trás, como um pajem. Sim, ali ele era apenas o pajem. Os outros eram os nobres morgados e ele o mordomo. Onde estava a libré? Sentia um esquisito e amargo prazer em se diminuir. Mas Acélio voltou-se e lhe fez uma pergunta:

— Gosta da medicina?

Abriu-se-lhe a porta do paraíso. Um pouco corado e confuso, respondeu:

— Ah! Gosto muito.

— Vai dedicar-se à clínica ou à cirurgia?

— Não sei ainda com certeza... Talvez cirurgia. — Alcibíades cortou o diálogo:

— Então, Castanho, quando temos mais um daqueles teus formidáveis artigos?

O outro murmurou qualquer coisa sobre não ter boa saúde. Começaram a descer a rua. Alcibíades pediu uma definição de felicidade. E Acélio, numa reminiscência das leituras de Platão daquela manhã, respondeu com solene simplicidade.

— Música e ginástica.

Era o ideal platoniano. Começou a desenvolver a tese. Eugênio escutava, num deslumbramento. Ali ia ele em companhia do filho do secretário do Interior e do famoso dr. Acélio Castanho. Em breve estariam na rua dos Andradas, onde ele seria visto na companhia dos outros dois. Uma parte de seu ser se sentia contente e lisonjeada com essa ideia. Mas dentro do Eugênio feliz agitava-se um Eugênio minúsculo, irreverente, uma figurinha que ria e careteava, fazendo troça do

Eugênio vaidoso, do Alcibíades fútil e do Castanho professoral. Uma sensação de glória e de importância sufocou no entanto o pequeno demônio, apagando-o.

Castanho estava ainda na Grécia:

— Música e ginástica — dizia — tanto para o corpo como para o espírito. Eu sinto, meu caro, que devia ter nascido na velha Hélade, para amar Platão e ser um de seus discípulos...

Eugênio viu um vulto familiar surgir a uma esquina e sentiu um desfalecimento. Reconheceria aquela figura de longe, no meio de mil... Um homem magro e encurvado, malvestido, com um pacote no braço, o pai, o pobre Ângelo. Lá vinha ele subindo a rua. Eugênio sentiu no corpo um formigamento quente de mal-estar. Desejou — com que ardor, com que desespero! — que o velho atravessasse a rua, mudasse de rumo. Seria embaraçoso, constrangedor se Ângelo o visse, parasse e lhe dirigisse a palavra. Alcibíades e Castanho ficariam sabendo que ele era filho dum pobre alfaiate que saía pela rua a entregar pessoalmente as roupas dos fregueses... Haviam de desprezá-lo mais por isso. Eugênio já antecipava o amargor da nova humilhação. Olhou para os lados, pensando numa fuga. Inventaria um pretexto, pediria desculpas, embarafustaria pela primeira porta de loja que encontrasse. Ouvia a voz baixa e calma de Castanho... o "conceito hegeliano...". Podia entrar naquela casa de brinquedos e ficar ali escondido, esperando que Ângelo passasse... Hesitou ainda um instante e quando quis tomar uma resolução, era tarde demais. Ângelo já os defrontava. Viu o filho, olhou dele para os outros e o seu rosto se abriu num sorriso largo de surpreendida felicidade. Afastou-se servil para a beira da calçada, tirou o chapéu.

— Boa tarde, Genoca! — exclamou.

O orgulho iluminava-lhe o rosto.

Muito vermelho e perturbado, Eugênio olhava para a frente em silêncio, como se não o tivesse visto nem ouvido. Os outros também continuavam a caminhar, sem terem dado pelo gesto do homem.

A sensação de felicidade, entretanto, desaparecera de Eugênio. Sentia-se culpado. O que acabara de fazer era desumano, ignóbil, chegava a ser criminoso. Por que se envergonhava do pai? Não era um homem decente? Não era um homem bom? Não era, em última análise, seu pai?

Ainda havia tempo de reparar o mal que fizera. Podia voltar, tomar Ângelo pelo braço, carinhosamente, subir a rua com ele... Por que não fazia isso? "... aquele trecho do *Banquete*...", dizia Castanho. Sim, beijar a mão do pai, confessar-lhe a culpa, dizer do seu remorso, pedir-lhe perdão, humilhar-se. Mas lá se ia acompanhando os outros como um autômato. Voltou a cabeça, procurando. Ângelo tinha desaparecido.

Entraram os três na multidão que enchia a rua dos Andradas. Eugênio sentia um peso no peito. Castanho e Alcibíades se afastaram dele, de braços dados, absortos numa discussão. Por um instante Eugênio os perdeu de vista no burburinho. Olhou para todos os lados, atarantado. Sentiu-se como um cachorro à procura do dono. Tudo que era mau lhe acontecia. Odiou Castanho, odiou Alcibíades, odiou-se a si mesmo. Fossem todos para o diabo!

Mas naquele mesmo instante seus olhos deram com Alcibíades, que, parado junto de Acélio à beira da calçada, lhe fazia um sinal.

Sem hesitar Eugênio caminhou para eles, alvoroçado.

"Sacudindo o rabo de contente", murmurou o seu demônio interior.

Achavam-se os quatro em torno da mesa e Eugênio ainda não tivera coragem de encarar o pai. Estava envergonhado do que fizera aquela tarde. Passara as últimas horas do dia a temer o encontro da hora do jantar. Pensava em esquivar-se: comeria em qualquer restaurante do centro, voltaria para casa tarde da noite. E no outro dia... fosse o que Deus quisesse.

Estava ali sem jeito com a dolorosa consciência de sua culpa. Percebia que a mãe tinha os olhos vermelhos e inchados. Choro... Por causa de Ernesto ou por causa dele.

Comiam em silêncio. Ângelo tossiu, suspirou, levou o guardanapo à boca. A mulher pôs-lhe água no copo. Ernesto encruzou os talheres e afastou o prato.

— Não queres mais nada? — perguntou-lhe d. Alzira. — Comeste tão pouco...

— Não estou com fome.

A voz do rapaz era rouca e cansada. Eugênio ergueu os olhos e viu a cara envelhecida do irmão, os olhos sujos, a boca de expressão amarga. E apesar de naquele momento ele próprio sentir-se como um réu, o olhar que lançou para o outro foi acusador. Os irmãos miraram-se em silêncio. Quem primeiro desviou o olhar foi Ernesto, que brincou com a ponta da toalha, disfarçando.

— Não se esqueça das gotas, Ângelo — recomendou a mulher.

Ângelo tomou do conta-gotas e começou a pingar o remédio cor de âmbar em meio copo de água. Uma... duas... — contava baixinho, mal mexendo os lábios — três... E quase sem sentir, d. Alzira e Ernesto olharam também para o conta-gotas e puseram-se a acompanhar. — Quatro... cinco... seis... A água se tingia de amarelo. Sete... oito... nove... Houve como que uma trégua. Eugênio olhou para o pai. A barba de dois dias, já grisalha, lhe sombreava de azul e salpicava de prata as faces ossudas e lívidas. Aquele rosto tinha uma expressão de resignado cansaço. Por baixo dos olhos havia duas bolsas de carne gretada e roxa.

E no pobre Ângelo o que mais impressionava era a respiração ofegante e ansiada de asmático. Eugênio tinha pena do pai e se odiava a si mesmo porque não era com esse sentimento de simples piedade que ele podia pagar por toda aquela vida de dedicação e silencioso amor à sua pessoa. Por que não perdia o maldito espírito de crítica que o fazia sentir com tão irritante agudeza o que o pai tinha de desagradável e inferior? Por que não conseguia afogar com amor a quase-repulsa que lhe causava a pessoa física de Ângelo, os dentes amarelos, as unhas de ordinário sujas, o rosto de feições vulgares e sem brilho, os olhos servis? Eugênio desejava ser apenas um sentimental. São Francisco beijava os leprosos — era uma história que sempre o impressionara. No entanto coisas infinitamente mais fáceis ficavam além de suas forças. Ele queria simplesmente *aceitar* a sua gente, mas aceitá-la com naturalidade, sem forçar a própria natureza. Através da aceitação talvez pudesse amá-la um dia. Ângelo bem merecia esse amor. Nunca lhe fizera sentir de modo nenhum a sua autoridade de pai. A mulher contava às amigas: "O Ângelo é um pai da vida. Os meninos fazem dele gato e sapato e ele nem se importa". Mas era inútil — achava Eugênio —, havia entre ele e o pai um poderoso e insituável elemento de estranheza. Com a mãe já não acontecia o mesmo. Eugênio se sentia melhor na companhia dela. Essa predileção, porém, não seria ainda uma forma de narcisismo, um prolongamento sutil de seu egoísmo? A mãe se parecia fisicamente com ele. Havia no rosto dela traços seus, pronunciadíssimos. Amando-a, de certo modo não estaria ele a se amar a si mesmo? Agora Eugênio via a mãe envelhecida pelos trabalhos e pelos desgostos... Mortificava-se por causa de Ernesto, que era um perdido, um bêbedo, um desordeiro; não parava nos empregos, metia-se com mulheres ordinárias, já estivera até na cadeia. Apesar das marcas do tempo e dos trabalhos, d. Alzira ainda conservava restos de beleza. Os olhos eram calmos e nunca assumiam aquela expressão de canina humildade que morava nos olhos do marido. Por outro lado, não tinham nenhuma luz de desafio ou de desassombro: era um rosto sereno diante da vida. Porque ela recebia os fatos como eles vinham: os momentos de felicidade sem grandes ilusões nem alvoroço; os pequenos dissabores e as desgraças sem gritos nem desespero. "Deus é grande", costumava dizer. Varria a casa, lavava pratos, ajudava o marido, cozinhava, fazia quitanda. Não havia no mundo doença nem catástrofe que tivesse força para alterar o ritmo daquela casa. Viviam numa pobreza limpa. Eugênio lhe era grato por isso, mostrava-se carinhoso para com ela, mas ao mesmo tempo sentia que ainda não era com esse carinho e com essa gratidão que ele ia pagar tudo quanto lhe devia.

À medida que progredia nos estudos e que se lhe alargava a visão do mundo, Eugênio sentia que, como um balão, ia subindo cada vez mais rumo das coisas superiores, deixando lá embaixo a família presa às suas necessidades elementares, aos seus solecismos, à sua absoluta ignorância, a uma vida que às vezes lhe parecia puramente vegetativa. Fortalecia-se nele a consciência da sua superioridade. Sentia-se muito melhor que o ambiente em que vivia e isso lhe dava a impressão de que era vítima duma enorme injustiça: abria-lhe os olhos para as desigualdades do mundo, amargurava-lhe a existência e aumentava-lhe, por outro lado, o desejo de lutar para fugir à condição de pobreza e anonimato. Mas do mais profundo do ser às vezes lhe brotava uma misteriosa luz que, no fugitivo instante em que brilhava, lhe mostrava a outra face das coisas. Ele então compreendia num relance a enormidade de seu orgulho, o absurdo de sua vaidade, a fealdade de seu egoísmo. Um homem superior, ele? Como? Por quê? Que fizera de extraordinário? Tinha na cabeça meia dúzia de noções ainda confusas. Lera aferventadamente meia dúzia de livros famosos... Que era isso comparado com a luta silenciosa dos pais? Que era isso diante dos verdadeiros grandes homens da humanidade? Ele devia ser humilde, compassivo, tolerante... Assim rápida como surgira, a luz misteriosa se apagava e Eugênio sentia de novo a realidade, na carne, nos ossos, no sangue. Comparava a casa do Alcibíades com a sua. Saía da leitura de um bom autor para ouvir a linguagem do pai — "Tu se lembras, Alzira, daquela roupa que o Ribas deu pra mim passar?". Voltava da contemplação de algum quadro de arte para encontrar Ernesto recendendo a cachaça e o pai a escarrar e a gemer. Odiava a pobreza. Odiava a humildade. Aborrecia a sua vida.

Ângelo levantou o copo e tomou o remédio. Ernesto levou aos lábios um cigarro amassado, com mãos trêmulas, e apalpou o bolso, à procura de fósforos. O pai estendeu o braço por cima da mesa e passou-lhe o isqueiro aceso. D. Alzira levantou-se.

— Ninguém quer mais nada?

Eugênio e Ângelo sacudiram a cabeça negativamente. Ernesto ficou imóvel um instante, acendendo o cigarro. A mãe começou a desfazer a mesa.

Aconteceu, então, o inevitável. Os olhos de Eugênio encontraram os do pai. Ângelo sorriu para o filho, não um sorriso de quem concede perdão, mas um sorriso servil e constrangido de quem pede perdão. Perdão por não ter dinheiro, por ser alfaiate, por andar malvestido, por não passar dum pobre-diabo. Eugênio desviou os olhos, muito vermelho, mas aquele sorriso ficou doendo nele. Lembrou-se dum cachorrinho que tivera havia muitos anos, pobre vira-lata pelado e sarnento. Vinha lamber as mãos dos que lhe davam pontapés.

E pela primeira vez naquela noite Ângelo se dirigiu ao filho:

— Genoca, tu não estás precisando de mais uma roupa?

Sem ousar fitá-lo, Eugênio respondeu:

— Não, papai, muito obrigado. Agora estou bem de roupa.

Como aquilo doía! Por que ele era tão ruim assim? Por que não rompia todas as barreiras, por que não se erguia para abraçar o pai, para pedir-lhe perdão pelo que lhe fizera? Sentiu um nó na garganta.

— Não vê que eu tenho um corte de casimira muito bonito aí...

— Não, papai. Muito obrigado.

Havia timidez e ternura no oferecimento do pai. Era como se ele quisesse compensar com o presente duma roupa a culpa de não ser rico, de não ter posição, de não dar melhor sorte aos filhos.

Silêncio. Ernesto fumava, de olhos baixos.

D. Alzira voltava da cozinha.

— O fogo apagou e eu preciso de água quente para lavar os pratos. Tenho de ir rachar lenha...

Ernesto levantou-se.

— Eu vou, mamãe.

Quando ele falou, Eugênio sentiu um bafio de cachaça.

— Pois então vai, Nestinho. Pega a machadinha em cima do tanque. Cuidado, não vai te cortar.

Ernesto saiu. Caminhava encurvado como um velho. E não tinha vinte anos! Eugênio seguiu-o com os olhos. Lembrou-se dos tempos em que os dois iam juntos para a escola. Seria saudades o que sentia agora? Ou apenas a estranha emoção que lhe causava a atitude do pai?

Ângelo brincava com o copo vazio. Eugênio ergueu-se e começou a passear dum lado para outro. A casa era pequena e não oferecia refúgios. E ele precisava ficar... Tinha um ponto a estudar. Pegou um jornal e abriu-o, sem vontade.

— Não leia depois de comer que faz mal — avisou-lhe a mãe.

Eugênio dobrou o jornal e pô-lo de lado. Encontrou de novo os olhos do pai. Ângelo tornou a sorrir como para dar-lhe a entender que não guardava nenhum ressentimento.

Insuportável! Eugênio caminhou para a porta dos fundos.

— Vou dar uma volta — disse. E saiu.

Noite clara e morna. De mãos nos bolsos começou a passear pela frente da casa dum lado para outro. A rua estava deserta. No céu distante o brilho das estrelas era apagado e triste. Eugênio parou, ergueu os olhos e ficou a contemplar o céu, cheio duma ânsia sem nome. Lágrimas quentes lhe escorriam pelo rosto. E então em pensamento ele abraçou o pai, beijou-lhe a testa ressequida, acariciou-lhe os cabelos ásperos, amou-o com ternura.

No fundo do pátio Ernesto rachava lenha. Seu vulto mal se distinguia na sombra da noite. Os sons do machado eram secos e ritmados.

Eugênio sentia-os nos nervos.

O chofer aponta para fora, gritando:
— O doutor Carmo comprou aquela chacrinha do velho Tico Rezende!
Eugênio olha. Tão grande é a velocidade do carro, que ele mal consegue vislumbrar a ponta dum telhado cor de laranja, sobressaindo do verde-escuro do arvoredo. Cercas com moirões de granito. Uma horta. Um moinho de vento.

Eugênio pensa na filha. Imagina-a crescendo ao desamparo em meio da maledicência do mundo. Em sua mente soam cochichos — "Não tem pai nem mãe, a coitadinha..." "Filha das ervas..." "Ah! Essa é que é a filha natural daquele moço casado com a...".

E imediatamente ele se vê a si mesmo tomando da mão de Anamaria e levando-a... levando-a... para onde?

Estão os dois ainda de mãos dadas na frente duma casa. Ele reconhece o palacete do sogro. Não podem entrar. Olívia vai morrer. E a vida continuará, apesar de tudo.

O automóvel atravessa um pontilhão.

5

Terminara a cerimônia da entrega dos diplomas. As últimas palavras do diretor da faculdade foram seguidas do estrépito dos aplausos, que encheram o velho teatro. Quando a cortina desceu, Eugênio saiu do palco, sufocado. Sentia muito calor e uma leve dor de cabeça. Um homem moreno, magro e alto abraçou-o com alguma intimidade. Deve ser engano — pensou Eugênio, pois não se lembrava daquela cara. Agradeceu desajeitadamente e procurou a porta. Esbarrou num senhor vermelho e lustroso, que se desfez em desculpas e sorrisos. Enveredou pelo corredor, suando, pois o *smoking* e a camisa de peito engomado lhe causavam um mal-estar de sufocação. Abrindo caminho obstinada e quase cegamente por entre as pessoas que obstruíam o corredor, segurando o pergaminho com ambas as mãos, Eugênio teve consciência duma agradável sensação de orgulho, de força, de confiança em si mesmo. Estava formado! Aquele diploma significava para ele longos anos de trabalho duro, estudos, sacrifícios, dúvidas, custosas vitórias sobre si mesmo... Teve um desejo absurdo de gritar. Mas represou a alegria, fechou a carranca e isso lhe exigiu um esforço doloroso.

Entrou no bar, pediu um refresco e de sua mesa ficou olhando o saguão do teatro. Um viveiro de aves — pensou Eugênio, que andava com a mania das imagens zoológicas. — De aves palradoras. Aquela mulher de cabeça miúda e nariz adunco parecia uma galinha. A outra, a de vestido branco, era como uma cacatua.

Mas havia também bichos maiores. De costas para Eugênio, as calças frouxas, aquele homem gordo ali parecia um elefante. As conversas enchiam o saguão, cruzavam-se no ar, era como se até as cariátides de pedra das colunas estivessem falando, recordando as muitas turmas de diplomados que haviam passado por aquele teatro e vivido instantes como aquele. De repente houve como que um hiato nas conversas. As aves cessaram de pairar, pressentindo a chegada dum bicho maior. Os olhares se voltaram para a escada que levava aos camarotes. Estrugiram palmas. Abriram-se alas. Era o presidente do estado que descia cercado de amigos. Eugênio viu-o apertar a mão de Alcibíades, que se inclinou em desmedida curvatura, a boca aberta num sorriso de felicidade imbecil. Eugênio sentiu uma pontinha de inveja e de despeito. Nos dois últimos anos Alcibíades se afastara dele; procurava outras rodas. Já se falava que seu nome seria indicado para uma cadeira de deputado na Assembleia do Estado. Estava claro que a amizade dos colegas obscuros não lhe seria do menor interesse...

Eugênio bebeu o refresco dum gole só. Viu o presidente sair, com a cartola na mão, sorrindo e sacudindo a cabeça para a direita e para a esquerda. Alcibíades o seguia. Na rua, os motores dos automóveis roncavam, freios rechinavam, buzinas guinchavam. No meio da balbúrdia alegre, ele começava a sentir-se triste. Chegara finalmente o dia tão ambicionado. Estava formado, era agora o "doutor" Eugênio Fontes. Atingira por fim o alto da montanha. Mas que via? Uma paisagem nebulosa e incerta. Que sentia? De mistura com a sensação de vitória, uma ânsia indefinível, uma doce melancolia. Quisera esquecer as preocupações sérias e festejar o acontecimento como os outros faziam, abrir todas as comportas interiores e deixar que sua alegria jorrasse livre. Alegria? Tinha medo de fazer uma análise íntima, de olhar para dentro de si mesmo, pois seria cruel descobrir que a represa estava seca ou que continha apenas mágoas, incertezas, gritos de espanto e dúvida, velhos recalques...

Tinha de pensar no futuro... Havia um ano que trabalhava com o dr. Teixeira Torres, do Hospital do Sagrado Coração, ajudando-o nas operações. Era verdade que praticava, que aprendia, que aproveitava. Mas como isso estava ainda longe de seus sonhos! Sabia de rapazes recém-formados que eram forçados a aceitar empregos fora da profissão. Outros se metiam em cidades ou vilas do interior, levando uma vida áspera, e quase sempre eram bem-sucedidos, se se podia considerar sucesso juntar algumas dúzias de contos de réis, ganhar uma barriguinha próspera e um renome municipal. Eugênio olhava para o copo vazio. Pensou em Ernesto, que continuava a beber como um desesperado. Contemplou o diploma em cima da cadeira. Pensou no pai. O pobre Ângelo morrera o ano anterior de angina do peito. O dr. Seixas ficara à sua cabeceira até a última hora. Tudo inútil. Eugênio não se esquecia da expressão do rosto de Ângelo dentro do caixão. Era como se a dor e a humilhação resignada continuassem ainda na morte. Diante do cadáver ele chorara lágrimas que não eram só de sentimento por aquela perda, mas também de arrependimento, de remorso.

Ergueu os olhos para o saguão, que aos poucos se esvaziava, e viu Olívia encostada a uma das colunas, com um ramalhete de rosas vermelhas nos braços. Ergueu-se, pagou a bebida, segurou o diploma e caminhou para ela.

— Abandonada? — perguntou, com um meio sorriso.

Olívia mirou-o por um instante com fingida gravidade e depois, mostrando com um movimento de olhos o canudo que tinha debaixo do braço, disse:

— É o peso do diploma que me deixa um pouco abafada.

Olívia era a única mulher da turma e formara-se também com sacrifício. Trabalhando num laboratório de análises clínicas, ganhava ordenado que mal lhe dava para o sustento próprio e para custear os estudos.

Ficaram ambos em silêncio por alguns segundos.

— E agora? — perguntou Eugênio.

Olívia encolheu os ombros.

— A vida continua.

— Eu sei... Mas e nós?

— Continuamos também.

Ele fez um gesto de impaciência.

— Tu sabes bem o que eu quero dizer... — Apontou para o diploma. — Isso...

— Bota-se num quadro.

Eugênio não teve remédio senão sorrir. Mas não era só a calma, a naturalidade de Olívia que o faziam sorrir. Era aquele seu estranhíssimo vestido branco e vaporoso, de cintura apertada e alta, de saia comprida e rodada. Nunca a tinha visto assim. Acostumara-se a uma Olívia que andava de preferência de boina, costume simples e sapatos de tacões baixos. Agora ali estava ela como que posando para um pintor: encostada na coluna, com ar sonhador e uma braçada de rosas vermelhas... Olhou-a de alto a baixo.

— Parece que vais tirar o retrato.

Olívia deu um passo à frente e começou a girar sobre si mesma, parodiando a atitude dos manequins vivos.

— Estou chique?

— Fantástica.

Mas a verdade era que Eugênio estava mesmo impressionado. Pela primeira vez sentia a qualidade feminina da companheira de curso. Era como se estivesse diante de outra Olívia. Habituara-se a ver nela o companheiro de curso, quase um rapaz como os outros.

— Gostas das flores?

Eugênio sacudiu a cabeça afirmativamente e indagou:

— Quem foi que te mandou?

— Um admirador misterioso.

— ...
— Achas naturalmente que eu não posso ter um admirador...
Ele encolheu os ombros. Ela sorriu.
— Mas que é que a gente está fazendo aqui parada como um dois de paus?
Olívia baixou os olhos e murmurou:
— Estou esperando que um cavalheiro me convide para o seu automóvel...

Nessa paródia de faceirice havia mais uma sátira a si mesma do que propriamente ao coquetismo das mulheres em geral. Eugênio sabia que Olívia não se portava assim por despeito ou espírito de revolta. Achava-se feia e procurava a maneira menos dramática para dizer aos outros que com isso não sofria, não odiava o mundo nem se julgava vítima de nenhuma injustiça. Era por causa da honestidade de Olívia para consigo mesma e para com os outros, por causa da sua simplicidade genuína que Eugênio se sentia bem junto dela. Sempre achara nas mulheres em geral uma tendência para a chantagem. As pinturas, a coquetice e a fragilidade eram as suas principais armas.

Olívia oferecia uma exceção: apresentava-se tal qual era. Eugênio a conhecera no terceiro ano da faculdade. Só no fim do quarto, porém, é que haviam feito camaradagem mais estreita. Sofrera por causa dela nas aulas de anatomia, quando o lente dissertava sobre as partes do corpo humano que uma convenção secular declarou vergonhosas. Os estudantes tinham um perverso e libidinoso prazer em procurar no rosto de Olívia as reações que o nome do aparelho sexual do homem lhe provocava. Nessas ocasiões Eugênio ficava com o rosto e as orelhas vermelhas. Olhava furtivamente para a colega e via-a tranquila, os olhos muito abertos, fitos no lente — uma criança a escutar contos de fadas. Quando dissecavam cadáveres no necrotério, Olívia era submetida a duras provas. Certa vez um dos estudantes fez com ela uma brincadeira cruel. A história se espalhou entre os rapazes como boa anedota para uns e como brincadeira de mau gosto para outros: Eugênio ficou revoltado. Sentia-se um aliado de Olívia. Via-a assim quase hostilizada, revia no drama dela o seu próprio drama. Tinha na faculdade poucos amigos. Era um aluno obscuro e pobre. Mesmo assim, porém, não se aproximou de Olívia. Primeiro, admirou-a de longe. Depois, esqueceu-a. E esqueceu-a pela mesma razão por que desejara aproximar-se dela. Olívia era obscura e era pobre: não lhe restava nem o recurso de ser bonita.

Mas a imagem que Eugênio tinha agora diante dos olhos era um desmentido da ideia geralmente aceita de que Olívia não tinha beleza.
— Automóvel não tenho — disse ele. — Mas se aceita o meu braço...
— Com prazer, barão...
Saíram de braços dados. Estacaram, indecisos, à beira da calçada. Havia parado ali perto um auto solitário. A cabeça do chofer assomou-lhe à janela.
— Pronto, doutor!
Eugênio despediu-o com um sinal. Atravessaram a rua, ganharam a calçada da praça e pararam diante do monumento. Olívia baixou os olhos para as rosas.
— Vamos prestar uma homenagem ao Patriarca?
— Vamos.
Subiram as escadas. A praça estava deserta.
Detiveram-se de novo ao pé da estátua. Sentado na sua cadeira, que era feita da mesma substância de seu corpo, o Patriarca meditava. Tinha um ar grave. A seus pés o dragão da inveja tentava uma investida. Os olhos da estátua, porém, pareciam fitos no futuro. Olívia deitou a braçada de rosas ao pé do monumento.
— E o dragão? — perguntou Eugênio.
— Ah! É verdade.
Olívia apanhou um botão vermelho e enfiou-o na boca do dragão de bronze.
— E o barão?
— Oh! Perdão...
Olívia tomou duma rosa e meteu-a na botoeira do *smoking* de Eugênio.
Sentaram-se os dois num dos degraus e ficaram olhando a noite. Fechavam-se as portas do teatro, apagavam-se as luzes do pórtico. Olívia encostou o diploma no olho esquerdo, à maneira de binóculo, fechou o olho direito e ficou a mirar o céu.
— Que estarão fazendo lá na Lua a esta hora?
Eugênio transformou também o diploma em binóculo e assestou-o para a Lua:
— Sabes o que estou vendo lá em cima? Uma moça e um rapaz que acabaram de ganhar seus diplomas e não sabem que é que vão fazer com eles.
— Deixa disso. Na Lua não há diplomas. Sabes que é que eu vejo? A moça está com um vestido emprestado.

Eugênio sorriu, fingiu graduar o binóculo:

— Olha... O *smoking* dele é alugado...

Era estranho... Julgava-se incapaz de fazer aquela confissão a quem quer que fosse. No entanto fazia-a espontaneamente a Olívia, sem corar, sem se sentir diminuído.

Ficaram algum tempo em silêncio. Ele acendeu um cigarro. Ela recostou a cabeça no flanco do dragão.

Tinha o rosto comprido, dum moreno pálido; à primeira vista não impressionava nem bem nem mal. Quando a vira, pela primeira vez, Eugênio se sentira inclinado a dizer: Feia não é. Mas, bonita... muito menos. Fixando mais demoradamente a atenção naqueles olhos negros, vendo aquele rosto animar-se duma vida e duma estranha beleza que surgiram inesperadas de algum misterioso esconderijo interior e que não dependiam em absoluto dos traços fisionômicos — ele ficara pensando... Acabara por fazer concessões: "Tem um certo quê...". Seria a boca? Não. A boca era grande e de desenho comum. O nariz? Também não. Era comprido e delgado. Eram, então, os olhos. Pretos e serenos, não se distinguiam pela vivacidade, pela mobilidade ou por algum brilho raro. Eram olhos para os quais ao cabo de algumas reflexões Eugênio só achou um qualificativo: humanos. Envolviam mornamente a pessoa ou objeto em que se fixavam, davam uma ideia de profundidade insondável e principalmente de compreensão. Pareciam enxergar além das coisas com uma penetração que nada tinha de indiscreto ou agressivo. Eugênio, porém, quando pensava em Olívia, não podia separar da imagem da amiga a memória de sua voz. Até na maneira de falar Olívia se recusava a fazer chantagem. Sua voz não era rica de inflexões, não se coloria de falsas doçuras. Era, antes, quase monocórdia, grave e tranquila; tinha, como os olhos, uma quente qualidade humana.

Os colegas de Olívia, que se compraziam no princípio em dar-lhe trotes estúpidos, acabaram vencidos pela serena superioridade dela. Chamavam-lhe agora "nossa madrinha", faziam-lhe confidências, pediam-lhe conselhos. Dum modo geral tratavam-na como *um* colega, *um* companheiro.

Eugênio contemplava a amiga ali a seu lado e se admirava de ter levado tanto tempo para descobrir que no fim de contas, mais que uma simples colega, ela era uma mulher interessante.

Em que estaria pensando agora? Eugênio ergueu os olhos para o céu: sua testa se pregueou de rugas.

— Fora de caçoada, Olívia, eu só queria saber o que é que a gente vai fazer agora...

Olívia voltou a cabeça para o amigo.

— Por que é que o futuro te preocupa tanto?

Sem desviar o olhar das estrelas Eugênio continuou.

— Se tu soubesses como eu desejei este dia, este título. Se imaginasses como estou... — hesitou um instante — ... orgulhoso. — Franziu a testa. — Mas misturado com esse orgulho, há um pouco de decepção...

— Pensavas que esse papel teria a força de transformar a tua vida duma hora pra outra...

— Sim, e que o título de doutor de certo modo acrescentasse alguma coisa a mim mesmo, me desse mais coragem... mais... mais... como é que vou dizer?... fizesse desaparecer esta sensação de inferioridade...

Houve uma curta pausa em que Olívia consultou o céu com o canudo do diploma.

— Acreditas na astrologia? — perguntou ela.

— Tu brincas. É bom quando se tem o teu gênio. A gente não se importa com nada. Mas se soubesses o que foi a minha vida. Rapaz pobre, joão-ninguém, sempre humilhado, na luta danada pelo dinheiro... Antigamente o meu ídolo, o meu modelo, era o doutor Seixas. Eu achava que devia ser grandioso a gente se entregar aos pobres, viver pra eles, não desejar nada além da caridade. — Largou o diploma num gesto dramático, deixando-o rolar escada abaixo. Olívia sorriu sem malícia. — Mas acontece que eu odeio a pobreza, odeio o anonimato. Quero ser alguém, ter um nome, ser respeitado, viver...

Calou-se. Estava arrependido daquele gesto teatral e inútil. Por que não podia ser calmo como Olívia, encarar os fatos com espírito claro e sereno?

— Eugênio, vá apanhar o canudo.

Eugênio se levantou, desceu cinco degraus, inclinou-se, apanhou o diploma, tornou a subir e a sentar-se ao lado da companheira.

— E o mais triste é que eu descubro que não tenho nenhuma vocação pra medicina. No dia que me entregarem um paciente pra operar, acho que saio correndo desesperado. Não sei... Deve ser falta de confiança em mim mesmo.

— Ou será apenas a impressão incômoda de que os outros é que não têm confiança em ti?

— Deve ser isso. Só não sei é como consegues saber coisas que nunca te disse...

— Conheço-te melhor do que pensas.
— Talvez...
— Observo-te desde o segundo ano.
— E por quê?
— Interesse profissional.
— Eu gostaria de ver a minha ficha, doutora.
— Ah... Mas ela está guardada em meu arquivo secreto...

Eugênio olhou bem dentro dos olhos dela. Olívia bateu com o indicador na testa.

— O arquivo está aqui dentro.
— Entrada proibida?
— Às pessoas estranhas ao serviço, sim.
— Compreendo. Sou um estranho.
— Quem foi que te disse isso?

Eugênio tirou o lenço do bolso, passou-o pela testa, pelo rosto e depois tornou a falar.

— Sabes duma coisa engraçada? Perto de ti sempre sinto vontade de fazer confidências...
— Não aceito isso como elogio. Em geral a gente se abre às pessoas mais velhas...
— Escuta aqui, Olívia, por que é que estás hoje tão irônica?
— Não será uma forma da gente se mostrar comovida?

Ele refletiu um instante.

— Sim, esta noite é diferente... Talvez daqui a muitos anos nós nos lembremos desta hora com saudades.
— E havemos de nos rir da bonita figura que fazíamos, eu de vestido de baile e tu de *smoking*, os dois sentados nos degraus do monumento do Patriarca, na praça deserta...

Eugênio olhou com olhos reflexivos para a ponta das botinas (emprestadas), como se estivesse vendo as imagens de seus pensamentos no espelho do verniz polido.

— Há dias inesquecíveis na vida da gente. Sempre me lembro duma tarde de inverno em que levei no colégio uma bruta vaia porque estava com as calças rasgadas. Eu devia ter uns nove ou dez anos... Outra coisa que não posso esquecer é a noite em que um professor do ginásio onde eu estava como pensionista meteu uma bala no peito. Desabou um temporal medonho e eu acordei com a impressão de que ia morrer sufocado. No outro dia encontraram o corpo do homem estendido no campo. Foi o primeiro defunto que vi na minha vida...

Calou-se. Tinha vergonha de mencionar outros momentos igualmente inesquecíveis: aquela manhã dos quinze anos em que sentira pela primeira vez o sexo como um foco de agradável aflição; e aquela tarde em que fingira não ter visto o pai.

Houve uma pausa longa. Depois Olívia olhou para o relógio-pulseira — meia-noite — e disse:

— Eugênio, tua mãe deve estar acordada esperando para te abraçar...

— É verdade. — Levantou-se, limpando as calças com as palmas das mãos. — Vamos embora?

Deu a mão a Olívia para ajudá-la a erguer-se. Ao contato daquela epiderme quente, teve um estremecimento agradável. E quando lado a lado desceram as escadas devagar ele sentiu como nunca que estava perto de um ser humano, de alguém que *era*, que *existia*, de maneira profunda, integral, que não constituía apenas uma soma de vaidades, de atitudes, de desejos de parecer.

— Olívia, por que é que a gente não continua esta amizade tão boa? Não sei... Perto de ti tudo fica mais fácil e eu sinto mais coragem. Palavra.

Olívia olhou o céu.

— É muito bonito fazer projetos numa noite como esta. A vida amanhã nos separará e tu nem te lembrarás de que numa noite sentimental manifestaste esse desejo de amizade. Sinto que as nossas órbitas infelizmente são diferentes...

Entraram numa rua deserta. Era triste a luz dos combustores, alumiando o silêncio noturno. Eugênio ia com ar ausente, pensando. Sentia a verdade das palavras de Olívia. Amanhã estariam separados. Porque ele queria caminhar numa direção oposta à dela. Na direção do sucesso. Só via a sua carreira. Ansiava por ter conforto, dinheiro, um nome, pois só assim conseguiria matar aquela insuportável sensação de fracasso, de inferioridade. Não se conformava com a mediocridade. Não gostava da sombra. Sentia-se com coragem para lutar. Alimentava sonhos: havia de realizá-los.

Eugênio quebrou o silêncio:

— Achas que eu faço mal por pensar tanto em minha carreira...

— Mas que é uma "carreira"?

— Ora! Tu bem sabes. Faço mal?

— Que é "mal"?

— Estás impossível hoje!

Com um gesto de desespero Eugênio tirou um cigarro e acendeu-o.

Sua testa estava vincada de rugas de aborrecimento e ele se fechava agora num silêncio de ressentimento. Olívia sorriu e segurou-lhe o braço.

— Não vês que estou fazendo o possível para não cair em estado de melancolia ou de desespero como tu? Não compreendes que sinto o que sentes, que me faço as mesmas perguntas que tu te fazes? Vamos, alegre esse espírito, Mister Hyde.

Eugênio soltou uma baforada de fumo.

— Tens razão. Sou um médico e um monstro. Talvez mais monstro que médico.

— Eu sempre digo. Nós todos temos dentro de nós um Doutor Jekyll e um Mister Hyde. Parece filosofia barata, mas é a pura verdade. Mister Hyde é um sujeito truculento, cruel, perigoso: um caso perdido. Mas o Doutor Jekyll tem tremendas obrigações. Dominar o mais possível Mister Hyde. É por isso que os homens em geral não são nem completamente bons nem completamente maus. Às vezes Mister Hyde vence; outras, mais raras, quem vence é o Doutor Jekyll. Em geral vivem como numa gangorra: quando um sobe, o outro desce. Mister Hyde é o animal: sente e reage. O Doutor Jekyll pensa e controla. — Olívia suspira. — Se o diretor da faculdade estivesse escutando, acho que me arrancava o diploma das mãos...

Eugênio já sorria.

— E tu acreditas nessa história de Jekyll e Hyde?

Olívia olhou muito séria para o amigo, deu alguns passos em silêncio e depois sacudiu a cabeça:

— Não.

Eugênio jogou longe o cigarro. Entraram rindo em outra rua.

Escurece aos poucos. Sapos coaxam num banhado. No céu descorado lucila a primeira estrela.

Eugênio consulta o relógio. Tem a impressão de que está rolando através de alguma região misteriosa fora do tempo. Talvez nunca, nunca mais chegue a lugar algum da Terra.

Se tivesse fé, ao menos poderia murmurar uma oração e por meio dela recuperar a tranquilidade.

Olívia vai morrer... Deus não existe. Ou existe e é cruel. Não. Cruel sou eu...
De novo a lembrança de suas cegas brutalidades.

Não sou mau, não sou mau — murmura Eugênio numa obstinação, como que procurando convencer-se a si mesmo. Sente secretas reservas de bondade.

Há no seu ser uma parte boa e pura que está apenas à espera duma oportunidade para dominar. Olívia lhe estava criando aos poucos essa oportunidade. Costuma dizer-lhe:

— *O que tu precisas é aceitar as criaturas. A humanidade não tem culpa da maldade daqueles poucos homens que te humilharam.*

Ela tinha razão. Ele vive contra o mundo. Talvez sinta até uma certa volúpia nesse conflito.

E agora, se Olívia morrer, ele terá de procurar sozinho o seu caminho. Eunice será sempre uma pedra de tropeço. O passado, um peso morto.

E a sua pobre carne se nega a sofrer e o seu espírito vago não encontra energia para comandá-la.

Quanto tempo de viagem ainda?

Atira a cabeça para trás contra o encosto do banco.

O auto desliza sobre o cimento.

6

Eugênio lutava por vencer o medo, comandar os nervos. Uma situação insuportável. O estômago era agora como que o centro de sua vida: ele o tinha frio e vazio, numa sensação de náusea. Eram onze horas da noite e lá fora o combate continuava. Ouvia-se o tiroteio, longe. Havia pouco, uma voz anunciara no corredor: "O quartel ainda não se entregou".

Parado no meio da sala de esterilização, Eugênio procurava dominar-se, não queria que Irmã Isolda, que estava à porta, notasse a sua luta, a sua indecisão, o seu temor. Aquele compartimento de ladrilho branco lhe fazia mal, lhe dava uma sensação gelada de morte. Agora ele tinha a impressão de estar na cabina esmaltada dum navio em alto-mar. Aproximou-se da pia, abriu a torneira e começou a lavar as mãos e o antebraço com uma fúria trêmula. Ergueu a cabeça e olhou-se no espelho. Estava pálido, duma palidez esverdeada.

— Podemos trazer o doente, doutor? — perguntou a irmã.

Eugênio sacudiu a cabeça afirmativamente.

— Não encontraram o doutor Rosa? — perguntou, fazendo um esforço para vencer o tremor da voz.

Se ao menos o dr. Rosa viesse, dividiria com ele a responsabilidade... Estava com um mau pressentimento. Os nervos o traíam. O doente tive-

ra já duas hemorragias internas. Era um caso perdido. Por que não deixá-lo morrer na cama? Depois, havia ainda aquela revolução estúpida...
— O telefone da casa dele não atende — respondeu a enfermeira.
Eugênio começou a esfregar as unhas com a escova.
— A doutora Olívia está pronta?
— Está, sim senhor.
Irmã Isolda se retirou. Eugênio ficou a escutar o tiroteio. Nunca acreditara na possibilidade daquela revolução. Rira-se dos boatos. Agora ela lá estava... Podia transformar-se na mais horrenda das guerras civis. Os homens eram uns brutos. Que estaria fazendo sua mãe àquela hora? Perigo das balas perdidas. Se tomasse alguma bebida alcoólica talvez conseguisse acalmar os nervos... Não, não devia beber. Viu mentalmente o irmão estendido na sarjeta, bêbedo. Logo em seguida quem lhe apareceu nos pensamentos foi o pai, tossindo e sorrindo para ele com confiança. Mas todas as imagens se apagaram e então Eugênio só teve consciência da sensação de mal-estar, de tontura, de náusea. Sentia o estômago como o foco donde se irradiava todo aquele medo que lhe tomava conta do corpo.

Caminhou para a sala de operações com os braços erguidos. O doente estava já amarrado à mesa. Era um homem de meia-idade, magro e lívido. O dr. Teixeira Torres chamara Eugênio a toda a pressa para lhe entregar o paciente. Tinha àquela mesma hora uma operação de urgência no Hospital Metropolitano. Tratava-se dum oficial do Exército, gravemente ferido havia poucos minutos. Um tanto pálido, com voz levemente quebrada, o dr. Teixeira Torres lhe dera instruções apressadas no hall.

— Úlcera perfurada no duodeno. Faça uma gastrenterostomia. Não foi você que me ajudou na operação da mulher do velho Espíndola? Pois é um caso idêntico. — Parou um instante, olhou para Eugênio e seus lábios se crisparam num mal perceptível sorriso de paternal ironia. — A não ser que você prefira fazer uma duodenotomia...

Abalou para o automóvel. Antes de entrar, voltou-se e gritou:
— Não se impressione se a coisa correr mal... O homem pode "chorar". Isso acontece.

Olívia preparava-se para fazer a anestesia. Irmã Isolda fitou em Eugênio os seus olhos insondáveis. Ele julgou ler dúvida e desconfiança naquele olhar cinzento.

Silêncio. Lá fora o tiroteio cessara por instantes. Eugênio sentia todos os olhos focados em sua pessoa, como se estivesse no palco e se esperasse dele uma representação de primeira ordem. Olhou para o doente e odiou-o. Odiou-o como se ele tivesse culpa de todas aquelas coisas terríveis: a úlcera, a revolução, o outro caso que afastara o dr. Teixeira Torres...

Meteu as mãos na bacia do álcool iodado. O bafio do álcool entrou-lhe pelas narinas e chegou-lhe ao cérebro, onde se transformou na imagem de Ernesto. Eugênio dobrou os braços, mergulhou-os até o cotovelo no líquido frio.

Entrou na sala um enfermeiro e disse a Olívia em voz baixa:

— Parece que o quartel vai entregar a rapadura.

Sorriu e apareceram-lhe três dentes de ouro.

Eugênio afastou-se da bacia, premiu o pedal do tambor e tirou dele um avental. Roupa branca. Lavadeira. A mãe lavando a roupa do internato, as mãos murchas de tanto ficarem na água, o pai conferindo o rol. Por que lhe vinham com tanta frequência aquelas recordações da infância?

Enfiou os braços nas mangas do avental, enquanto uma enfermeira o abotoava às costas. Botou a máscara e, estranhamente, como se estivesse a esperar por um sinal convencionado, seu coração desandou a pulsar em ritmo mais rápido. Aproximava-se o momento decisivo.

Olívia começou a anestesia. O cheiro doce e enjoativo do basofórmio se espalhou no ar. Padilha, um estudante do quinto ano, com quem Eugênio não simpatizava, começou a dispor os ferros em cima da mesa auxiliar.

Eugênio aproximou-se do doente e olhou em torno. Os outros esperavam. Pareceu-lhe que Padilha sorria com o canto da boca, um sorriso de desdenhosa incredulidade. Por cima do rosto do paciente (a pele quase tão branca como a máscara) Eugênio sentia a presença amiga dos olhos profundos de Olívia. Só eles podiam ampará-lo. Por alguns segundos hesitou. Gastrenterostomia. Via mentalmente o dr. Teixeira Torres operando a esposa do velho Espíndola, seguia o trajeto da mão ágil e firme, segurando o bisturi. Foi então que notou o tremor das próprias mãos. Era horrível. Tinha feito já várias intervenções menores, lutara com a náusea e com o medo... Mas fora sempre bem-sucedido e isso lhe dera uma sensação de alívio e um princípio de confiança em si mesmo. Agora, porém, era diferente. Noite. Lá fora os homens loucos, os homens brutos lutavam. (Recomeçara o tiroteio.) Entregavam-lhe um cadáver para operar. Tudo indicava que o homem não sobreviveria à operação.

Eugênio olhou para Olívia numa consulta silenciosa. Ela pesquisou o reflexo palpebral do paciente e depois sacudiu a cabeça em sinal afirmativo. O auxiliar pinçou a pele do doente: não se notou nenhuma reação. Eugênio pegou o bisturi. Teve a vaga sensação de que ia cometer um crime, de que naquele instante a porta se abriria e alguém, fosse quem fosse, entraria para o substituir, para o prender, para evitar que ele continuasse...

O tiroteio recrudescia. No entanto o silêncio no hospital era pavoroso.

Eugênio fez a incisão. Estranho... Quando o sangue brotou, ele de certo modo se sentiu aliviado. Agora, de qualquer maneira, tinha de continuar.

O silêncio ali na sala continuou, quebrado apenas pelo ruído agudo e seco das batidas dos ferros. A enfermeira, uma alemã muito tesa e corada, apresentava ao operador os ferros com gestos de autômato — mas um autômato que raciocinava, que chegava como que a ler os pensamentos do cirurgião, adivinhando o instrumento que ele ia pedir.

Eugênio picou o peritônio do paciente com a ponta da tesoura e começou a cortar... Aconteceu então o que dum modo obscuro ele esperava e temia. Manou da incisão, em maré montante, uma lama escura e viscosa, formada de pus, de exsudatos e de conteúdo duodenal. Por uma fração de segundos, Eugênio teve como que uma hesitação. Seus músculos faciais se contraíram: seu rosto era uma máscara de repugnância. A lama continuava a manar, invadindo o campo operatório. Dir-se-ia que o corpo do pobre homem não passava dum repositório em que estivesse concentrada toda a podridão do mundo. Eugênio ergueu os olhos para Olívia num mudo mas desesperado pedido de socorro. Padilha e a enfermeira avançaram com compressas e tampões.

Estrondos surdos ao longe. Decerto agora estavam atirando com canhões. Eugênio imaginou as casas ruindo, a cidade destruída, uma granada atingindo a sua casa. Via a mãe estendida no chão, coberta de sangue. Olhou para as luvas sujas daquele líquido horrendo, teve vontade de gritar. Tudo aquilo era brutal. Os homens estavam podres.

O tiroteio continuava, cortado de quando em quando por um estrondo mais forte. Não só o operado ia morrer. Todos morreriam sob o bombardeio. O calor era insuportável. Ou estava frio? Devia ser o cheiro de basofórmio que o mareava.

Haviam-lhe dado um defunto para operar. Odiou o dr. Teixeira Torres. Se se tratasse dum doente rico, ele ficaria, para fazer pessoalmente a intervenção, nem que fosse para abrir o ventre do paciente num momento e tornar a fechá-lo no minuto seguinte num simulacro de operação. Contavam-se piratarias do dr. Teixeira Torres. Ou eram injustiças? Ele era um ingrato. O homem mostrava-se seu amigo, procurava auxiliá-lo na profissão. Lindo auxílio! Largar-lhe um caso daqueles nas mãos. Só um milagre poderia salvar o doente. Mas não existem milagres. No mundo só havia a estupidez dos homens, a brutalidade inapelável da vida.

— Não se sente quase o pulso... — avisou Padilha.

O rosto e as mãos do doente estavam brancos como papel. Sua respiração enfraquecia, tornando-se superficial. Olívia retirou a máscara.

— Não tem mais pulso — declarou o auxiliar, ao cabo de alguns segundos.

Era triunfo, desafio ou censura o que havia na voz de Padilha? Eugênio olhou para ele obliquamente.

Naquele instante a porta se abriu, o enfermeiro entrou e disse alguma coisa ao ouvido da Irmã Isolda. Foi como se a morte também tivesse penetrado com ele na sala, porque Eugênio sentiu um brusco calafrio (corrente de ar ou pura ilusão?) e o doente cessou de respirar. Olívia examinou-lhe a pupila. Padilha largou-lhe o pulso, auscultou-lhe o coração. Depois olhou para Eugênio e disse com indiferença:

— Esticou.

Eugênio teve vontade de esbofeteá-lo. Como sentava mal aquele plebeísmo na hora em que uma vida ali se acabava, na hora em que lá fora muitas criaturas estavam morrendo!

A enfermeira apresentou a Eugênio a agulha e o categute. Os seus olhos dum azul puro não revelavam a menor comoção. Ela tinha no rosto uma expressão infantil, era como se em vez de estar passando ao cirurgião agulha e linha para costurar um cadáver, estivesse pedindo ao irmão mais velho que lhe cosesse o vestido da boneca.

Eugênio suturou a incisão num só plano.

Agora ouvia um cochicho: "Morreu na mesa de operação". Alguém dizia essas palavras em seu espírito. Mas quem? "Morreu na mesa de operação." Sim. Os seus colegas cochichavam uns para os outros. "Morreu nas mãos do Eugênio" — eram vozes conhecidas, vagamente inimigas.

Estava tudo acabado.

— Irmã Isolda — disse Eugênio —, faça o favor de avisar a família.

— Estranhava a firmeza da própria voz. — O doutor Teixeira Torres já tinha prevenido que não havia esperança. — Donde lhe vinha de repente essa calma, essa frieza?

A fuzilaria continuava. Padilha e o enfermeiro conversavam em voz alta, discutiam a revolução, riam. Na sua tortura Eugênio apenas percebia frases soltas — "... rebentou uma granada na calçada... metralhado no elevador... dizem que o batalhão aderiu...".

Tirou as luvas e jogou-as agressivamente no balde. Arrancou a máscara e de repente se sentiu desprotegido. Desmascarado! O bandido tira finalmente a máscara.

Livrou-se do avental e precipitou-se para a sala de esterilização. Veio uma voz do corredor:

— O quartel ainda não se rendeu.

Lavando as mãos na pia, Eugênio ergueu os olhos para o espelho e viu nele o rosto tranquilo de Olívia. Voltou-se, com as mãos pingando.

— Tome isto — disse ela, apresentando-lhe um cálice cheio dum líquido cor de âmbar.

— Conhaque?

Ela sacudiu a cabeça. Eugênio levou o cálice à boca e emborcou-o. Enquanto ele enxugava as mãos, ela lhe meteu o cigarro entre os lábios e acendeu-o.

— Vamos descer juntos — convidou ele.

— Vamos. Espere um instantinho que já volto.

Cinco minutos depois desciam o elevador. No hall um grupo de homens conversava animadamente.

Olívia e Eugênio saíram para a noite. Caminhavam lado a lado em silêncio, e ele sentia voltar-lhe a calma. Cessara a fuzilaria. Eugênio não esquecia o operado, mas resignava-se à fatalidade. Enfim, tratava-se dum caso perdido...

— Olívia... — disse ele depois de alguns instantes. — Sou um fracassado.

— Porque não conseguiste ressuscitar um morto?

Eugênio encolheu os ombros.

— Não é por isso... Mas se soubesse da minha luta íntima, do meu medo, da minha indecisão. Cirurgia exige sangue-frio. E eu não tenho sangue-frio. Quando corto a carne do paciente, é como se estivesse cortando na minha própria carne, é como se estivesse cometendo um crime...

Como única resposta, Olívia tomou-lhe do braço suavemente e assim mais chegados um ao outro continuaram a descer a rua.

— Por que é que tudo é tão diferente do que imaginamos quando somos crianças? — continuou ele. — É muito bonito dizer que o doutor Fulano salvou uma vida, sacrificou-se pela humanidade... Ficamos comovidos, queremos ser também heróis, esperamos o nosso dia de salvar vidas, fazer sacrifícios. Oh! Mas como na realidade tudo muda... Está claro que desde que comecei a ver as coisas com mais profundidade descobri a ilusão. Mas é que eu tinha confiança em que com o tempo e com o estudo eu adquirisse uma personalidade, tu compreendes? Confiança em mim mesmo, uma coragem serena, uma qualidade absolutamente adulta... uma... uma... eu sei que tu compreendes... qualquer coisa que me fizesse operar um homem com a mesma calma com que um menino corta figurinhas de papel... E sabes o que sinto, quando estou operando?

Olívia apertou-lhe mais o braço com ternura.

— Sei. O mesmo que sentirias se tivesses quinze anos e alguém te levasse para uma sala de hospital, te apresentasse um caso de ventre agudo, te desse um bisturi e dissesse: "Opere, menino!"

— Exatamente.

— Acho que posso dizer com maior ou menor exatidão o que sentiste hoje. Quando o doutor Teixeira Torres te entregou o caso, sentiste medo de mistura com uma pontinha de orgulho. Medo porque ficavas com a enorme responsabilidade de um caso perdido. Orgulho porque o doutor Teixeira Torres te *confiava* um doente. Mas o orgulho desapareceu para dar lugar a uma sensação quase de pavor. Está certo?

Eugênio olhou para a companheira, hesitou um instante.

— Es... está.

— Depois, o que mais te incomodava era a impressão de que os outros podiam achar que não estavas à altura daquela responsabilidade. Julgavas ver desconfiança, ar de troça nos olhos da freira, da enfermeira, do teu auxiliar... Achavas aquela situação acima das tuas próprias forças, mas ao mesmo tempo te era insuportável que os outros pensassem isso.

Era-lhe vagamente incômodo ser assim descoberto, assim adivinhado nos sentimentos mais íntimos. Ele relutava em concordar, em se dar por vencido. Mas era inútil. Os olhos de Olívia pareciam ver além das coisas físicas. E por que era que ele nunca se zangava, nunca se irritava com as observações dela, por mais diretas, cruas e contundentes que fossem? Por que era que ele não se irritava mesmo quando, com espantoso olho clínico, ela botava o dedo nas suas feridas mais profundas?

— Olívia, eu não sei como é que tu descobres essas coisas...
Ela sacudiu a cabeça, de leve, pensou um instante e depois disse:
— Decerto porque sou médica e medicina é intuição...
Ele sacudiu a cabeça: não aceitava a razão.
— Então é porque sou médica *e* mulher...
— Deve haver mais alguma coisa...
— Ou porque tu, sem saberes, mostras demais teus pensamentos e os teus sentimentos...
— Não creio.
— Então é porque tenho vivido e aprendi a ver.
— Tens apenas vinte e cinco anos...
— Conheci um homem que tinha sessenta e ainda não tinha aprendido a conhecer-se a si mesmo.

Entraram noutra rua. Passou correndo por eles um caminhão cheio de soldados que gritavam vivas.

— Que revolução estúpida! — murmurou Eugênio. — Eu nem sei como há gente...

Não completou o pensamento. Acendeu novo cigarro. Olívia sorriu.
— É a vida.

Na outra calçada, agarrado a um poste, um bêbedo soltava berros:
— Viva el poder constituído! Abajo los salvajes unitários... — E rompeu um canto fanhoso e desafinado.

De novo a fuzilaria, longe. Eugênio sentiu um desagradável arrepio na pele e o ritmo do coração marcou-lhe a impressão de medo.

Pararam. Ainda bem que iam em direção oposta à da zona onde se combatia... O enfermeiro lhes contara que só o quartel do 7º BC ainda resistia. Em todos os outros setores a revolução já estava vitoriosa.

Olívia apertou-lhe mais o braço, colou-se ao corpo dele quando atravessaram a rua.

Ao alcançarem a calçada oposta, retomaram no passo normal. O tiroteio começou a afrouxar de novo. Eugênio, mais calmo, pensou no homem que lhe morrera nas mãos.

— Durante quase toda a operação — disse ele —, a propósito de pequenas coisas, objetos, sons, cheiros, eu estive a me lembrar de pessoas e fatos da minha infância. Por que será que a gente não se liberta dela? É como se a nossa vida toda estivesse lá e o resto não fosse nada. Por quê?

— Isso é o que tu mesmo deves procurar descobrir. Eu poderia dar-te uma explicação pedante. Mas prefiro oferecer-te uma resposta humana.

Eugênio atirou o cigarro para o ar, soltou uma baforada de fumaça, sorriu com melancolia e disse:

— Sou um caso perdido, não achas?

— Sinceramente, não acho.

Ele enfiou as mãos nos bolsos, mas Olívia não lhe soltou o braço. Era como se temesse que, sem o seu apoio, ele viesse a perder o equilíbrio.

Quando se aproximaram da casa de Olívia, Eugênio começou a pensar nas horas que estavam por vir. Temia ficar longe da amiga. Sabia que os temores voltariam e que de novo a vida lhe apareceria fria e sem sentido diante dos olhos. Todo o seu desejo de felicidade e de conchego humano ficavam sem resposta. Aquela noite de outubro lhe dava arrepios na epiderme. O ar era frio como os homens cruéis que àquela hora se matavam. Ele ia para casa, onde a mãe decerto o esperava aflita, ficaria no quarto a fumar e a pensar. Era só e infeliz. E essa permanente sensação de infelicidade, desconforto e insatisfação lhe irritava os nervos, causava-lhe uma impaciência que o deixava desinquieto e às vezes taciturno e intratável. Havia uma parte de seu ser — a maior, a mais forte e palpável — que se julgava vítima duma grande injustiça e que desejava ansiadamente subir, melhorar de condição social, fosse como fosse. A outra parte — tão imprecisa e débil que em certos momentos desaparecia, como se nunca houvesse existido — exercia sobre a primeira uma crítica que não era destituída de malícia, inclinava-se a aceitar a realidade com coragem e até com humor.

Atravessaram o pequeno jardim. Olívia meteu a chave na fechadura. Morava com os Falk, um casal alemão sem filhos.

Eugênio estendeu-lhe a mão. Ela olhou o relógio-pulseira.

— É cedo. Entra um pouquinho.

Ele hesitou por alguns segundos, desculpou-se com a mãe, mas sem nenhuma convicção. D. Alzira devia estar aflita, sem saber notícias dele, mas, enfim, como era cedo...

Entrou.

O auto atravessa uma vila, bem no momento em que os combustores se acendem. Há um plácido mistério nas ruazinhas desertas e mal iluminadas, nas velhas casas coloniais de fachadas sombrias. Cachorros latem. As portas iluminadas duma venda. O vulto da igreja antiga: sempre uma sugestão de Deus, dentro e fora de nossos pensamentos... Por que não se revela Ele dum modo mais definido? Na forma dum milagre, por exemplo... Olívia esca-

pando da morte. Sim. A salvação de Olívia pode ser um sinal da existência de Deus.

A noite desce perfumada de ervas úmidas. Mais estrelas aparecem. O vento é morno como um hálito humano.

Estranhamente Eugênio se lembra de sua primeira noite de amor com Olívia.

Tudo se passou da maneira mais absurda e inesperada. Tinha entrado no quarto dela depois daquelas horas horríveis — o doente que morrera em suas mãos, a revolução, a sensação de derrota e medo — e ela se portara para com ele como uma enfermeira. Fizera-o deitar-se no sofá, aninhar a cabeça cansada no seu regaço. E ele ficara assim um instante de olhos fechados, procurando a paz enquanto Olívia lhe acariciava os cabelos em silêncio. Ele sentia na nuca a rija maciez das carnes da amiga, por baixo do vestido fino. A carne duma mulher... Olívia era uma mulher. Abriu os olhos e fitou aquele rosto sereno. Curioso! Era belo, tinha um encanto que só agora ele percebia, uma certa luminosidade que parecia vir de dentro... Ficou alguns instantes a contemplá-lo. O calor do desejo tomava-lhe conta do corpo, aos poucos lhe ia tornando a respiração difícil. Não pôde mais continuar deitado. Ergueu-se brusco e ficou sentado ao lado de Olívia, olhou-a de tal modo que ela franziu a testa, numa expressão de inquieta curiosidade, perguntando:

— Estás sentindo alguma coisa?

Ele sacudiu a cabeça. Não, não estava.

Olívia era atraente, tinha uns olhos quentes, uma boca vermelha de lábios cheios. Ele sentia vontade de beijá-la. E por que não a beijava? Olívia podia repeli-lo, ficar magoada...

Mas que importava. O mundo ia acabar, os homens se matavam, a vida era cruel. Um dia ambos estariam apodrecendo debaixo da terra.

Segurou a cabeça de Olívia com ambas as mãos e beijou-lhe a boca longamente.

Ela se entregou num comovido silêncio.

Os sapos coaxam. A luz dos faróis do carro varre a estrada, fere a noite.

7

Saiu do quarto da amiga muito tarde. Sentia-se como um homem novo entrando num mundo que amanhecia. De repente como que sua vida se transformava e ele não era mais ele, e sim apenas um ser aéreo sem memória, caminhando na madrugada. Galos cantavam longe. O ar frio tinha uma qualidade mordente e cheirava a sereno. Eugênio parecia não sentir o próprio corpo. Levou a mão à testa fresca e sentiu nos dedos o perfume de Olívia. Lembrou-se dos momentos em que a tivera nos braços. Aquela surpresa e aquela revelação lhe davam um doce atordoamento. Ele não queria pensar. Só sentia desejos de dormir, dormir muito sem procurar saber o que o amanhã lhe pudesse trazer...

Quando chegou à casa, eram quatro horas da manhã. Abriu a porta sem fazer ruído e dirigiu-se para o quarto na ponta dos pés. Entrou, tirou o casaco e sentou-se na cama. Ouviu passos surdos no corredor. Ficou à escuta... A porta se abriu e d. Alzira apareceu enrolada num xale.

— Mas, meu filho! Eu estava tão assustada pensando que tinha te acontecido alguma coisa... — Aproximou-se de Eugênio, inclinou-se, beijou-lhe a testa. — Passei todo o tempo rezando, ouvindo o tiroteio, com medo que alguma bala perdida pudesse acertar em ti.

— Não aconteceu nada, mamãe.

— Que horas são?

— Devem ser quatro, quatro e pouco.

— Demorou tanto assim a operação?

Eugênio fez um sinal afirmativo com a cabeça. Desviou os olhos do rosto da mãe. Via nos olhos dela tantas perguntas...

— Por que não vieste logo pra casa? Eu estava tão aflita... Toma o teu leite, meu filho. — Mostrou o copo de leite e os biscoitos em cima da mesinha de cabeceira. — E não levaste nenhum agasalho. A noite está tão fria. Queres que eu aquente o leite?

— Não, mamãe, obrigado. Prefiro frio.

Era-lhe um pouco incômoda aquela insistência, aquela solicitude. Por que não o deixavam em paz? Ele precisava de tranquilidade, de solidão.

— É a revolução? — Nessa pergunta havia um misto de espanto, incompreensão, censura e medo.

Eugênio não respondeu. Fez-se um silêncio curto, durante o qual se ouviu um tiroteio ralo, muito longe.

— Escuta... — suspirou d. Alzira. — Ainda estão brigando. Que horror! Parece que o mundo vai se acabar.

Eugênio estendeu-se na cama. Que lhe importava a revolução? A mãe começou a tirar-lhe os sapatos.

— Sabes quem foi que morreu? O Aluízio, da dona Gugu...
— O Aluízio?
— Era da Guarda Civil. Morreu no assalto do quartel-general, diz que foi uma granada. A mãe está desesperada, teve um acesso de loucura.

Eugênio fechou os olhos e viu o Aluízio estendido na rua com a cabeça aberta e os miolos transbordando como um fruto podre que se esborracha no chão.

D. Alzira sentou-se à cabeceira da cama e começou a afagar mansamente a cabeça do filho.

— Correu tudo bem? — perguntou em voz baixa.

Sem abrir os olhos, com má vontade, apesar de saber do que se tratava, Eugênio perguntou:

— O quê?
— A operação.

Oh! Por que ela fazia perguntas? Por que não o deixava em paz? Ele a amava, sim — talvez não tanto como ela merecia. — Mas amava-a. Sabia que ela se sacrificara por ele, trabalhando para o sustentar, para lhe pagar colégio... Devia-lhe tudo: a vida, o título de doutor, as meias remendadas e um milhão de pequeninas coisas. Mas o que ele não suportava era que ela ainda o tratasse como a uma criança. O leite que lhe trazia todas as noites de certo modo era para manter a ilusão de que ainda continuava a amamentá-lo, de que ele dependia de seus seios para viver.

Depois duma breve relutância, Eugênio contou:

— O paciente morreu.

A mãe suspirou e as carícias de suas mãos nos cabelos do filho ficaram mais prolongadas, como se quisessem ser mais sedativas.

— Não há de ser nada, ninguém pode com o Destino.

Pior ainda — achava Eugênio — eram aquelas tentativas de consolo. O que ele precisava era de silêncio, sono, esquecimento.

— Deus é grande, meu filho.

Deus não existia. Em pensamentos Eugênio fazia essa afirmativa, mas com timidez, com um temor subterrâneo. Era vagamente ameaçadora aquela madrugada de sangue em que homens morriam. Deus podia existir, talvez Olívia tivesse razão. Lembrou-se dum diálogo que tivera com a amiga havia poucos dias.

— Se Deus existe, então por que não se revelou?
— Porque até Deus precisa de oportunidades — respondera ela.

— Se Deus existisse, eu já O teria encontrado.

Lembrava-se do sorriso de Olívia, da voz serena com que ela o envolvera, respondendo:

— Vocês ateus nos querem tirar Deus para nos dar em lugar dele... o quê? É o mesmo que tirar pão da boca de quem tem fome e dar-lhe em troca um punhado de cinza ou de areia.

Eugênio tornava a ouvir a própria voz, chegava a ver-se a si mesmo a investir contra a colega.

— Mas pão, cinza e areia são coisas concretas. Deus é uma abstração.

— Tu não acreditas no sucesso? Pois "sucesso" também é uma abstração.

Olívia... Olívia... Agora, de olhos cerrados, Eugênio pensava nela. Que seria da amizade deles depois do que acontecera aquela noite? Era muito cedo ainda para ver claro em tudo aquilo, para saber ao certo se o que ele sentia era alegria, remorso, susto, surpresa ou asco de si mesmo. A verdade era que se lembrava dela com ternura e o choque daquela revelação não lhe era de todo desagradável. Não podia fugir a uma orgulhosa, máscula sensação de vitória, no fundo da qual, entretanto, descobria um elemento de amargor.

Tudo acontecera num momento de tontura. Era o seu desejo de felicidade, de gozo, depois de todas aquelas cenas desagradáveis no hospital. De repente, ele como que se lembrara da solidão da sua vida e do mundo e se abraçara com Olívia como se só ela o pudesse salvar. Não eram moços, os dois? Não eram sãos? Não tinham direito ao seu bocado de felicidade? Fora um momento de esquecimento, e ao mesmo tempo um momento inesquecível.

A voz da mãe, entretanto, cruzou-lhe os pensamentos, dolorosa e desalentada:

— Não soubeste nada do Ernesto?

Era uma pergunta tímida, murmurada — sentia-se — depois duma grande indecisão, duma tremenda luta íntima.

Aquela noite era um mundo, aquela noite era uma eternidade, ele nunca, nunca, nunca mais havia de esquecê-la. O cadáver na mesa de operações, os beijos de Olívia, a fuzilaria, os homens se estraçalhando, a madrugada, seus pensamentos confusos e, agora, a lembrança de Ernesto...

— Nada, mamãe, nada.

Quis afastar os pensamentos, a recordação daquele dia. Inútil. Via Ernesto de olhos baixos, olhando para o prato, via a mãe com a mão na boca, os olhos espantados, o pai encolhido na cadeira de balanço; via-se a si mesmo amassando o jornal, com a fúria a ferver-lhe no peito, a apertar-lhe a garganta.

— Outra vez o jornal! — A cólera alterava-lhe a voz, o seu rosto devia estar desfigurado. — Baderna no Beco do Império. E o retrato dele, papai, veja, mamãe. — Mostrou a seção policial do *Correio do Povo* e leu: — "Beberrão Contumaz Provoca Distúrbios no Beco". O retrato e o nome Ernesto Fontes, o nome inteiro! — Jogou o jornal no chão e encarou o irmão com raiva. — É pra isso que eu vivo estudando? É pra isso que papai e mamãe se matam? Pra você andar no vício, fazendo badernas? — Ernesto continuava de cabeça baixa. — A gente fazendo o possível pra sair desta sujeira e você nos puxando pro barro. — Voltou-se para a mãe num apelo. — Se os rapazes da faculdade chegam a descobrir que ele é meu irmão, acho que não tenho mais cara de aparecer lá.

Ângelo ergueu-se, disfarçou e foi para a cozinha. D. Alzira murmurava palavras de conciliação. Mas Eugênio (com que agudeza lhe vinham as recordações e com que perversa, minuciosa volúpia ele agora olhava para os próprios pensamentos!) queria decidir a questão duma vez por todas.

— Fique sabendo, seu Ernesto, que um de nós é demais nesta casa. Ou você desaparece amanhã ou eu me mudo pra uma pensão.

Sentou-se. Seu corpo todo tremia. D. Alzira chorava. Ângelo tossiu na cozinha. Ernesto disse baixinho:

— Eu é que vou m'embora.

No dia seguinte desapareceu. E nunca ninguém mais teve notícia dele. Ângelo foi aos jornais, foi à polícia. Inútil. Poucas horas antes de morrer balbuciou:

— Por onde andará o Nestinho?

Oh! Aquela noite... De repente Eugênio jogou as pernas para fora da cama, brusco.

— Credo, Genoca, que é isso?

Sentado na cama, com as mãos agarradas ao ferro do lastro, a cabeça metida entre os ombros erguidos, Eugênio olhava para a parede.

— O que precisas é dum bom sono. Dorme, meu filhinho. Teu pai sempre dizia: sono é pão.

Beijou-lhe a testa e saiu sem fazer barulho, e deixou o filho na companhia dum fantasma. Sono é pão: teu pai dizia.

Eugênio acendeu um cigarro, caminhou até a janela, abriu-a e olhou para fora. O dia clareava. Havia um mistério no mundo. Devia haver um secreto sentido em tudo quanto acontecera aquela noite: o doente que morrera em suas mãos, a mulher que tivera nos braços, os homens que se fuzilavam. Aquilo tudo não podia ser gratuito!

Eugênio ficou a fumar e pensar por longos minutos.

Olhou para o pequeno jardim de sua casa e viu com a imaginação o pai encurvado sobre o canteiro maior, cuidando da roseira predileta (Rainha das Neves), arrancando as ervas daninhas, que cresciam em torno, e matando as formigas. Ali se erguia agora a roseira, com todo o viço. Ângelo estava morto. Ele, Eugênio, fora também como a roseira predileta. Crescera e florira, graças aos cuidados do pai. Crescera para se envergonhar do jardineiro. Aquela tarde, descendo a rua...

Eugênio jogou fora o cigarro, fechou a janela, estendeu-se na cama. Sentia as pálpebras doloridas, a cabeça zonza. Pensou em Olívia, viu a pele do operado tostada de iodo, o sangue brotando, pensou em Aluízio estendido na calçada, em Mr. Tearle caído de borco no campo, sob a chuva. Ernesto... Olívia... a úlcera perfurada... o tiroteio ao longe.

E uma grande paz caiu sobre ele, uma grande bênção, um lago profundo de tranquilidade e frescura, um sono fundo e sem sonhos.

Um vagabundo caminha pela beira da estrada. Eugênio o vislumbra num relâmpago, à luz dos faróis. O auto continua na sua carreira precipitada e ele fica pensando no irmão perdido.

Cerra os olhos e revê um quarto de hospital. É inverno, a chuva bate macia nas vidraças, a luz cinzenta e gelada da manhã dá às pessoas uma aparência cadavérica. "Fique descansada, mamãe, eu vou procurar o Nestinho..." (Sua própria voz lhe voltava à memória em apagado cochicho.) E Eugênio se vê a si mesmo sentado à cabeceira da mãe, poucas horas antes de ela morrer. Como suas mãos estavam frias e como eram frágeis aquelas pobres mãos que tanto se haviam cansado e ferido por amor dele... O dr. Seixas coçava a barba e ali de pé ao lado da cama olhava para a velha amiga agonizante, de quando em quando resmungava com sua voz áspera: "Não é nada, Alzira, amanhã você está boa. Não é nada". Tinham feito tudo quanto era possível fazer. Haviam chamado em conferência os melhores médicos da cidade. Agora só lhes restava esperar a morte e tornar à moribunda menos dolorosas aquelas últimas horas de vida.

Houve um momento em que ela moveu os lábios. Eugênio aproximou de-

les o ouvido e as palavras de sua mãe foram pouco mais que um sopro: "O Nestinho... ele é tão bom...".

O auto rola. Os vaga-lumes lucilam. Passam cercas, árvores, o vulto rápido e branco duma casa caiada.

As lágrimas rolam pelo rosto de Eugênio. E ele sacode a cabeça dum lado para outro, como um menino doente, como alguém que tentasse no sono espantar um sonho mau. "Fique descansada, mamãe, eu vou procurar o Nestinho." Assim pronunciadas à cabeceira dum moribundo, essas palavras tinham a força dum juramento. Mas que fizera ele para achar o irmão nos dois anos que se seguiram, senão fracas tentativas com o fim único de apaziguar a consciência? Tinha as horas cheias. Havia o escritório, o consultório, as malditas obrigações sociais, o temor do escândalo, o desejo de esconder da mulher e do sogro a existência daquele irmão transviado... E ele se iludira com promessas. Amanhã... Mais tarde... Tem tempo... Um dia, timidamente, contara tudo a Eunice. E ela lhe dissera apenas isto: "Como se não te bastassem os teus próprios problemas...".

A lua cheia se ergue por trás do escuro contorno dum morro. Seu clarão é tão intenso que as estrelas como que se apagam no céu pálido.

Eugênio consulta o relógio.

Era a hora em que geralmente jantavam naquele tempo... Ernesto ficava na sua frente à pequena mesa. Às vezes dava-lhe pontapés nas canelas, mas seu rosto permanecia sério: só os olhinhos miúdos riam num mal simulado lampejo de malícia. "Olha o jeito do Ernesto, mamãe. Me deu uma canelada, o sem-vergonha!" E a mãe: "Que é isso, Nestinho? Tenha modos".

Depois é uma noite de tempestade, o vento sacode as telhas, faz tremer portas e janelas. A chuva tamborila no telhado, fustiga as vidraças. Relâmpagos clareiam o quarto, trovões rasgam o silêncio. Debaixo das cobertas, unidos num abraço apertado, ele e Ernesto estão transidos de medo, perdidos num mundo de pavor e de desastre. Os trovões vão fazer o céu vir abaixo, os raios partirão as casas, incendiando-as, a chuva inundará toda a terra, num novo Dilúvio. Santa Bárbara, São Jerônimo! "Padre nosso, que estais no céu, santificado seja o vosso nome. Genoca, que é isso que tá batendo?" — "Não sei... Acho que é o meu coração." — "Será que o mundo vai se acabar?" — "Decerto vai. Reza, reza. Ave, Maria, cheia de Graça." E abraçados eles esperam que passe a fúria de Papai do Céu.

"O Nestinho... Ele é tão bom..." Sim. Ele era bom, repartia com o irmão mais velho os doces e os tostões que lhe davam. Um dia no colégio atracou-se com um dos colegas que tinha falado mal do Genoca. Tirava notas baixas, mas era com orgulho que dizia: "O meu irmão é o bichão da aula". Com o *correr do tempo, entretanto, eles se haviam separado. Todos os cuidados dos pais eram para o filho mais velho. Ele havia de cursar as escolas superiores, seria o doutor da família. Não havia dinheiro para educar os dois...*

Eugênio passa a mão pelo rosto. Agora é Olívia que lhe volta ao pensamento. Não. Olívia está e esteve sempre em sua mente. A cena do hospital, a lembrança de Ernesto, as imagens de sua infância tinham uma estranha transparência e através dela todo o tempo ele enxergara Olívia e Olívia mesmo tinha uma diafaneidade misteriosa, através da qual Eugênio via obscuramente a morte. A morte, porém, não tinha formas fixas. Ora era uma mulher pálida entre quatro círios, ora um túmulo branco ou simplesmente um cadáver que se decompõe.

Olívia vai morrer. Talvez a esta hora já esteja morta. Oh Deus! Esta viagem não acaba mais, nunca mais?

8

Quando Eugênio entrou no quarto, a criança se debatia num novo acesso de tosse. Jogara as cobertas longe e agora estava ali a se revolver na cama, sufocada, roxa, aflita, os olhos muito arregalados, o corpo convulso. Era uma tosse surda, rouca. Quando o acesso passou, o menino ficou de braços e pernas abertos, cansado do esforço, muito pálido, os lábios arroxeados, os olhos cheios de um medo angustiado.

Eugênio não tinha mais dúvidas: tratava-se dum caso adiantado de laringite diftérica. Tomou o pulso do doente — era um menino gordo, devia ter cinco anos — e auscultou-lhe o coração. O pulso estava acelerado e filiforme. O coração marchava descompassado, acusando de quando em quando o ruído de galope.

— Por que não chamaram logo um doutor?

Mal acabou de proferir essas palavras, compreendeu o seu vazio, a sua inutilidade pretensiosa. Dissera aquilo como quem cumpre uma praxe, talvez porque tivesse ouvido outro médico pronunciá-las em circunstâncias idênticas, porque, se aquela cena estivesse num romance ou numa peça de teatro, era de se esperar que o médico fizesse aquela pergunta com ar severo e profissional. Eugênio olhou para a mãe da criança. Era uma mulher gorda e baixa, de pele terrosa e olhos dum verde aguado. Desatou a dar explicações com voz desagradável, numa loquacidade nervosa. Eugênio porém não a escutava. Olhava para o menino, descobria nele sintomas de cianose, via-o agitar-se na ânsia da dispneia. Era uma criança bonita, seus cabelos crespos e longos se espalhavam pelo travesseiro, seus olhinhos eram claros e duma pureza que persistia mesmo na dor.

— Salve o nosso filho, doutor. — Eugênio sentia a respiração quente do pai da criança, via-lhe a expressão dolorosa do rosto, os olhos espantados, os lábios trêmulos. — Por amor de Deus, seu doutor, eu lhe dou tudo que tenho.

Nesse instante o menino teve novo acesso de tosse, ergueu-se na cama, seus bracinhos agitaram-se no ar, o som cavo de sua tosse encheu o quarto. Depois ele caiu de novo e ficou imóvel, aparentemente sem respirar. Com um grito a mãe precipitou-se para a cama e começou a abraçar o menino num desespero.

— O meu filho morreu! O meu rico filhinho!

A custo o marido conseguiu arrancá-la dali. A mulher se levantou, ficou hirta por um momento, olhou para o médico com olhos vazios de expressão e por um instante pareceu oscilar sobre as fronteiras da loucura. A sua boca se crispou num esgar. O rosto empalideceu, anuviou-se-lhe o olhar. E ela caiu com um baque surdo.

E agora, absurdamente, Eugênio sentia-se invadido por uma calma fria, por uma lucidez inexplicável. Tinha de hospitalizar a criança e de operá-la dentro do menor tempo possível. Não trouxera consigo nenhum ferro, pois o pai da criança o encontrara na rua.

— Vá buscar um auto — gritou para o homem, que, ajoelhado ao pé da mulher, sacudia-lhe os ombros e chamava-a pelo nome, repetidamente. — Depressa!

O homem se ergueu, olhou para Eugênio com olhos estúpidos, como se não tivesse compreendido:

— Vá buscar um automóvel depressa!

O outro saiu a correr. Naquele instante chegavam vizinhos, duas mulheres e um homem. Vinham com ar interrogador, as mulheres soltavam exclamações, o homem ia ensaiando uma pergunta. Eugênio interrompeu-o:

— Onde é que tem telefone?

— A... a... aqui no vizinho do lado, doutor. Mas...

— Ponham essa senhora na cama, com a cabeça mais baixa que o corpo.

Saiu a correr, bateu na casa contígua. Quando lhe abriram a porta, despejou:

— Sou o doutor Eugênio, o filho do vizinho está passando mal, preciso do telefone, urgente!

A mulher que abrira a porta respondeu:

— Pois não, doutor. Por aqui...

Eugênio se espantava de si mesmo, da sua decisão. Em outras circunstâncias bateria àquela porta humilde como um mendigo que fosse pedir roupas velhas.

Telefonou para o hospital, pediu que preparassem tudo para a operação. E rematou o recado:

— Mandem chamar a doutora Olívia. Dentro de dez minutos, no máximo, estarei aí.

Quando saiu para a rua, viu o automóvel já diante da casa do doente. Entrou. Enrolou o menino num cobertor e ergueu-o nos braços. De repente se sentia forte, era como se acabasse de aceitar o desafio do Destino. Havia de salvar aquela vida!

No quarto vizinho as mulheres tagarelavam, agitavam-se, e a mãe do menino não tinha ainda recuperado os sentidos.

— Vamos! — gritou Eugênio para o marido.

O pobre homem hesitou um instante.

— Doutor... — disse ele timidamente. — A minha... a minha mulher...

Caminhando para a porta, sem voltar a cabeça, Eugênio respondeu:

— Deixe a sua mulher. Vamos salvar o menino.

Precipitou-se para o automóvel.

— Hospital do Sagrado Coração. A toda a velocidade!

O pai da criança entrou também no carro, que se pôs em marcha. Eugênio sentia contra o peito o calor do corpo da criança. Pela primeira vez em sua vida se sentia numa posição de protetor, numa situação quase heroica. Estava contente consigo mesmo. Caminhava para uma batalha e ia de ânimo forte. Uma intuição secreta, entretanto, lhe dizia que se começasse a analisar seus sentimentos, a pensar na situação, toda a calma, toda a lucidez iriam águas abaixo. E ele precisava conservar a serenidade, continuar lúcido. Pensou em Olívia. Olhou para o menino: parecia um cadáver. Sentado a seu lado, o pai chorava baixinho.

Olívia aproximou-se de Eugênio e com um lenço enxugou-lhe o suor da testa. Estava terminada a traqueotomia. A enfermeira juntava os ferros. Ruído de metais tinindo, de mesas se arrastando. Eugênio tirou as luvas e foi tomar o pulso do pequeno paciente. A criança como que ressuscitava. A respiração voltava lentamente, a princípio superficial, depois mais funda e visível. O rosto perdia aos poucos a lividez cianótica.

Eugênio examinava-lhe as mudanças fisionômicas com comovida atenção.

Chamou Irmã Isolda:

— Arranje um quarto para o menino — pediu. — Nós nos responsabilizamos pelas despesas. Peça ao Padilha que faça nele uma injeção de soro antidiftérico.

Fez mais algumas recomendações e, depois de vestir-se, saiu da sala, aparentemente calmo.

Mas quando, ao cabo de alguns instantes, Olívia o procurou para saírem juntos, encontrou-o na sala de espera, mergulhado numa poltrona, o rosto escondido nas mãos, chorando como uma criança.

— Vamos jantar juntos no Edelweiss? — convidou ele.
— Cada um paga a sua parte — condicionou Olívia.
— Vá que seja!

Começaram a andar de braços dados. Caíra um aguaceiro havia poucos minutos, o ar estava fresco e no céu limpo o brilho das estrelas tinha uma pureza líquida. Era a hora em que se fechavam lojas, oficinas e escritórios. Homens e mulheres caminhavam apressados pela rua, precipitavam-se para os bondes e ônibus. Acima da cabeça das criaturas, brilhavam os anúncios luminosos.

A vida é boa! — pensava Eugênio. Ele tinha salvo uma criança. Começou a cantarolar baixinho uma canção antiga que julgava esquecida. Sorvia com delícia o ar fresco impregnado do cheiro de gasolina queimada. Sentia-se leve e aéreo, era como se dentro dele as nuvens de tempestade se tivessem despejado em chuva e sua alma agora estivesse limpa, fresca e estrelada como a noite.

— Por que será — perguntou ele a Olívia —, por que será que às vezes de repente a gente tem a impressão de que acabou de nascer... ou de que o mundo ainda está fresquinho, recém-saído das mãos de quem o fez?

Sem esperar resposta, retomou a cantiga, apertando o braço de Olívia. Ele amava agora aquela gente que se cruzava na rua, nas calçadas, sentia prazer em ser também uma árvore daquela floresta móvel. Teve desejos de beijar Olívia. Sentia que naquele momento esse desejo não tinha malícia nem sensualidade. O que ele queria dela era o beijo do companheiro, o beijo que todas as criaturas deviam dar-se ao se defrontarem na rua, mesmo sem se conhecerem — um sinal de solidariedade, um símbolo de boa vontade —, o beijo, enfim, que as pessoas trocariam naturalmente se o mundo fosse outro...

Como se tivesse estado a rolar a pergunta no espírito, Olívia respondeu:

— São clareiras que se abrem de repente para a gente poder vislumbrar Deus.

Sim, Deus existia! — achava Eugênio. Lembrou-se das lições de Bíblia no Columbia College: a ressurreição de Lázaro, a filha de Jairo... Cristo era um médico. Cristo podia ser aquela estrela pura. Ou então...

De repente, num sobressalto que lhe pôs o coração a correr, sentiu-se puxado pelo braço, ouviu o rechinar dos freios dum automóvel e num relance compreendeu o perigo. Recuou um passo.

— Quase que ficas debaixo do carro — disse-lhe Olívia, com o tom duma mãe a repreender o filho.

Eugênio olhou para o grande automóvel que parara na sua frente. Dentro dele um senhor idoso e simpático sorria com benevolência. Na porta do carro havia este nome em letras brancas: V. Cintra.

— Não fazia mal. Era um lindo Packard... — disse Eugênio para a companheira.

Continuaram a andar.

No Edelweiss a custo conseguiram uma mesa. Era um restaurante de ambiente tirolês. Os fregueses, em sua maioria austríacos e alemães, comiam, bebiam, fumavam, conversavam e cantavam. Pairava no ar uma névoa azulada. Na extremidade do balcão, montando guarda à caixa registradora que de instante a instante tilintava, uma mulher gorda e sardenta descansava os seios e os braços carnudos sobre o mármore, contemplando a freguesia com olhos maternais.

— Que é que vamos pedir? — indagou Eugênio.

Olívia examinou o cardápio com ar distraído, passando-o depois a Eugênio. Houve uma breve discussão cheia de pausas de indecisão, e por fim, chegando a um acordo, pediram salsichas, ovos e chope.

A vitrola começou a tocar *Ondas do Danúbio*. O dono do restaurante, um austríaco retaco, de nariz vermelho, pescoço grosso e cabeça raspada, andava de mesa em mesa a saudar os fregueses. Levava na coroa da cabeça minúsculo chapéu de alpinista com uma pena colorida, e tirava-o diante de cada freguês, num cumprimento gaiato, piscando o olho para as mulheres. Estalavam risadas. Lá do fundo da sala veio uma possante voz masculina, acompanhando a música. O garçom passou com uma bandeja cheia de copos de chope.

Batendo com a ponta da faca nas bordas do prato, Eugênio marcava o compasso da valsa.

— As coisas melhoram — disse ele, como se Olívia tivesse seguido até ali o curso de seus pensamentos alegres. — Acho que dentro de uma semana estou nomeado para aquele lugar na Assistência Pública...

— Já é um desafogo para o bolso, não?

— Se é! — E quase sem transição: — Estou com uma fome doida.

— Eu também.

Eugênio soltou uma risada.

— Por que foi que riste assim?

Ele se inclinou sobre a mesa e explicou:

— Quando tu eras menina nunca ouviste aquela história de empulhação do *Eu também*? Não? Olha. É assim. Eu digo uma coisa e tu respondes "Eu também". Está? Então vamos começar. "Eu ia por um caminho..."

— Eu também.

— Encontrei um passarinho.

— Eu também.

De repente Eugênio parou.

— Ora! Que pena! — exclamou, com uma careta de contrariedade fingida. — Agora que eu me lembro que essa história é imprópria para senhoritas... A minha cabeça!

O garçom chegou nesse momento com a travessa de salsichas e ovos e dois copos de chope.

— Viva! Agora vamos tratar de comer! — declarou Eugênio. — Quem falar primeiro paga multa.

Comeram com voracidade num silêncio que de instantes a instantes era quebrado apenas por monossílabos ou palavras soltas. Eugênio já sentia a cabeça invadida por uma leve e deliciosa tontura. À medida que esvaziava o copo de chope, o mundo lhe parecia mais claro, a vida melhor, mais agradável aquela reunião. Como tudo era fácil e como ele tinha vontade de ser amigo de toda aquela gente! Via na sua frente Olívia a lhe sorrir.

— Sou fraco para bebida... — confessou numa ressalva. — Garçom, mais um chope!

— Cuidado, amigo velho... Devagar com o andor.

— Qual! Hoje é dia de festa. Nem sempre estou alegre. Vamos aproveitar a maré. Um chope duplo, garçom. — Apontou para o dono do restaurante, que estava junto da vitrola, fazendo macaquices. — Com que é que tu achas aquele sujeito parecido?

— Com uma salsicha.

— Não deixa de ser. Mas ele me parece mais um bicho. Uma foca. Não me admiraria nada se ele aparecesse daqui a pouco com um peixe vivo atravessado na boca!...

A vitrola tocava agora uma velha canção alemã. Do alto-falante da máquina saía uma voz de falsete, cantando *Ach du lieber Augustin, Augustin, Augustin*. Os fregueses do Edelweiss começaram também a cantar num coro meio desafinado e rouco.

Eugênio contemplou primeiro o novo copo de chope e depois bebeu um gole longo e lambeu a espuma que ficara nos lábios.

— Isto já está com gosto de sabão... — disse, com cara de nojo, afastando o copo. Olhou longamente para o último pedaço de salsicha que ficara na travessa.

— Tu sabes, Olívia, tu sabes do que é que estou me lembrando agora?

Ela sacudiu a cabeça.

— Estou me lembrando daquela operação de apendicite da semana passada...

Olívia desatou a rir, estendeu o braço e puxou para junto de seu prato o copo de Eugênio.

— Chega de beber. Já estás ficando inconveniente.

Eugênio olhava agora fixamente para o aquário quadrangular que havia sobre uma prateleira na parede fronteira. Pequenos peixes dourados e azuis nadavam na água esverdeada, por entre uma floresta submarina em miniatura. Eugênio fez um sinal para o garçom que se aproximou:

— Quero uma fritada daqueles peixes lá... lá — e com o indicador muito teso espetava o ar, na direção do aquário.

O garçom, sorrindo, dizia repetidamente: — Oh! Oh! — muito polido, olhando de quando em quando para Olívia, como a pedir-lhe socorro.

— Traga um café bem forte para dois — pediu ela.

Depois do café, Eugênio entrou a lutar com a melancolia e o sono. Via a imagem de Olívia muito esfumada, como se ela também fosse um peixe e estivesse mergulhada na água turva do aquário.

O gramofone começou a tocar uma derramada valsa de Strauss. Uma senhora monumental ergueu-se de repente e arrastou o marido para o meio do salão, como se quisesse dar-lhe uma sova ali à vista de todos. O homenzinho se perfilou, limpou a cinza da gola do casaco, enlaçou a esposa e saíram a dançar. Em breve o salão estava cheio de pares que valsavam furiosamente.

De repente Eugênio pareceu despertar.

— Vamos dançar? — convidou ele.

Olívia hesitou um instante.

— Como vão essas pernas?

— Oh! Estão bem.

Ela ergueu-se e foram para o meio do salão. Eugênio puxou-a contra si. Dançaram fora do compasso, incapazes de participar do ímpeto geral, daquele ritmo vivo e alegre. No meio do emaranhado de cabeças sobressaía, dançando, a pena do chapéu alpino do dono da casa. A mulher do balcão sorria, sempre ao pé da registradora.

Os cabelos de Olívia tinham um perfume doce. Eugênio a apertava contra o peito, sentia-a sua, muito sua. Não queria pensar. Não queria saber o que viria amanhã. Olívia lhe pertencia. Entregava-se sem condições. Beijou-lhe a testa e pela primeira vez lhe murmurou ao ouvido:

— Querida.

Ela retrucou:

— Vou pedir mais um café bem forte.

Eram onze horas quando saíram do Edelweiss. Eugênio abafou um bocejo. Olívia convidou:

— Precisamos ir até o hospital ver como está o pequeno.

— É verdade.

Entraram num bonde. Eugênio estava melancólico. Fizeram todo o trajeto sem conversar.

O hospital achava-se muito quieto àquela hora. Encontraram Irmã Isolda no corredor do primeiro andar.

— Como vai o nosso pacientezinho? — sussurrou-lhe Olívia.

— Não tem febre, está passando muito bem.

— Ótimo.

Entraram no quarto. A mãe do menino estava junto da cama, e ergueu-se ao ver Eugênio. Quis dizer alguma coisa, mas ele lhe fez um sinal para que não falasse.

Tomou o pulso do doente e contemplou-o com ternura. Era agora um rosto corado e tranquilo. Passou-lhe a mão de leve pela cabeça, lembrando-se de Ernesto. Quando saiu, a mãe da criança o acompanhou até o corredor.

— Doutor, eu... nós... nós queria...

A voz se lhe trancou na garganta e explodiu logo em seguida num soluço. A mulher pegou a mão de Eugênio e começou a beijá-la.

— Ora... ora... dona... — gaguejava ele, procurando retirar a mão. Esforçava-se por dominar a própria comoção, constrangido; olhava para Olívia pedindo-lhe ao mesmo tempo desculpa e socorro.

A mulher acompanhou-os até o elevador, gaguejando agradecimentos.

No saguão do hospital, Olívia e Eugênio encontraram o dr. Seixas.

— Olhe quem vem vindo aí! — exclamou ela alegremente.

O dr. Seixas era um homem grande, barbudo e de ar agressivo. Vestia-se mal e era o médico mais pobre que eles conheciam.

— Boa noite, doutor! — cumprimentou Eugênio.

O dr. Seixas parou e respondeu:

— Boa noite.

Sua voz era áspera, peluda, lia-se bondade em seus olhos claros. Olívia tomou o braço de Eugênio e, como quem conta a proeza dum filho precoce, disse:

— Sabe, doutor? O Eugênio hoje salvou uma criança, por um triz. Traqueotomia. Se demorasse mais cinco minutos o pequeno morria...

O dr. Seixas olhou Eugênio da cabeça aos pés, com ar incrédulo. No fim de alguns segundos soltou uma espécie de ronco que tanto podia ser de assentimento como de desprezo ou elogio. Eugênio sentiu-se mal. Para ele o dr. Seixas era ainda o "doutor barbudo e brabo" que ia à sua casa no tempo em que ele era menino, o doutor desbocado que lhe mandava dar purgantes, remédios amargos e cataplasmas.

— Me dá o fogo, carniceiro — pediu o velho médico. — Aquela vaca do quarto dezessete da segunda classe está de novo com febre.

Apanhou os fósforos que Eugênio lhe passava, acendeu um cigarro e botou a caixa no bolso. Tirou uma baforada de fumo e olhou para Olívia em silêncio. Depois, cuspindo no chão de ladrilhos, disse:

— Nós, médicos, salvamos os outros, mas não conseguimos salvar a nós mesmos.

Fez meia-volta e se foi, sem a menor palavra de despedida.

Na rua, Eugênio se entregou a reflexões amargas.

— Para que é que hei de ser hipócrita? Odeio a pobreza. Ter poucas roupas (não é vaidade, é uma questão de higiene, de decência), não ter nenhum conforto, andar sempre pensando no fim do mês...

Parou. Dobrou a perna direita, formando um quatro.

— Olha só a sola deste sapato. Furada. Muito romântico.

Olívia sorria em silêncio. As estrelas cintilavam.

Eugênio continuou:

— Não ser ninguém, viver humilhado... — Caminhava olhando para a ponta dos sapatos. — Quando temos dinheiro, pelo menos podemos viajar, comprar boas coisas, esquecer. Mas não ter dinheiro nem nome é o que pode haver de humilhante. Pelo menos para mim. Os médicos que já têm fama nos impingem os abacaxis, os clientes que não pagam e ainda por cima assumem ares protetores.

Como única resposta, Olívia tomou-lhe do braço.

— Quando eu tinha vinte anos, queria reformar o mundo, fazer coisas belas, grandiosas. Agora estou encalhado no Hospital do Sagrado Coração. Um fracasso hoje, um sucessozinho amanhã, depois novos fracassos, o fim do mês, o padeiro, o açougueiro... sei lá. Como é que há pouco eu estava tão alegre e agora estou assim deprimido?

Caminharam alguns passos em silêncio. Depois, com sua voz igual, clara e cariciosa, Olívia disse:

— Olha para as estrelas, rapaz.

Eugênio não olhou para o céu, olhou para ela, com olhos de quem não compreende. Olívia às vezes parecia tão vaga, tão misteriosa... No entanto era também de carne e osso, decerto sofria, tinha as suas dificuldades, as suas tristezas. Por que nunca se queixava, nunca fazia confidências? Ele queria fazer-lhe perguntas, mas sua timidez o impedia. Por outro lado, era tão agradável aquela situação, tão conveniente, tão cômoda, tão sensata... Nada de alvoroço, nada de declarações piegas, de palavras de amor, nenhum ajuste de contas. Após curto silêncio, ela falou:

— Respondi hoje à carta do doutor Bellini.

— Sim? E disseste que aceitavas!

Ela sacudiu a cabeça afirmativamente.

— São só três ou quatro meses. Nova Itália deve ser um lugar adorável. E a gente de quando em quando precisa dum retiro para pôr em ordem as ideias... — Sorriu. — Que achas?

Eugênio sacudiu a cabeça.

— Não sei... não sei... Tu é que resolves. Eu morreria de tédio numa colônia como Nova Itália. Sempre achei essa história de parreiras, colonos, vida simples e não sei mais quê... muito bonito em poesia. Uma vez fui com a turma do quinto ano numa excursão pela região colonial italiana. Passávamos um dia em cada lugar. Não queiras saber a angústia que eu sentia quando via anoitecer. E note-se que sempre andávamos metidos em festas.

— Só foge da solidão quem tem medo dos próprios pensamentos, das próprias lembranças.

— Talvez...

— Mas se tu soubesses como a solidão nos pode enriquecer...

Eugênio encolheu os ombros. A palavra solidão lembrava-lhe estranhamente sua angústia de entaipado das noites de tempestade.

— Mas que diabo esse tal doutor Bellini quer contigo?

Eugênio já começava a querer mal àquele desconhecido que sem saber se metia na sua vida. Mas arrependeu-se da pergunta que formulara. Ela continha uma leve insinuação de ciúme, era uma quebra daquela lei tacitamente aceita por ambos de que não deviam falar de amor, que não deviam ser como os outros, dando um caráter vulgar àquela ligação.

— Eu já te disse que ele quer que eu organize a maternidade do hospital que vai inaugurar. Devias ler a carta que o homem me escreveu. Pode ser um mau médico, mas é um talento comercial. Mandou-me um rascunho do contrato em que tudo está previsto. O doutor Bellini, como organizador, é um gênio.

— E quando tens de ir?

— Dentro de duas semanas.

— E se não te deres bem com o homem?

— Volto.

— E depois?

Ela encolheu os ombros e fez com os olhos um sinal para o céu.

— As estrelas estão aí mesmo...

Entraram no quarto de Olívia. Ela abriu as janelas.

— Não acendas a luz... — pediu ele.

Atirou-se no sofá. O luar clareava o quarto. Olívia tirou o chapéu, sentou-se ao lado do amigo, fez que ele se deitasse com a cabeça aninhada em seu regaço e começou a acariciar-lhe os cabelos em silêncio. Houve um instante de paz, de doce tranquilidade, quase de sono. Mas o silêncio, o calor do corpo de Olívia, o perfume que vinha dela começaram a conspirar. Eugênio ergueu os olhos para a companheira, o desejo subiu-lhe à flor do rosto, animando-o duma expressão iniludível. Olívia compreendeu, baixou a cabeça e beijou-o na boca. E mais uma vez se entregou, como quem quer aliviar o sofrimento dum doente com uma injeção sedativa.

Eugênio sentiu então que nunca, nunca mais havia de esquecer aquela noite.

Há um instante de absoluto esquecimento, de névoa, de estupefação. Sensação morna de torpor, de sono. Mas Eugênio está de olhos abertos, vê esfumadamente o céu, chega a perceber o fraco brilho das estrelas, sente no rosto o vento fresco da noite. De repente desperta com a impressão de que o sacudiram pelos ombros. Que foi que aconteceu? Olha para os lados, atarantado. O auto continua a correr. Longe, no meio dum arvoredo, brilha rápida a luz duma janela. Vultos de bois parados no campo sombrio. No banco da frente, as costas impassíveis do chofer... Que foi que aconteceu? Algo de terrível e irremediável se passou no mundo. Eugênio julga sentir no ombro o calor produzido pelo contato dos dedos invisíveis que o tocaram. Sim, um aviso.

Olhou o relógio. Vinte para as oito. Lembrou-se de que Mr. Tearle sempre lhe dizia que quando alguma coisa acontece sempre passam vinte minutos de ou faltam vinte minutos para alguma hora. Alguma coisa deve ter acontecido.

Ele se deixa cair para trás no banco. Sim, Olívia deve ter acabado de expirar. O aviso misterioso não pode ter outra significação.

Eugênio sente a garganta seca, a boca amarga, o corpo dolorido, como se o tivessem espancado sem piedade. Agora parece que as surdas pancadas de seu coração lhe ecoam estonteadoramente no crânio. É o castigo. Para ele não haverá mais salvação. Olívia morreu e ele ficará no mundo com a sua dor, o seu remorso, a sua covardia.

Que bom se pudesse ficar no campo, à beira da estrada, encostar as faces na frescura do capim molhado, dormir, esquecer, ser apenas uma pedra do caminho, a folha duma árvore... Fugiria à contingência pavorosa de ver Olívia morta. As enfermeiras não o veriam chorar.

Ficar na estrada... Como uma lâmina de relva, como um montão de esterco. Sim. Ele não passa dum montão de esterco. Matéria apenas. Um homem sem alma. Esterco.

Olha para o céu. As estrelas agora estão mais nítidas. Olívia fala na sua memória: "Olha as estrelas. Enquanto elas brilharem haverá esperança na vida". Ela sempre lhe dizia essas palavras. Tinham um misterioso sentido.

As estrelas eram um símbolo de pureza, qualquer coisa inatingível que a mão dos homens não havia ainda conseguido poluir. As criaturas que chafurdavam na lama podiam salvar-se se ainda tivessem olhos para ver as estrelas.

Haverá mesmo esperança no mundo?

O auto corre. Aparecem as primeiras luzes da cidade, longe.

9

O enfermeiro largou o telefone e voltou-se para Eugênio.

— Temos serviço, doutor. Uma sujeita cortou o pulso e está se esvaindo em sangue.

Eugênio ergueu-se, atirou para cima da mesa a revista que estava folheando, e gritou:

— Vamos embora!

O enfermeiro apanhou a valise. Saíram, entraram no carro que os esperava junto da calçada e a corrida começou. A sirena solta o seu uivo triste e prolongado.

— Suicídio? — perguntou Eugênio, que se havia aboletado no banco da frente.

— Acidente. — A voz do enfermeiro veio do fundo do carro. — Com um abridor de latas. É na casa do tal Cintra.

— Gente da família?

— Qual nada! A criada. Não vê que esses ricaços vão se dar ao trabalho de andar abrindo lata...

— Mundo velho sem porteira! — exclamou o chofer, aumentando a velocidade do auto, com o rosto aberto num sorriso de gozo. Aquilo para ele era uma festa. Tinha sido antes condutor dum carro de aluguel, vivia às voltas com a Inspetoria de Veículos, por causa do excesso de velocidade. Agora era diferente, podia correr à vontade. À aproximação de seu carro os agentes do tráfego apitavam, os outros veículos paravam, a rua ficava livre como uma pista de corrida.

— Ontem — dizia o chofer — fui com o doutor Tancredo buscar um sujeito que o trem esmagou o braço na estrada de Canoas. Minha madrinha, nunca vi tanto sangue! O gajo estava branco como papel. Na volta peguei um negro na estrada. O diabo decerto era surdo, não ouviu a buzina. Foi — pef — e o tio voou... Travei o carro, botamos o negro dentro e se viemos pra cidade.

Começou a assobiar com fúria, como se quisesse abafar o gemido da sirena.

O dia principiava bem — pensava Eugênio. Às nove horas da manhã uma mulher que corta o pulso. Depois viriam os indefectíveis desastres de automóvel. Na cidade baixa uma rapariguinha qualquer tomaria lisol por ter sido abandonada pelo amante, provavelmente um soldado da Brigada Militar. Sangue! Desastre! Morte! Ele tinha a impressão de que a cidade era um enorme hospital. Não lhe saía da memória um caso impressionante da semana passada. Fora no carro da Assistência atender a vítima dum conflito num beco de má fama. Encontrara o homem degolado com um talho de navalha. Não pôde fazer mais nada...

O carro corria, a sirena gemia, o chofer assobiava. Eugênio sentia um vácuo na boca do estômago, uma leve sensação de náusea.

— Qual é o número? — berrou o chofer.

— 678! — respondeu o enfermeiro.

— Bom palpite pro bicho!

Eugênio vislumbrou um jardim tranquilo com massas de folhagens verdes, sombras azuladas e zonas douradas de sol. Lembrou-se de Olívia. Havia um mês que ela estava em Nova Itália. Escrevera uma única carta contando que estava satisfeita e que o doutor Bellini era o "homenzinho mais engraçado do mundo".

— É aqui! — O chofer fez o carro estacar.

O jardineiro da casa os esperava ao portão e fê-los entrar pela porta dos fundos. A mulher que se cortara estava deitada numa cama, o sangue lhe brotava do pulso, escorria-lhe pela mão, pingava-lhe dos dedos numa bacia de ágata. Ela balia como um cordeiro doente, muito pálida, revirando os olhos dum lado para outro. Haviam-lhe amarrado um pano com força, pouco acima do talho.

— Eu morro — gemia ela —, ai, eu morro...

Em poucos minutos o curativo estava terminado, Eugênio enxugava as mãos que acabava de lavar, e dava instruções à cozinheira, uma preta gorda e lustrosa. Falava com voz firme, num tom pouco paternal. Olhava para o auditório — a cozinheira, a mulatinha camareira e o velho jardineiro — e a certeza de sua superioridade lhe dava um certo repouso, uma sensação agradável de segurança. Surpreendeu-se a usar termos técnicos, pensou em Olívia, imaginou-a ali a seu lado a ouvi-lo e corou.

— Então não tem mais perigo? — perguntou a preta, com voz untuosa.

— Façam o que eu disse e tudo correrá bem. Se houver novidade, me telefonem.

Mal terminara essas palavras notou ali no quarto uma presença estranha que nos primeiros instantes se manifestou por uma vaga mancha escarlate e uma onda de perfume. Voltou a cabeça. Uma moça loura se achava parada junto da porta, metida num roupão escarlate. Eugênio ficou conturbado, balbuciou um cumprimento e de imediato se sentiu rebaixado ao nível de criados. A moça contemplava-o com indiferença. Seus olhos revelavam uma curiosidade fria. Parece artificial — achou ele. O sol dava-lhe aos cabelos cor de palha um brilho metálico. E ali estava ela muito tesa, como numa pose estudada. Colorida... irritantemente colorida contra a porta esmaltada de branco. Capa de revista — refletiu ele. E revista fútil.

O silêncio foi curto. Eugênio o quebrou:

— Tudo em ordem — disse para a desconhecida. — A moça está fora de perigo.

Forçou um sorriso. A jovem do roupão escarlate continuava a contemplá-lo sem falar, e ele teve a impressão de que as próprias palavras lhe voltavam contra o rosto, como uma bofetada. O seu constrangimento aumentou. Já não sabia que fazer com as mãos. Vestiu o casaco, desajeitadamente.

— Ponha fora esse lençol sujo de sangue! — ordenou a mulher loura à mulatinha. — Jogue-o no lixo ou queime... mas leve isso depressa! — Contraiu o rosto numa careta de nojo. Depois de examinar Eugênio da cabeça aos pés com ar de divertida curiosidade, disse-lhe seca: — O senhor... venha comigo.

Fez meia-volta e enveredou pelo corredor. Depois dum segundo de hesitação, ele a seguiu. Passou ambas as mãos pelos cabelos, arrumou a gravata. Ouviu a voz do enfermeiro:

— Vou esperar no carro, doutor!

Atravessaram o corredor claro. Eugênio seguia a mancha escarlate. "O cachorrinho atrás da dona", pensou. Aborreceu-a, e aborreceu-se a si mesmo. Não havia de lamber-lhe as mãos; talvez chegasse até a mordê-las... se não lhe faltasse coragem. Mas que diabo quereria com ele aquela fêmea?

Chegaram a um salão sombrio e fresco, vasto *living-room* cuja decoração ia do marrom-profundo ao bege-claro. Por alguns instantes Eugênio esqueceu a moça. Olhou o sofá e as poltronas fofas de aspecto confortável, os quadros das paredes (cujo desenho ele não distinguia bem, mas adivinhava modernos e estranhos), a estante de livros com lombadas atraentes, o vasto tapete peludo... Respirou fundo. Se conforto tinha um cheiro especial, ele o estava aspirando agora: um cheiro adocicado e pulverulento que vinha da madeira lustrada, dos estofos finos, da cera do soalho.

A moça voltou-se e mostrou-lhe uma poltrona.

— Sente-se.

Como se eu fosse um criado... — pensou ele. É uma ordem.

Lançou para ela um olhar meio hostil. Mas sentou-se. Mergulhou fundo na poltrona com uma abandonada sensação de bem-estar. Por alguns segundos deixou-se embalar por aquela impressão de conforto e macio repouso. Deu, porém, com os olhos da desconhecida postos nele com fixidez. Desagradável ser analisado daquela forma! E não era direito que ele se achasse em posição tão descuidada, tão à vontade, como se estivesse em casa... Sentou-se mais na ponta da poltrona, empertigando o corpo. A jovem do roupão escarlate inclinou-se sobre a pequena mesa redonda e abriu a cigarreira.

— Fuma? — perguntou, aproximando de Eugênio a caixa prateada.

— Não — mentiu ele. — Muito obrigado.

Fumar só lhe podia aumentar o embaraço.

Ela acendeu um cigarro, soltou uma baforada e continuou a contemplar Eugênio com os olhos indecifráveis. O embaraço dele aumentava. Tinha a impressão de que formigas de fogo lhe passeavam pelo corpo, desagradavelmente. "Devo estar vermelho como um tomate", pensou. Desviou os olhos. Via agora na outra extremidade do salão uma lareira de ladrilhos cuja cor combinava com a dos estofos e dos tapetes. Em cima do parapeito da chaminé jazia uma estatueta preta... uma mulher nua, parecia, ou atleta... ou seria um negro?...

Quando tornou a olhar para a moça, viu-a séria, com uma ruga de reflexão na testa.

— Qual é a sua opinião sobre Freud? — perguntou ela de repente.

A pergunta lhe escapou dos lábios junto com uma baforada de fumaça, mas suas palavras não tinham a natureza vaporosa do fumo. Eram sólidas, agressivas, bateram com violência no peito de Eugênio, deixando-o um instante sem respiração. Ela o contemplava com ar irônico. Havia uma indescritível malícia em seus olhos cor de mel queimado. Eugênio remexeu-se na cadeira e gaguejou:

— Que é que penso de Freud? Bom... eu... — Riu amarelo. — Essa sua pergunta... — Tirou o lenço do bolso e passou-o pelo rosto, que agora sentia úmido de suor.

Ela continuava a sorrir com um canto da boca.

— Será que nunca ouviu falar em Freud? O senhor não é médico?

— Sim, sou médico. Mas a senhorita compreende... a pergunta foi tão inesperada... Enfim a minha especialidade não é...

Calou-se, sentira que devia estar com cara de idiota. A pequena mangava com ele, divertia-se à sua custa, devia ser dessas meninas ricas, mimadas e literatas, que gostam de falar em Freud e na questão sexual só para mostrarem que são "modernas" e que não têm preconceitos. E ele se prestava à ridícula brincadeira! Devia ter percebido a coisa antes e ido embora. Sentiu desejos de dizer barbaridades, nem que fossem vestidas de termos científicos. No entanto se mantinha num silêncio embaraçado, dançando na cadeira.

— Mas acha estranha a minha pergunta? Não sei por quê... Preferia que eu lhe perguntasse sua opinião sobre o professor Piccard? Ou sobre o câmbio?

Eugênio ergueu-se.

— Com licença — disse. — A senhorita está brincando comigo e eu tenho muito que fazer.

Esforçava-se por assumir o ar paternal do adulto que diz à criança travessa que "não tem tempo a perder com brincadeiras".

A moça deu um passo à frente.

— Brincando? Pelo contrário, nunca falei mais sério em toda a minha vida. Como é mesmo o seu nome?

— Eugênio Fontes.

Ele sentia a fragrância que vinha dela, um perfume quente e doce. Sua perturbação agora era de outra natureza. Pensamentos confusos lhe enevoavam a mente.

Contemplaram-se em silêncio por breve instante. Ela sacudiu a cabeça devagar, largou o cigarro no cinzeiro e disse:

— O senhor é um exemplar raro duma espécie quase desaparecida.

Ela está me assando em fogo lento — refletia Eugênio, sentindo a raiva voltar.

— Não compreendo...

— Um homem que fica vermelho e atrapalhado só porque se acha sozinho diante duma mulher que não conhece...

— Mas perdão...

Sentiu vontade de esbofeteá-la. Ou de beijá-la?

— E um médico! — acrescentou ela. — Se ainda fosse um seminarista...

Eugênio sentia a cólera avolumar-se-lhe no peito, subir, crescer: podia romper a muralha da timidez e tomar a forma dum palavrão. E num relâmpago viu mentalmente a mãe dizer para o Eugênio de seis anos: "Deus castiga os meninos que dizem nome feio".

De repente lhe veio um desejo de reagir. No fim de contas aquilo era um incidente sem consequências. Dentro em pouco ele estaria longe dali e decerto nunca mais tornaria a ver aquela criatura.

— E que espécie de mulher é a senhora? — perguntou, encarando-a num desafio. A jovem sacudiu a cabeleira num gesto de faceirice, olhou para as unhas muito vermelhas e polidas e depois respondeu com calma:

— Sou uma mulher que gosta de provocar reações. Os cientistas fazem experiências com rãs, com cobaias... Eu prefiro utilizar, nas minhas, seres humanos.

Eu sabia — disse Eugênio para si mesmo. — Uma literata, uma esnobe. A idiotazinha! Merecia uma lição.

— E acha algum prazer nisso?

— Um prazer enorme.

Ele enfiou as mãos nos bolsos. Lembrava-se de que um dia tomara parte numa representação teatral. Sofrera agonias, apesar de saber o papel na ponta da língua. Agora tinha a impressão de que se achava de novo no palco. A heroína e o herói frente a frente, num duelo de palavras.

— E qual é a utilidade dessas experiências?

— A gente se diverte.

— Só?

— E haverá coisa mais importante no mundo do que a gente se divertir?

— Há.

— Por exemplo...

— Pensar uma vez ou outra em que nem todas as pessoas podem andar bem vestidas e bem alimentadas como a senhora.

— Olá!

Embalado pelas próprias palavras, Eugênio continuou:

— ... e que no mundo não existem só cobaias para o divertimento duma moça rica, mas também criaturas humanas que sentem, sofrem, têm direito a um pouco de felicidade...

Calou-se de repente, encabulado, aquilo era teatro, e mau teatro, e ele nada mais fazia senão repetir um papel decorado. Mas decorado onde?... quando? Não sentia o que acabara de dizer. Repetia palavras e ideias que andavam no ar. Mas a verdade era que a pobreza e a infelicidade alheia, para ele, não tinham existência real. Ele só sabia das suas próprias dores, necessidades, do seu drama pessoal.

Dissera aquelas palavras influenciado pelos livros e artigos que lera, pelas peças que vira, pelas palavras que ouvira de outros. E aquilo lhe soava como um clichê, era uma chapa, tinha o tom duma mentira. O que importava, porém, era ofender aquela criaturinha que zombava dele. Mas ela sorria:

— Magnífico! Enfim a minha cobaia reage, mexe as perninhas, solta grunhidos. Muito bem. Já tenho o diagnóstico feito. — Mirou-o de alto a baixo e disse: — Complexo de inferioridade.

Eugênio sentiu faltar-lhe o equilíbrio. Ela lhe tinha posto o dedo na ferida, provocava-lhe quase dor física. Por um instante permaneceu indeciso e tonto. Sem palavras, fez meia-volta e procurou a porta com os olhos, e sempre em silêncio encaminhou-se para ela.

— Olhe aqui... — gritou a moça.

Eugênio voltou-se mecanicamente. A jovem estendia-lhe a mão branca: entre o indicador e o anular havia uma cédula nova de cinquenta mil-réis cuidadosamente dobrada.

— Tome — disse ela com maldade. — Reparta com o seu amigo.

Uma nuvem escureceu os olhos de Eugênio. E toda a sua raiva explodiu, cega:

— Vão pro inferno — gritou ele —, a senhora, o seu dinheiro, Freud e toda a sua raça!

E abalou.

— *Temos ainda uns bons quarenta minutos de viagem — respondeu o chofer.*

Eugênio passa a mão pelo rosto e sente que nas últimas duas horas envelheceu anos.

Mas esta angústia, esta sensação de culpa, de remorso, não será o sinal de que algo de bom ainda existe dentro dele?

Pensa na filha: a carinha redonda, os olhos graúdos, vivos, num permanente espanto diante de tudo, o nariz redondo, a franja de chinesinha, preta e lustrosa... As feições eram as suas, não havia a menor dúvida. A parecença surpreendia, evidenciava-se à primeira vista. O que Anamaria herdara de

Olívia fora uma expressão de suave seriedade, um ar reflexivo e sereno e um certo caráter humano, algo de indefinível e insituável que não estava no desenho do rosto nem nos gestos, mas que no entanto existia, impunha-se como uma particularidade não apenas rara, mas inesquecível.

E de súbito, na mente de Eugênio, a imagem da filha é trespassada pelas palavras frias de Eunice, numa voz convencional: "Não quero saber de filhos. Esses mamíferos esfaimados nos deformam o corpo". É o que ela costuma dizer às amigas. Ter filhos é uma ação burguesa e inferior, bom entretimento para os proletários, para a classe média. Como pode uma criatura de verdadeira sensibilidade sujeitar-se a uma experiência tão brutal, tão repugnante, tão animal? Ficar grávida é permanecer nove meses em estado de doença e ao cabo desse tempo expor-se a um perigo de morte. Ela não podia dissociar a lembrança do parto da ideia de dilaceramento. Ter filhos era quase o mesmo que fazer haraquiri. Acontecia que o clássico suicídio japonês tinha a sua nota romântica, e a maternidade era um prosaico suicídio lento.

O velho Cintra sorria, e, apesar de suas veleidades de viúvo moço, às vezes sentia a nostalgia dum neto. Confessava isso com ar displicente e, mesmo quando fazia essa confissão, estava representando o papel de gentleman, *tão de seu gosto.*

E agora, no meio dos pensamentos tumultuosos de Eugênio, lá está uma cara branca e comprida, de larga testa e olhos febris. Acélio Castanho fala em Platão; recita para Eunice alguns trechos duma tradução francesa do Banquete. Eugênio se lembra nitidamente desta frase: "Pour enfanter de belles pensées". Enquanto Cintra e Filipe falavam de negócios, enquanto a mulher de Filipe procurava Eugênio com seus olhos quentes, a um canto da sala, Castanho murmurava para Eunice trechos de Platão. Eles se uniam num amor espiritual "pour enfanter de belles pensées". Os belos pensamentos não deformam nem o corpo nem o espírito; ao contrário, dão-lhe uma harmonia eterna. Que belo par! Feitos um para o outro. Por que não se casaram? A sociedade está construída sobre bases de erro, incompreensões, desajustes.

E agora ali na noite, enquanto o auto rola, Eugênio deixa que os pensamentos corram para aqueles dias de noivado com Eunice. Depois do encontro casual em que, como médico da Assistência Pública, ele fora à casa dos Cintra atender uma criada que se ferira, Eunice lhe telefonara diversas vezes, convidando-o para passeios em seu carro. A princípio ele rejeitara os convites. A menina queria fazê-lo de bobo, cozinhá-lo em fogo lento para se divertir. Não havia de prestar-se àquele papel ridículo. Não teve, porém, a coragem duma resposta positiva e ríspida. Deu desculpas imprecisas, agradeceu. E um dia, quando saía do hospital à tarde, encontrou-a junto da calçada, ao volante de

uma grande limusine cor de oliva. Cumprimentou-a perturbado, quis continuar a andar, mas ela o chamou.
— Que é isso? Está com medo?
— Medo... eu? Ora...
Voltou-se de chapéu na mão, vermelho e engasgado. Ela sorria, com a cabeça levemente inclinada para o lado. Tinha uma beleza irritante de coisa mimada, uma fragilidade que convidava mais à carícia brutal do que à ternura.
— Se você permite — disse ela — eu o rapto. Sua mãe não se zanga?
— Oh!
Não teve palavras. Entrou no carro, sentou-se ao lado de Eunice. Rodaram pela cidade até o anoitecer.
Ela falou no pôr do sol, puxou conversa sobre livros, mostrou-se menos cruel e irônica, interessou-se com ar sério pela vida dele, fez perguntas... Entraram num restaurante. Ele sofreu agonias durante o jantar. Tinha apenas dez mil-réis no bolso. O que haviam pedido devia já andar em mais de vinte. Os olhos de Eunice não se afastavam dele, examinavam-no com um interesse que o deixava verdadeiramente desnorteado. Ele suava frio, pensando numa maneira de sair daquele embaraço. Olhou para os lados à procura dalgum conhecido a quem pudesse tomar dinheiro emprestado. Ninguém. Eunice, entretanto, pediu a nota e pagou. Enquanto o garçom dava o troco, ele olhava para os lados, agitava-se na cadeira, muito vermelho e perturbado. Ergueram-se e saíram. O ar da noite refrescou-lhe o rosto, deu-lhe mais clareza às ideias e algo que se avizinhava da serenidade.
O auto rolava macio pelo chão de paralelepípedos. Ele ia em silêncio, preso agora duma atormentadora melancolia. A presença de Eunice — uma mulher bonita, bem vestida e perfumada — lhe era agradável, mas tinha a virtude de fazê-lo sentir com mais pungência sua condição de homem pobre. Pediu-lhe que o deixasse na primeira esquina. Quando desceu, disse:
— Muito obrigado por tudo. — Esforçava-se para parecer tranquilo. — Mas as nossas relações devem parar aqui. Água e azeite não se misturam. — (Ele não dizia isso com sinceridade.) — Pertencemos a classes diferentes, a senhorita não pode lucrar nada com a minha amizade. — Ela estava séria, atenta, o sobrolho enrugado. — Os seus amigos devem ser mais interessantes. Este deve ser o nosso último encontro. Adeus.
Apertaram-se as mãos. Houve um silêncio curto e ela depois disse simplesmente:
— Gosto muito de você tal como você é. Acho que apesar de tudo poderemos ser bons amigos...

Naquela noite ele pensou muito em Eunice e em Olívia. Se ao menos Olívia estivesse na cidade, ele poderia pedir-lhe conselhos. Conversariam longamente sobre Eunice, estudariam todos os aspectos do caso. Revolvia-se na cama, sentia com a memória o perfume de Eunice. Mitsouko. E a voz dela era esquisitamente frágil, tinha um certo quê de infantil.

No dia seguinte se surpreendeu a dar um cuidado maior ao nó da gravata, à roupa. Pensou em comprar um novo par de sapatos, um chapéu. Ao meio-dia Eunice telefonou-lhe para a Assistência marcando um encontro para a noite. Ele aceitou imediatamente. Foram a um cinema. Era-lhe indiscutivelmente deliciosa a sensação que teve de ser visto em público ao lado de Eunice. Foram a uma confeitaria depois do cinema. Gelados. O vestido dela era da cor do pistache. Eunice falou em Verlaine. No fim do gelado o nome de Freud foi pronunciado. Ele achava tudo delicioso: a nova amiga, o gelado, a psicanálise, a vida. Sua sensação de felicidade foi maior quando meteu a mão no bolso e tirou dinheiro para pagar a despesa.

Como seria possível lembrar-se com minúcias dos outros dias, dos outros encontros? Eles se confundiam no tempo, se misturavam, se interpenetravam.

Olívia continuava em Nova Itália e escrevia de raro em raro. Eram cartas inexpressivas, em que ela mais uma vez revelava a sua absoluta aversão por qualquer espécie de chantagem amorosa. Cartas de homem, para homem, de amigo para amigo. A todas essas, ele vivia momentos amargos de dúvida. Tudo aquilo ia correndo deliciosamente como num paraíso. Mas em que acabaria? Um casamento ali seria coisa desigual e quase impossível. Cada um deles pertencia a um mundo diferente. E se, no fim de contas, da parte de Eunice tudo não passasse ainda duma brincadeira sem consequências? Ela era rica, podia dar-se ao luxo de fazer experiências com cobaias humanas. Eugênio conheceu Cintra, e amigos e amigas de Eunice. Sentiu-se mal no meio deles, imaginava-se a cada passo alvo da ironia e do desprezo de todos. Eunice, porém, não lhe dava tempo para reflexões pessimistas. Arrebatava-o. Corriam de automóvel pelas ruas. Cada dia descobriam um recanto novo, um ângulo diferente para olhar a cidade. Falavam de pintura, em poesia, faziam longos silêncios. Uma noite na esplanada da Igreja de São Paulo, olhando as luzes da cidade, de repente se surpreenderam de mãos dadas. Ficaram assim muito tempo sem dizer palavra. Ainda em silêncio voltaram para o carro e rumaram para o centro. Despediram-se com menos alvoroço. Ele fumou cigarro sobre cigarro até a madrugada. Estaria mesmo apaixonado? E Eunice gostaria realmente dele? Fazia-se perguntas que ficavam sem respostas ou encontravam no seu íntimo respostas indecisas, escorregadias, falsas. Não havia dúvida: ela era bonita, inteligente, fina... E ele não podia esquecer que a desejava como um homem são pode desejar uma mulher bela. Queria a sua carne como admirava o seu espírito. Isso seria paixão? E onde ficava Olívia naquilo tudo? Lembrava-se da amiga com ternura. Ela lhe dera tudo e não lhe pedira nada. Mas será que Olívia o amava mesmo? O que ela sentia por ele seria amor ou piedade? A sua função acidental de amante não seria um prolongamento de sua missão de médica, de enfermeira?

Deitou-se sem sono. As perguntas íntimas continuaram. Olívia não lhe saía do pensamento. Ele a revia bem no instante em que a possuíra pela primeira vez. Como eram humanos aqueles olhos e que expressão de abandono havia naquele rosto! No entanto ela não fazia um gesto, não dizia uma palavra que lhe dessem a certeza, a certeza...

Ele sentia ainda nas mãos o perfume de Eunice a um tempo doce e perverso. O que ele sentia pela filha do Cintra era diferente, um desejo de outra espécie, com uma pontinha de sadismo. Por Olívia (julgava ter chegado a uma solução) tinha ternura. Pela outra um desejo maléfico de posse. Seria isso? Era horrível não poder ver claro no emaranhado dos próprios sentimentos.

No outro dia, no hospital, um colega, ao passar, lhe fez uma observação brincalhona:

— Então vamos entrar nos dinheiros do velho Cintra, hem?

Ele ficou vermelho e continuou a caminhar sem dizer palavra. Aquilo, porém, não lhe saiu dos ouvidos. Era incrível como uma tola observação casual se lhe pudesse gravar com tanta força de penetração no espírito. Os dinheiros do velho Cintra. Fiação e Tecidos Cintra, Companhia Arrozeira Cintra & Cia., Companhia Imobiliária Cintra...

Por aqueles dias foi chamado para um caso deplorável. Um estafeta dos Correios fora atropelado por um automóvel e fraturara a base do crânio. Durou oito horas. Era um sujeito magro, minado e tinha cinco filhas — rapariguitas pálidas de ar assustado. A mulher parecia tuberculosa. Moravam numa casa apertada, úmida e sem luz. Quando o homem expirou as seis mulheres romperam num choro frenético. Eugênio baixou a cabeça e esperou. O cheiro de mofo da casa, misturado com o fartum das roupas sujas, entrava-lhe pelas narinas, envenenava-lhe a alma. O estafeta estava estendido na cama, o rosto cor de cidra, a cabeça envolta em panos ensanguentados. Apareceu um sujeito alto e fortemente moreno, que chamou a viúva para um canto. Deu-lhe o cartão de visita, era advogado, queria procuração para processar o dono do auto que lhe matara o marido. Ela não dizia nem fazia nada, só chorava, os soluços lhe sacudiam o corpo ossudo. As meninas continuavam a chorar. Era a miséria! Eugênio teve necessidade de sol e ar livre. Murmurou uma palavra qualquer e saiu. Respirou fundo, olhou para o céu. A vida continuava. Os homens se cruzavam nas ruas, havia criaturas encurvadas e pobres como o estafeta. Mas passavam automóveis caros e na fresca sombra de seus interiores acolchoados iam senhoras e cavalheiros de aspecto próspero. Eugênio parou a uma esquina, cheio duma súbita resolução. Imaginou-se dentro de um daqueles autos. Dr. Eugênio Fontes, genro de Vicente Cintra...

E por que não? Não queria deixar-se vencer pela vida. Não correra atrás de Eunice. O destino os aproximara. Ele não tinha culpa.

Foi para casa, tomou um banho, trocou de roupa, telefonou para Eunice. Era a primeira vez que a procurava para marcar um encontro. Viram-se à noite. No mês seguinte estavam noivos. Vicente Cintra o cumprimentou sem entusiasmo. Com infinita cautela, combinou delicadamente "detalhes materiais". Dar-lhe-ia um lugar na fábrica, coisa simples, assinar papéis, fiscalizar, o senhor compreende. Nomeá-lo-ia também médico dum sindicato, onde tinha influência.

Olívia em breve estaria de volta. Era melhor escrever-lhe o quanto antes, contando-lhe tudo. Eugênio redigiu uma longa carta. Corou ao relê-la. Hesitou antes de pô-la no correio. Por fim decidiu-se e suspirou aliviado.

O auto rola. E numa síntese milagrosa de alguns segundos Eugênio relembra o seu noivado com Eunice.

Poucos anos de vida matrimonial tinham sido o bastante para lhe mostrar o engano em que caíra. Fizera um casamento de interesse. A beleza ou antes a boniteza de Eunice lhe tornara a coisa mais suave e agradável. Ela — Eugênio compreendia agora — se deixara levar pelo seu romântico desejo de aventura. Era como essas meninas ricas que para fazerem publicidade adotam órfãos nos asilos e posam ao lado deles para os fotógrafos dos jornais. Moça da nossa sociedade que adota um jovem médico pobre. Cinema, romance, teatro, bovarismo.

Mas sempre, sempre por trás de todos esses pensamentos está Olívia. Olívia já morta, entre quatro velas, na capela do hospital. Na mesma capela em que se velara sua mãe naquele inverno de chuva.

O auto corre, Eugênio sofre, as estrelas cintilam.

10

Era a primeira vez que se encontravam a sós no quarto de Olívia depois que ela voltara de Nova Itália.

Eugênio compreendeu que lhe seria mil vezes mais fácil enfrentar a situação com a luz apagada. Não queria que Olívia visse tão claramente o seu embaraço, o seu desajeitamento, a sua miséria.

— Não te importas de deixar a luz apagada? — perguntou ele no momento em que a amiga fechava a porta da frente.

— Claro que não. Está um luar tão bonito...

Escancarou a janela e caminhou para o quarto de dormir. Eugênio acendeu um cigarro, sentou-se numa das poltronas e ficou a olhar o céu da noite que a janela emoldurava. Era preciso fitá-lo demoradamente e com atenção para perceber o brilho miúdo das estrelas. Uma roseira subia do canteiro do jardim até o peitoril da janela; viam-se-lhe os últimos galhos e uma enorme rosa branca, imóvel contra o céu. O ar da noite era fresco e cheirava a madressilvas.

Eugênio sentiu então que tinha de novo doze anos. Estava à janela de sua casa, olhando a noite. O pé de madressilva que pendia do muro da casa vizinha perfumava o ar. Era uma noite de plenilúnio e ele se perguntava a si mesmo se havia ou não habitantes na Lua. Não cansava de olhar para o disco branco, com tênues manchas escuras. Às vezes tinha a impressão de que aquele cheiro doce e gostoso não vinha do pé de madressilva: era o próprio cheiro do luar.

Qual a causa daquela tristeza tão grande? Ignorava... Era uma coisa esquisita no peito, uma vontade não sabia de quê... de chorar, talvez, ou de poder subir até a Lua... Ou era simplesmente desejo de ter uma bola azul e amarela como uma que vira numa vitrina da cidade. A Lua era uma bola, bola branca. As estrelas estavam jogando futebol. Deus era o goleiro. O campo do céu era bem maior que o campinho em que ele e Ernesto jogavam bola com os outros meninos da rua. Alguns tinham camisetas coloridas, chuteiras de verdade, joelheiras... Ele e o irmão jogavam de pé no chão, espinhavam-se nas rosetas... Se Deus fosse bem bom mesmo mandava do céu uma bola para ele e o Nestinho. Olhou mais intensamente para a Lua, como se aquela mancha escura fosse a sombra de Deus. E murmurou: "Seu Deus, o senhor que é bichão, que manda em todo o mundo, me mande uma bola pra nós jogar, sim? Prometo ser sempre bonzinho. Meu Deus querido, me manda uma bola!". Ficou sentado ali ao pé da janela, olhando para a Lua, esperando o milagre. Deus lhe mandaria a bola nas mãos dum anjo, ou então simplesmente a jogaria lá de cima, fazendo-a cair no jardim em cima do canteiro das margaridas. Eugênio esperava. O vento farfalhava nas árvores. Deus era grande, Deus era bom, mamãe dizia. Que lhe custava satisfazer o pedido dum menino pobre? Só uma bola... nem precisava ser das maiores. Pequena mesmo servia. Ele já estava cansado, já estava enjoado de jogar com bolas feitas com um pé de meia velho cheio de trapos. Os minutos passavam. Ele continuava a esperar. Os olhos já lhe ardiam de olhar a Lua, o pescoço lhe doía por ficar tanto tempo com a cabeça erguida.

— Genoca, venha dormir que é tarde.

A voz da mãe. Eugênio levantou-se e foi para o quarto. Ernesto já estava deitado. O pai costurava ao pé da mesa. Eugênio olhou para ele e teve medo: a luz do lampião deixava a cara de Ângelo tão feia como se ele fosse uma caveira...

De sua cama, através da vidraça, Eugênio ainda viu a Lua enorme, redonda, brilhante. Mas Deus não o havia escutado.

Dormiu com a alma amargurada.

Eugênio agora fumava, perdido em pensamentos, com os olhos fitos na janela. Uma aragem mais forte sacudiu a rosa branca, que se agitou por um instante, e ele teve a impressão dum aceno, dum sinal misterioso que vinha dum outro mundo ou dum passado mui remoto. Sentiu um arrepio e ficou com a sensação estranha de que estava sendo chamado, de que um secreto alguém lhe queria dar um aviso.

Fechou os olhos e pensou no pai. Viu-o a caminhar curvado pela rua, com as roupas no braço. Depois se viu a si mesmo no Columbia College, olhando para Mr. Tearle estendido no seu caixão, afogado em flores. Tornou a ouvir o tiroteio daquela sua noite de pavor e viu o rosto pálido do homem que lhe morrera nas mãos. Outras imagens lhe vieram à mente, misturadas, confusamente interpretadas: Eunice de roupão escarlate — "Que é que o senhor pensa de Freud?" —, o Castanho, testa larga, aspecto doentio — "Ginástica e música" —, Olívia com uma braçada de rosas... Ernesto rachando lenha...

Tornou a abrir os olhos. Não, era impossível que não houvesse um sentido em tudo aquilo, era demasiado cruel que a vida não tivesse uma finalidade, um propósito.

Ruído de passos no compartimento contíguo...

Olívia voltava. O coração de Eugênio começou a bater acelerado. Aproximava-se a hora difícil, o momento decisivo. Teria de falar na carta, se ela não falasse. Seria mil vezes melhor que ela principiasse.

Olívia entrou e sentou-se na frente dele. Ficaram em silêncio por alguns instantes.

Eugênio amassou o cigarro no cinzeiro e propositadamente demorou mais tempo nessa operação insignificante, dando-lhe um cuidado exagerado.

Sentia-se agora dominado por uma espécie de trêmulo torpor, por um desejo de relaxamento, de repouso. Queria paz para o corpo, para os nervos. Desejava entregar-se àquela hora suave, perfumada de madressilva, banhada de luar. De repente lhe vinha um horror de falar em Eunice, uma morna necessidade de confidência, de aconchego, de compreensão. Como seria bom deitar a cabeça ardente no colo de Olívia, deixar que ela lhe acariciasse os cabelos, enquanto ele aliviasse a alma contando as suas dores, as suas dúvidas, os seus desejos de formas ainda incomodamente imprecisas.

Aquele silêncio era uma tortura. Ergueu-se brusco e foi até a janela. Olhou para fora, mas não enxergou nada além de seus pensamentos confusos. Tornou a sentar-se, inclinou o busto para a frente, descansou os braços nas coxas, trançou as mãos e num esforço quase desesperado, sem erguer os olhos do chão, perguntou:

— Recebeste a minha carta?

Não reconheceu a própria voz. Tinha chegado mesmo a falar? O coração lhe batia descompassado, ardiam-lhe as faces e as orelhas.

Foi pavoroso para ele o silêncio em que se sumiram as suas palavras. Por fim ouviu a voz tranquila de Olívia:

— Recebi, sim.

Eugênio teve ímpeto de se lançar aos pés dela e desabafar o seu arrependimento. Tinha-se portado como um canalha, era um traidor, ia casar-se por interesse, por dinheiro, ia vender-se, abandonando a única criatura que realmente se interessava por ele.

— Tu me deste uma explicação... — continuou Olívia. — Bastava um aviso. Seja como for, obrigada.

Essas palavras lhe doeram como o sorriso do pai naquela noite longínqua. Olhou para fora e desejou apagar todo o passado.

Tornou a levantar-se e ir até a janela. Olhou para a rosa com olhos vazios, estendeu a mão para ela num gesto automático e segurou-lhe o caule para o quebrar. Um espinho enterrou-se-lhe no dedo. Sentindo a picada, Eugênio retirou a mão como se tivesse recebido um choque elétrico e levou-a instintivamente à boca. Gosto de sangue. Ficou por alguns segundos chupando o dedo. (Tire o dedo da boca, menino! — disse a professora, repreendendo-o na frente de toda a classe.)

— Eugênio.

Ao ouvir uma voz viva e próxima pronunciar o seu nome, ele se voltou.

— Hem?

— Tu estás te afligindo à toa. Vem. — Puxou-o pelo braço. — Vou fazer um chá para nós.

Ele queria agora abraçá-la, beijá-la muito, pedir-lhe perdão, suplicar-lhe que esquecesse tudo. Ou seria melhor pegar o chapéu, ir embora e não voltar ali nunca mais?

Olívia levou Eugênio até o sofá e fê-lo sentar-se. Ele não sabia o que fazer. A passividade dela, a sua aquiescência fácil criavam nele a necessidade de contar, explicar, falar torrencialmente, tecendo com palavras um manto para esconder-lhe a vergonha e o constrangimento.

Olívia pôs a água a aquentar e voltou para a sala. Eugênio tinha acendido outro cigarro.

Ela sentou-se na guarda do sofá, passou a mão pelo ombro do amigo e lhe perguntou:

— Como é o nome dela?

— Eunice. Eunice Cintra.

Eugênio sentiu-se de novo corar. Aquilo chegava a ser ridículo! Ridículo para ele. Era como se Olívia o estivesse tratando como a um menino desmiolado e fútil. E depois, se por um lado a concordância dela lhe tornava tudo mais fácil, por outro ele não deixava de se sentir um pouco ferido no seu orgulho de homem. Sabia — Oh! com toda a firmeza! — que ela seria incapaz de fazer escândalo, incapaz do menor alvoroço. Mas uma aceitação assim tão serena, uma conformidade tão natural, era de embasbacar. Sim, decerto ele se enganara. Olívia não o amava. Era melhor assim. Mas... Seria mesmo melhor?

Não havia dúvida que Olívia facilitava tudo. Era, entretanto, impossível que ela não sentisse alguma coisa por ele. Talvez sentisse e estava fingindo. Mas... se o amava mesmo, por que não lutava, por que não procurava retê-lo?

— Eunice... Cintra... — repetiu Olívia. — Já ouvi esse nome, não me lembro onde. Mas... conta como foi que começou a história.

Que imbecil! Que palhaço! Que idiota! Eugênio, agoniado, contou como conhecera Eunice. Contou fragmentariamente, inventou fatos com o fim de esconder o que havia de ridículo, de absurdo naquela ligação desigual.

— A água já deve estar quente... Espera um instantinho.

Foi até o fundo da casa para ver a água da chaleira, voltou poucos minutos depois com duas xícaras, um bule cheio de chá, um açucareiro e um prato com biscoitos. Pôs a bandeja em cima da mesa e despejou chá nas duas xícaras.

— Açúcar? — perguntou.
— Pouco... Assim, obrigado.
Eugênio começou a beber o chá. Via que o momento mais difícil havia passado, apesar de sua sensação de derrota, de aniquilamento. Sentiu-se de certo modo aliviado. Suas mãos ainda estavam trêmulas e o ritmo de seu coração — com que pungência insuportável ele sempre sentia o coração! — ainda não se havia normalizado.

Contemplava Olívia. O luar lhe batia em cheio no rosto. Ela era bela, duma beleza que nada tinha de agressivo, mas que jazia escondida como um tesouro; era serena e possuía algo que fazia pensar nas coisas eternas e imutáveis. Por que ele não a amava mais? Por que não abandonava Eunice e tudo mais para se entregar inteiro a Olívia?

De repente ela falou:

— Eugênio, um dia, daqui a muitos anos, tu hás de te lembrar desta noite, deste momento, desta sala. Tu aí no sofá bebendo o teu chá, eu aqui na tua frente... Não sei por que me veio agora esta ideia...

Ele sacudia a cabeça devagar, tomado por uma inexplicável sensação de tristeza, de remorso e de mau presságio.

Por alguns instantes só se ouvia o tinir das xícaras batendo nos pires. Ele agora sentia necessidade de se justificar.

— Eu não gosto dela, Olívia. O que te escrevi é a pura verdade. Só penso no meu futuro, na minha carreira. Não me disseste um dia que a fé é tudo? Pois tenho fé na minha carreira, preciso me livrar da ideia horrorosa de que a vida é simplesmente esta luta sem recompensa... este... esta miséria... este ramerrão sem graça. Eu sinto que posso realizar alguma coisa. Tu sabes o que tem sido a minha vida até hoje.

Calou-se. Os olhos de Olívia brilhavam, muito humanos, na penumbra azulada. O rosto dela tinha uma serenidade melancólica.

— Acho intolerável esta situação de joão-ninguém. Daqui a alguns anos que serei eu? Um médico de gente pobre, como o doutor Seixas, sempre com conta a pagar... Talvez um empregadinho municipal...

Outra pausa. Olívia continuava a contemplá-lo em silêncio.

Eugênio observara que os ébrios quando começam a fazer discursos não sabem ou não querem acabar: palavra puxa palavra e eles se deixam ir num círculo vicioso de repetições, de redundâncias, mas continuam falando, e as suas palavras como que lhes aumentam a embriaguez, prolongando ainda mais o discurso. Continuou:

— Um amigo meu costumava dizer que a vida é como uma travessia transatlântica... Os passageiros são das mais variadas espécies. Uns passam a viagem a se preparar para o desembarque no porto de seu destino e desprezam as festas de bordo, o simples prazer de viajar. Outros não sabem do seu destino, não têm nenhuma esperança no porto de chegada e procuram passar da melhor maneira possível a travessia. Este é o meu caso. Tu sabes que em vão eu tenho procurado Deus. Ainda há pouco me lembrei duma noite de minha vida, há quinze anos. Eu pedi a Deus que me mandasse uma bola de futebol. Em vão esperei o milagre. Foi uma tolice de menino, eu sei, mas depois outras coisas pedi e esperei. Nada. Por último já me contentava apenas com a revelação da simples existência desse Deus. Ainda nada! Não creio na outra vida. Quero fazer uma viagem agradável. E de certo modo me recuso a viajar em terceira classe... Tu vês que estou tentando passar para a primeira... — Achou a comparação ignóbil e sentiu-se cínico por ter lançado mão dela. — Sei que o meu procedimento pode não ser considerado decente, olhado de certo ângulo... — Animou-se de repente, como se quisesse convencer a si mesmo. — Mas chegamos então àquela história do fim justificando os meios... Em suma eu olho a minha carreira. Tu compreendes. Não posso continuar nesta vida. E depois, preciso dar conforto à minha mãe...

Ficou de súbito muito perturbado. Porque teve a intuição de que Olívia enxergava através de suas palavras, descobrindo a grande mentira. A história da mãe lhe surgira naquele mesmo instante. Era um pretexto, uma declaração insincera, recurso de última hora. Realmente ainda não havia pensado na mãe...

Olívia continuava a mirá-lo com olhar insondável.

Eugênio sentiu que aqueles olhos lhe estavam enxergando a alma. Chegou quase a odiá-los. E de repente, sem que ele mesmo soubesse por quê, lhe veio um sentimento de revolta. No fim de contas não estava cometendo nenhum crime. Era senhor de seu corpo, capitão de sua alma. Fosse como fosse, nunca prometera nada a Olívia. Ela não era mais virgem quando viera para seus braços. Tinham sido bons companheiros, nada mais. As palavras de amor que lhe escaparam, os carinhos que ele dera e recebera corriam por conta dos momentos de fraqueza, dos momentos em que qualquer outro gesto ou qualquer outra palavra que não fosse de amor e carícia seria uma coisa ridícula, absurda, fora de lugar.

Eugênio esperava, com uma luz de desafio em seus olhos. Mas Olívia sorriu para ele um sorriso bom e disse:

— Está tudo certo. Não precisas ficar aflito. Eu compreendo, sim, como compreendo!

Essas palavras desarmaram Eugênio. De novo ele sentiu vontade de ficar, de esquecer, de desabafar. Mais do que nunca desejou confiar à amiga os seus temores quanto ao futuro, o seu constrangimento em entrar num ambiente estranho e diferente do seu. Tinha uma espécie de pressentimento de infelicidade. Acontecia apenas que o seu desejo de conforto, a sua ânsia de sucesso, o seu afã de conseguir um nome, de ser alguém, faziam-no esquecer tudo. Era algo parecido com as noites de insônia, de angústia: queria ar, luz a todo custo, pouco lhe importando o que isso depois lhe viesse a custar.

De sua poltrona Eugênio viu de novo a rosa branca oscilar. Teve a impressão dum adeus.

— De sorte — disse Olívia — que vens te despedir da tua companheira de terceira classe...

Ele ficou muito perturbado e não respondeu. Ela sacudiu a cabeça devagarinho, sempre sorrindo.

— Esta noite é como uma encruzilhada.

Calou-se de repente, como que arrependida do que dissera ou do que ia dizer. E num tom de voz diferente, continuou:

— Quando é o casamento?

— Sei lá! — disse Eugênio, como se estivessem falando dum casamento que lhe fosse indiferente. — Daqui a três meses, parece...

Esse *parece* era a maior das insinceridades. Ele sabia que o casamento seria em janeiro, a data estava fixada. O seu ar negligente de desinteresse era ainda um resto de respeito por Olívia.

Eugênio ergueu-se, ao cabo de grande relutância. Olívia levantou-se também. Ficaram frente a frente a se contemplarem em silêncio.

Os olhos dela... Aqueles olhos humanos, envolventes, acalentadores. Ele sentiu um tremor percorrer-lhe o corpo. Em vão procurava discernir um desenho lógico, um contorno definido no emaranhado de seus sentimentos. Quereria ele ir-se para sempre ou ficar para sempre? Devia ficar só por aquela noite? Queria casar com Eunice ou continuar com Olívia? Se não amava Eunice por que então sentia aquelas coisas esquisitas na presença dela, o desejo de possuí-la, de dominá-la, de estar a seu lado? E se não amava Olívia por que lhe era tão difícil separar-se dela?

Eugênio olhava a amiga bem nos olhos. Não se pôde conter, ergueu ambas as mãos, acariciou-lhe a cabeça e murmurou:

— Eu sou um... um...

Não achou o termo. Desceu os braços, enlaçou Olívia, puxou-a contra o corpo, beijou-lhe os olhos, a testa, as faces, a boca.

Passaram juntos aquela noite. Eugênio julgou vislumbrar um elemento de desespero nas carícias de Olívia. Ela nunca se lhe entregara com um tão comovido abandono. Dir-se-ia que estava se despedindo não somente dele mas também da vida. Eugênio ficou a pensar confusamente em suicídio e essa ideia lhe amargurou as horas daquela noite.

Saiu de madrugada, com a certeza — não sabia se dolorosa ou grata — de que voltaria no outro dia, de que não lhe seria tão fácil separar-se de Olívia.

O céu clareava, o mundo parecia diferente. Eugênio se sentiu perdido.

— *Eunice...* — murmurou. — *Eunice.*

Era um nome frio como a madrugada. Ergueu a gola do casaco.

Olívia... Também esse nome agora lhe parecia vazio, não tinha o mesmo calor do corpo da mulher que havia pouco ele deixara.

Ambas pareciam criaturas remotas...

Eugênio... Ele também era um estranho a si mesmo. O mundo todo era frio e indiferente. — Poc-poc-poc — soavam seus passos na rua deserta.

No outro dia à tarde recebeu no hospital este bilhete:

Resolvi embarcar hoje mesmo para Nova Itália. Desta vez a demora vai ser longa. Sempre amigos! — O.

Eugênio precipitou-se para a casa dos Falk, onde lhe contaram que Olívia havia partido aquela manhã.

A cidade cresce para eles, começam os subúrbios. O auto entra numa rua. E de repente Eugênio sente renascer-lhe uma grande esperança. E se Olívia ainda estiver viva? E se os médicos conseguiram pô-la fora de perigo?

— *Honório, depressa!*

Passam casas, lojas com portas iluminadas, restaurantes, muros, árvores, gentes...

Olívia está viva. Eugênio em pensamentos beija-lhe os olhos cansados, de pálpebras mornas, o rosto, os lábios, as mãos. Que importa o que os outros digam e pensem? Que importam Eunice e as convenções sociais? No mundo só existe Olívia. Ela precisa viver. A vida deixaria de ter sentido se ela morresse...

Eugênio a imagina em convalescença, fraca e sorridente, apoiada em seu braço. Anamaria vem ao encontro dos pais, pulando e gritando como um cachorrinho.

— *Honório, depressa, por favor...*

Passam por um bonde iluminado. E à medida que se aproximam do centro da cidade um escuro pavor se vai apossando de Eugênio, um desejo e ao mesmo tempo um horror de chegar.

Olha o relógio. Vinte para as nove. Algo de extraordinário acaba de acontecer. Olívia ressuscitou. Olívia não pode morrer. Vinte para as nove! Olívia está salva!

— Depressa, Honório, depressa...

O suor escorre pelo rosto de Eugênio. O auto se precipita maciamente sobre os trilhos dos bondes.

11

— Trinta e um, hem, meu velho?

Filipe Lobo deu uma palmadinha amistosa no ombro de Eugênio, que como única resposta sorriu melancolicamente, baixando os olhos para o cálice de vinho.

Eunice mandou a criada servir os gelados. O jantar chegava a seu termo. Cintra se inclinou para Dora e perguntou:

— Que é que você tem hoje, menina?

— Eu? — Dora pareceu despertar de repente dum sonho. Arregalou os olhos em exagerado espanto, fez um meio sorriso e, como se a estivessem acusando dum crime tremendo, defendeu-se: — Eu? Mas não tenho nada, estou até muito bem...

Cintra acendeu o charuto e riu a sua risada baixa e lenta, enquanto sacudia a cabeça grisalha.

— Depois do jantar a Dora vai cantar... — anunciou para os outros, soltando uma baforada de fumaça.

A moça deu um pequeno pulo na cadeira.

— Oh! Não tem graça.

— Não se discute... — Cintra falava com os dentes apertados, mordendo o charuto. — Não se discute.

O peito engomado da camisa e a gola do *smoking* brilhavam. Os olhos se lhe entrecerravam com brilho brincalhão por trás da fumaça, ao passo que ele ria a sua risada interminável e enigmática.

Eugênio olhou para o sogro. Não lhe queria mal, compreendia os esforços que ele fazia para lhe tornar a existência naquela casa fácil e agradável. Viviam numa cordialidade meio convencional, dir-se-iam amadores de teatro representando uma alta comédia. O velho Cintra gostava de fazer o papel do *gentleman* repousado e paternal. Era limpo e saudável, lembrava esses cavalheiros idosos, mas corados e rijos, que aparecem sorrindo em lindas tricromias, dizendo: "Eu sou assim porque tomei tal remédio". Tinha um cuidado meticuloso com suas roupas, manicurava as unhas e jogava golfe no Country Club.

Dora ainda relutava, olhando para os outros numa busca de socorro:

— Mas... mas faz tanto tempo que eu não canto.

— Não seja boba, Dora — disse-lhe a mãe. — Você não é nenhuma Lily Pons para se fazer de rogada assim.

Naquele instante a criada chegou com os gelados e Dora foi deixada em paz. Eugênio partiu o biscoito russo. Lembrou-se duma noite de verão com Olívia no Edelweiss, ela na sua frente tomando sorvete e contando uma história engraçada a respeito da opinião dum médico muito conhecido sobre a cirurgia plástica. E, imediatamente, Eugênio se lembrou do anúncio que lera aquela manhã nos jornais: *A dra. Olívia reabriu seu consultório. Edifício Hora, 3º andar, sala 38.*

Na outra extremidade da mesa Cintra esculpia um porco com miolo de pão, dizendo qualquer coisa a Dora em voz muito baixa. A menina sorria, com os cotovelos fincados na mesa, as mãos trançadas e encostadas a uma das faces.

Quando Eugênio ergueu a cabeça, deu com os olhos de Eunice. Tinham eles uma expressão de irônica censura, pareciam dizer: "Com efeito, Eugênio! Para que essa cara de mártir? Você é o tipo do desmancha-prazeres. Sorria ao menos por delicadeza".

Para fugir ao olhar da esposa e ao embaraço que ele lhe causava, dirigindo-se a Filipe, que estava a seu lado, Eugênio voltou ao assunto que ocupara a atenção dos homens durante quase todo o jantar:

— Então, quer dizer que o Megatério vai subindo?

Os olhos de Filipe brilharam.

— A caminho das nuvens — declarou ele com a sua voz cheia de retumbante. — Dentro de um ano vocês estão bebendo uma taça de champanha na soteia do edifício mais alto da América do Sul. Esse será o dia mais feliz da minha vida!

Bateu a cinza do charuto nas bordas do prato. Eugênio, meio absorto em seus pensamentos, ficou vendo a cinza dissolver-se nos restos líquidos do gelado. Onde estaria morando Olívia? Teria voltado para a casa dos Falk?

— Eu às vezes penso — continuou Filipe — que cada homem é

posto no mundo para realizar uma determinada obra. Acredito na predestinação...

Eunice sorriu com malícia e disse:

— Tu, por exemplo, vieste para nos dar o Megatério.

Impermeável à ironia, Filipe ficou sereno, como se não tivesse ouvido a observação da dona da casa. Ele estava cego — achava Eugênio — ou então enxergava mais longe e mais claro que os outros, como se já estivesse olhando a vida do alto do último andar do Megatério.

Filipe passou a mão enorme pelos cabelos ondulados e tornou a falar:

— É engraçado... Lembro-me duma noite, quando eu tinha vinte e um anos. Estava sem sono e me debrucei à janela da minha pensão e fiquei olhando as casinholas velhas e tristes da cidade baixa. Eu era então apenas um pobre estudante que fazia o seu curso com sacrifícios. Não tinha um vintém de meu, mas sentia que ainda havia de fazer grandes coisas. Foi naquela noite que tomei a grande resolução, fechar os olhos a tudo, baixar a cabeça e tocar para a frente como uma capivara, trabalhar como um animal para realizar o meu sonho. Precisava abrir caminho na vida, cumprir a minha missão, deixar no mundo um vestígio da minha passagem. Ou então a vida não valia a pena ser vivida!

Amassou o guardanapo e jogou-o para o meio da mesa. Houve um curto silêncio. Trabalhando ainda no porco de miolo de pão, Cintra sorriu e contemplou o engenheiro através da fumaça do charuto.

— Eu já lhe disse, Lobo. Você se arrisca. Agora, já é tarde, o mais que pode fazer é reduzir o número de andares... vinte e cinco mil contos... não sei... Esse dinheiro posto numa indústria...

Filipe se empertigou na cadeira, enxugou o suor da testa reluzente e quase gritou:

— Indústria! — Mordeu o charuto com raiva. — Indústria! — Estava pesado, tinha comido e bebido demais, não encontrava argumentos. — Ora essa! Indústria...

Tranquilo, Cintra sorria, cravando no focinho do porco dois olhinhos de ervilha miúda.

— Veja bem. Esse capital empregado numa fábrica seria uma oportunidade para dar emprego a milhares de homens.

Filipe Lobo bebeu um gole de vinho e investiu:

— Mas qual! Imagine a imponência dum arranha-céu de trinta andares subindo acima dessas miseráveis casas do tempo do Onça. É qualquer coisa de formidável, é mais que um edifício, é uma verdadeira cidade, um mo-nu-men-to. E você me vem com a sua indústria! Chaminés para sujar o ar de fuligem, salas escuras e sem ar para fabricar tuberculosos...

Cintra esgrimiu o seu florete:

— Não haveria salas escuras se fosse você quem fizesse a planta da fábrica... — Olhou para a filha como para pedir aplausos. Eunice conversava com a mulher de Filipe sobre flores, enquanto suas mãos brancas acariciavam as orquídeas do vaso de cristal, no centro da mesa.

— Ao passo que o Megatério — prosseguia Filipe — tem várias centenas de janelas. Todas as peças com luz direta. Nem me diga. Indústria. Bolas!

— Sua alma, sua palma — disse Cintra biblicamente.

— Botei todo o meu dinheiro, até o último tostão, nessa empresa — confessou Filipe Lobo, apertando a haste do cálice com paixão. — Mais que isso: estou dando a esse empreendimento todo o meu tempo, toda a minha atenção. Lutei como um louco para convencer os nossos ilustres capitalistas de que o negócio era seguro. Gastei com eles o meu latim. Tive de ir a São Paulo para conseguir o dinheiro. Isto aqui não passa duma aldeia! Ainda voga a lei do pé-de-meia, dinheirinho no banco, juro magro, mas certo. Depois do balanço semestral, o capitalista chega ao guichê, esfregando as mãos, e diz ao empregado: "Moço, eu quero levar o meu jurinho". Que grandes empreendedores! Que notáveis financistas!

Eugênio sorria. Dora prestava atenção no porco de miolo de pão. Isabel falava a Eunice em rosas de todo o ano.

— Era natural que os homens quisessem construir o Megatério em São Paulo. Foi uma luta. Eu achava que o Megatério tinha de ser erguido aqui, na minha cidade. Finalmente venci. Quero ver só a cara dos nossos homens de negócios quando virem o colosso dominando a cidade, com todas as salas alugadas. O maior edifício da América do Sul. Vejam bem. Não só do Brasil, mas da A-mé-ri-ca-do-Sul. — E noutro tom, olhando de Eugênio para o seu cálice. — Mas este teu vinho trepa um pouco, hem?

— Filipe não pensa noutra coisa — disse Isabel. — Parece que anda maluco.

— Ora, Isabel... Tu não compreendes. Fica lá com os teus chás de caridade, com os teus benefícios. Me deixa...

Dora soltou uma risada:

— Mas o seu Cintra é um escultor do outro mundo! — exclamou, erguendo no ar o porco feito de miolo de pão. — Francamente, o senhor podia ganhar a vida fazendo bonequinhos assim...

Isabel sorriu, seus olhos oblíquos se apertaram e no meio da confusão de risos e palavras entrecruzadas ela contemplou Eugênio com olhar quente e apaixonado. Ele baixou a cabeça.

Filipe parecia não querer deixar fugir o assunto, pois, aproveitando uma breve pausa disse:

— Há coisas engraçadas na vida... Quando eu tinha doze anos, o brinquedo que mais amava era um jogo de armar. Fazia com ele casas e pontes. Um dia construí um arranha-céu. O meu padrinho me perguntou como era o nome daquele casarão. Eu me lembro tão bem... como se fosse ontem. Pensei um pouquinho e depois respondi: Megatério. Eu andava impressionado com um livro de gravuras de monstros antediluvianos.

Pausa. A criada serviu o café. Eugênio acendeu um cigarro.

— É curioso — continuou Filipe — como certas brincadeiras do tempo de menino se transformam em realidade...

Como quem arremessa um dardo, Eunice soltou estas palavras:

— Mais tarde ou mais cedo o homem realiza os desejos de menino...

Lá vem Freud — pensou Eugênio, prevendo uma dissertação da mulher sobre psicanálise, coisa que lhe parecia muito imprópria no fim dum jantar, quando todos já estavam cheios daquela vaga tristeza que vem do apetite satisfeito e dos vapores do álcool. Cintra tornou a investir:

— Mas construir um arranha-céu de meio metro com pauzinhos coloridos não é o mesmo que fazer um edifício de verdade, com trinta andares...

Isabel aliou-se à ofensiva:

— Depois que ele terminar esse de trinta andares, há de querer fazer outro de quarenta...

— Sim — riu Cintra —, mas travessuras caras e perigosas como essas não são fáceis de repetir...

Dora tirou uma flor do vaso e pô-la na botoeira do pai de Eunice. Voltou-se depois para Filipe com ar casual e disse:

— Que é que a gente vai fazer? Papai gosta mais do Megatério do que de mim.

Filipe, a princípio, limitou-se a encolher os ombros, mas depois seus olhos se fixaram em Dora com uma expressão menos fria. E Eugênio julgou ver duas imagens a dominar-lhe o espírito naquele instante: uma Dora pequenina, frágil e humana diante do enorme edifício de cimento armado.

Eunice se ergueu, convidando:

— Vamos para a sala de música?

Ergueram-se todos. E quando os outros já tinham saído da sala de jantar, Filipe reteve Eugênio, segurou-lhe o braço com brutal cordialidade e perguntou:

— Que diabo, homem, que é que você tem? Anda aí triste, parado. Não posso ver ninguém assim. A gente precisa saltar pro ringue e botar a vida nocaute. — Com o punho fechado feriu o ar. Eugênio sorriu com melancolia. — Não nasci para perder a partida. — Arrotou. — Se você tivesse aí um pouquinho de bicarbonato... Acho que abusei do álcool. Comigo é tudo ou nada... ou não bebo uma gota ou bebo muito. Casa térrea...

Eugênio encolheu os ombros.

— São temperamentos...

Filipe bebeu a água bicarbonatada que a criada lhe trouxe.

— Mas seja como for é preciso vencer. Admiro Hitler, admiro Mussolini... Saíram do nada, olhe onde estão. Quando no cinema vejo aquelas paradas militares, aquelas massas humanas disciplinadas, geométricas, aquele entusiasmo, sinto um estremecimento... Veja bem... — Abraçou Eugênio. — A terra era nua e feia. Vieram os homens e a povoaram de grandes monumentos...

Eugênio só desejava que Filipe o deixasse em paz. Queria um pouco de ar fresco e de silêncio.

— Quais foram os homens que ficaram na história?... Alexandre! César! Napoleão! Você já percebeu o significado da vida desse corso duma figa? Que grande cavalo! Como eu o admiro, como fico comovido quando leio a vida dele!

Dirigiram-se para a sala de música.

— E aquele idiota do Beethoven riscou o nome dele da dedicatória da *Eroica*! O surdo pretensioso. Só porque Napoleão se fez imperador! O recalcado não podia compreender a grandeza do gesto de Bonaparte.

Ao pé da porta do salão, Filipe segurou com força o braço de Eugênio e lhe disse:

— Para os vencidos, só a compaixão. Pense nessa coisa horrível. Para os vencidos, só a compaixão. Às vezes nem isso...

Entraram.

***

Cintra bateu palmas.
— Silêncio — pediu. — A Dora vai cantar.
Dora sentou-se ao piano. Eunice apagou a luz do lustre e acendeu uma lâmpada de quebra-luz que estava ao pé do piano. O salão ficou mergulhado numa doce penumbra, onde se abria aquela ilha de luz azulada. Era uma espécie de luar artificial que lembrava Eugênio de certa noite, havia três anos... Na sala de Olívia. As luzes apagadas. Eles tinham ceado no Edelweiss, o menino doente estava salvo da morte horrorosa pela sufocação...
Dora tirou dois acordes.
— Que é que vais cantar? — perguntou Isabel.
— "Vem a meus braços".
— Ah!
Fez-se silêncio e a moça começou a cantar. Tinha uma voz clara e suave, levemente trêmula. Cintra olhava para Dora, sorrindo e acompanhando a melodia com um discreto movimento de cabeça. Filipe se agitava na poltrona, ao lado de Eugênio, como se não achasse posição cômoda.
Era uma canção lânguida. Eugênio sentiu uma tristeza sem remédio. Teve um desejo de carícias. Devia scr o vinho. Ou a canção. Ou, então, apenas saudades de Olívia (*Edifício Hora, 3º andar, sala 38*).
Filipe cochichou-lhe ao ouvido:
— Essa música é uma ignomínia. — Fez com a grande mão cabeluda um gesto de quem procura em vão pegar alguma coisa. — Não diz nada, é mole... é... é besta... é um bu-bu-bu sentimental para meninas de colégio de freiras. Não tem nenhuma dignidade. Efemina os homens, amolece a vontade... Fora de Wagner não há salvação.
Eugênio sacudiu a cabeça num vago assentimento e naquele mesmo instante percebeu que os olhos de Isabel estavam postos nele numa fixidez apaixonada. Eunice se achava muito tesa na sua cadeira, as mãos descansando no colo: parecia a estátua mesma do repouso.
Dora continuava a cantar, sozinha na sua ilha azul. Cantava com paixão e havia na sua voz um acento doloroso. Lançava ao ar palavras arrastadas em frementes modulações. Beija-me! Ama-me! Com que fresca sensualidade dizia estas palavras... "Dou-te meus lábios!" Sua voz era apertada, ela erguia para o teto os olhos semicerrados, seus seios fremiam, as mãos acariciavam o teclado. "Amo-te com loucura."

Sentia-se que ela estava dizendo aquelas frases de amor para alguém que não se encontrava na ilha, para alguém que talvez estivesse muito longe, perdido no mar.

Do fundo de seu torpor Eugênio a contemplava. De onde estava, via Dora de perfil. Era morena e frágil, seus cabelos negros e lisos tinham agora um reflexo azulado. Primavera — pensava ele. — Ela era a própria primavera. Por que lhe vinha aquela ideia? Dora fazia que ele se lembrasse das ameixeiras e pessegueiros floridos, daquelas remotas primaveras perfumadas do Columbia College. Margaret, os plátanos, o luar, os seus sonhos insatisfeitos, o cheiro da seiva dos plátanos, o vento desfolhando as árvores. Primavera. Oh! Lá estava Isabel sempre com os olhos grudados nele. Era imprudente, os outros podiam perceber.

Filipe soltava pequenos grunhidos de impaciência. A música parecia deixá-lo abafado.

Na sua ilha azul, Dora cantava de amor. Sua voz era um soluço. E então, comovido, Eugênio lembrou-se do dia de seu casamento. Dora tinha treze anos, com um vestidinho cor-de-rosa e vaporoso, um diadema de flores na cabeça, ela entrara na igreja, levando nos braços o almofadão em que os noivos deviam ajoelhar-se diante do padre. Isso acontecera apenas ontem! E agora ali estava Dora já mulher, o corpo fremindo de amor. Eugênio sabia da sua história. Dora amava um estudante judeu pobre e rebelde. Os pais se opunham ao namoro e os namorados sofriam.

Eugênio contemplava Dora e se sentia velho e amargo. No entanto, cantando na ilha luminosa, a menina estava como a dizer-lhe que no mundo ainda havia beleza e esperança. Pensou em Olívia, imaginou-a também sentada em um daqueles cantos sombrios da sala, com seus grandes olhos cálidos postos nele, adivinhando-lhe os pensamentos, vendo que ele era infeliz e que, no fundo, continuava a ser ainda o mesmo homem indeciso e amargurado que não encontrou o seu caminho.

Dora bateu o acorde final. Cintra aplaudiu com entusiasmo. Filipe soltou um suspiro de alívio. A jovem se ergueu do piano e caminhou para a janela do terraço. Eugênio julgou ver brilhar-lhe uma lágrima nos cantos dos olhos.

Eunice acendeu a luz. Isabel desviou os olhos de Eugênio e começou a arrumar os cabelos, num gesto disfarçado. E, absurdamente, para surpresa de todos, Filipe, de sua cadeira, jogou para Cintra esta pergunta, através do salão:

— Como vai o monopólio do leite?

Isabel desatou a rir. Eunice apenas sorria com malícia. Cintra refletiu um instante e depois respondeu:

— Não é um negócio tão romântico e grandioso como o Megatério... Mas é um bom negócio. Vai se processando devagarinho. Há aí meia dúzia de cabeçudos que não querem entrar no alinhamento.

— Energia com eles! — exclamou Filipe. — Pulso de ferro.

Cintra bateu a cinza do charuto e continuou, muito macio:

— Se for preciso mandarei vender leite a quinhentos réis o litro. Hei de levá-los à falência... — Apesar da violência e da decisão da afirmativa, o tom de sua voz permaneceu doce e acariciador; o sorriso continuou.

— Isso! — dizia Filipe. — Isso! Depois a população terá bom leite por bom preço. Ordem, organização, isso é que precisamos.

Isabel sacudia a cabeça:

— Bom leite... bom preço. Não acredito.

— Tu lá sabes o preço do leite! — bocejou Filipe com marital desdém.

— Por falar em leite — disse Isabel, olhando para Eunice —, estou horrorizada, aumentei dois quilos.

— Sim? — Eunice ergueu as sobrancelhas, numa expressão de fingido interesse.

Eugênio levantou-se e saiu para o terraço. Precisava respirar, ver a noite — que era muda mas estava decerto cheia de recordações. Dora achava-se junto da balaustrada, olhando para os tanques da Hidráulica. Do jardim lá embaixo subia o perfume adocicado e espesso dos jasmins-do-cabo.

Ouvindo os passos de Eugênio, Dora voltou-se num leve sobressalto. Escapou-se-lhe dos lábios um "ah!" fraco de reconhecimento. Eugênio aproximou-se da balaustrada e olhou. Os tanques estavam tranquilos, tinham uma serenidade que lembrava as coisas eternas e sem paixão. (*A dra. Olívia reabriu seu consultório. Edifício Hora, 3º andar, sala 38.*)

Eugênio acendeu um cigarro e começou a fumar.

— Lá dentro está muito abafado... — disse.

— É verdade — respondeu Dora. Estava com o rosto voltado para o outro lado, talvez para esconder as lágrimas.

Vinha da sala o som do piano. Debussy? Ravel? Devia ser Eunice tocando. As estrelas palpitavam. Eugênio olhou para Dora e sentiu-se paternal para com ela. Se tivesse uma palavra de consolo, se pelo menos achasse um modo de testemunhar a sua simpatia, o seu desejo de ajudar... Sentia uma grande capacidade de ternura, mas naquela casa havia uma combinação tácita de fugir ao sentimentalismo, de não ser "vulgar" como os outros. Era preciso conservar a linha. Um *gentleman* nunca exterioriza as suas emoções. Há sentimentos que ficam muito bem em outras classes mais baixas. Por exemplo: não há nada mais ridículo que o sentimentalismo.

No entanto, ali estava uma noite clara e perfumada, uma rapariga em flor e um homem que só agora, aos trinta e um anos, começava a descobrir que até então não havia sido humano.

Eugênio queria dizer alguma coisa, ao mesmo tempo temia violar aquela delicada intimidade, parecer intrometido. O silêncio se prolongava, aumentando-lhe a sensação de desajeitamento. Por fim, vencendo a timidez, falou:

— Dora, você tem alguma coisa...

Sabia que ia sair uma frase imbecil.

— Eu? Não tenho nada, não senhor.

— Eu sei, Dora. Sou seu amigo, pode contar comigo.

Corou, pensando em Isabel. Era um hipócrita. Tornara-se amante da mãe e vinha fazer à filha protestos paternais de amizade. Odiou-se.

Agora não era mais possível recuar, por isso prosseguiu:

— Eu sei de tudo. É o Simão, não é? Seus pais se opõem...

Dora permaneceu imóvel por um instante. Depois sacudiu a cabeça afirmativamente. E de súbito fez uma viravolta, como que resolvida a lutar frente a frente.

— O senhor acha que ser judeu é um crime?

— Claro que não.

— Todo o mundo fala, todo o mundo me censura. Mas eu gosto dele e pronto!

— Não desanime, tenha coragem, estou certo de que um dia tudo melhora e vocês poderão ser muito felizes.

Dora estava com o rosto erguido para ele. As lágrimas lhe escorriam pelas faces, os lábios tinham um tremor nervoso, os olhos cintilavam, úmidos.

— Eu sei que o senhor também não é feliz — disse ela.

— Eu? — Eugênio sentiu um desfalecimento. Como conseguira ela saber? — Por quê?

— Não negue. Eu vejo, pensa que não tenho olhos?

Era inacreditável que Dora descobrisse os seus segredos mais íntimos. Aquilo lhe dava uma sensação de inferioridade, como que lhe tirava a autoridade paternal. Devia negar? Ou desabafar?

Tornou a olhar a noite, os tanques serenos, as ruas desertas. Jogou fora o cigarro que riscou o ar como uma estrela cadente, aninhando-se lá embaixo no tabuleiro de relva.

— Você está enganada. Sou um homem perfeitamente feliz.

Contemplou Dora e de novo se sentiu velho e amargo. Sua vida era vazia, no entanto havia no mundo a beleza, o amor, a ternura, a compreensão. E a primavera. Uma menina num terraço ao luar, e a noite morna de dezembro, toda cheia de estrelas e desejos, convites...

— O senhor pode dizer o que quiser, mas eu sei que não é feliz.

Valia a pena continuar negando? Eugênio encolheu os ombros. Alguém lá de dentro chamou:

— Dora!

— Já vou! Com licença, doutor. — Estendeu-lhe a mão, sorrindo um sorriso de agradecimento. — Obrigada. Agora sei que o senhor é meu amigo.

Fez meia-volta e entrou.

Eugênio sentou-se na balaustrada. Imaginou Olívia a seu lado, naquele vestido vaporoso em que a vira na noite da colação de grau. Ela tinha ainda nos braços o ramalhete de rosas vermelhas. Sim. Os dois de novo estavam olhando para a lua e pensando no futuro.

Eugênio suspirou, atravessou o terraço e tornou a entrar no salão. Isabel e Dora cochichavam a um canto, enquanto Eunice tocava *Les Nuages*, de Debussy. Suas mãos perpassavam o teclado, brancas e leves como nuvens.

Eugênio foi sentar-se na sua poltrona. Isabel o devorava com os olhos. Ao lado de Cintra, todo inclinado para ele, Filipe dizia:

— Debussy pode ser o ideal dos ourives e das fiandeiras, mas nunca o de um construtor ambicioso. Eu amo é Wagner. Quando ouço sua música penso em grandes montanhas cheias de bruma e de sol. Ou então num edifício enorme subindo para as nuvens, num desafio.

O sinal vermelho se acende. O auto para. Empertigado no banco, Eugênio espera. Passam-se alguns segundos. Brilha a luz verde. O carro retoma a marcha.

Agora uma esperança alvoroçada se apossa de Eugênio. Olívia está fora de perigo. Deus existe. É o sinal por que ele está esperando. Vai começar uma nova vida para todos... Uma vida pura, simples, construída sobre bases de verdade e sinceridade.

De que vale o sucesso? O que ele quer agora é uma alma, um espírito claro para compreender e aceitar a vida e os homens. A cegueira já passou. As mãos frescas de Olívia pousaram-lhe nos olhos, os sonhos perversos se dissiparam.

O auto corre. Mais dez minutos e estarão à porta do hospital...

A luz vermelha torna a aparecer na sinaleira. O carro estaca.

Eugênio enxuga o suor que lhe escorre pelo rosto e lhe empapa o colarinho.

12

Encontravam-se uma vez por semana no consultório de Eugênio, aos sábados à tarde, quando os escritórios daquele terceiro andar do Edifício México estavam todos fechados.

Naquele dia, Isabel entrou inquieta e receosa e a sua inquietude e o seu receio acabaram contagiando Eugênio. Ao entrar, encontrara o dr. Castanho a descer de seu automóvel. Tivera a impressão perfeita de que ele a vira com o rabo dos olhos e que, fingindo dizer qualquer coisa ao chofer, ficara a observá-la disfarçadamente, enquanto ela entrava no elevador.

Isabel contava essas coisas com a voz quebrada e trêmula, sentada na poltrona, os olhos arregalados, a mão no peito.

Eugênio fumava num silêncio nervoso.

— Mas que tem isso, Isabel? Ele viu você entrar? Muito bem. Centenas de pessoas entram e saem por essa mesma porta durante o dia. Não estamos num edifício público?

— Sim... mas é que ele sabe que tu tens consultório aqui...

— Mas não sou só eu. Mais de vinte médicos e advogados também têm consultório aqui.

— Mas é que Castanho sabe das nossas relações.

— Quê?

— Quero dizer: sabe que eu e Filipe nos damos com vocês... pode ter desconfiado de alguma coisa.

Com o corpo inclinado para a frente, os braços descansando nas coxas, o cigarro ardendo entre dois dedos da mão direita, Eugênio olhava para o padrão do tapete que naquele instante correspondia ao desenho mesmo de seus pensamentos. Aquilo agora só vinha aumentar-lhe a sensação de insegurança, a depressão, a melancolia. Tivera a noite anterior um sonho impressionante. Vira Olívia perdida num nevoeiro a acenar para ele como que a pedir socorro; queria precipitar-se para salvá-la, mas uma força misteriosa o prendia ao chão, aflitivamente.

Depois de pequena relutância Isabel tirou o chapéu, as luvas e pô-los em cima da mesa.

— Eu às vezes penso... — começou ela. Mas calou-se de repente, levou ambas as mãos aos olhos e rompeu a chorar.

Eugênio se ergueu bruscamente, mortificado. Esmagou o cigarro no cinzeiro, com raiva, e voltou-se para Isabel. Por que não tinha a coragem de dizer-lhe que não a amava? Por que não se mostrava sincero a ponto de confessar-lhe que a tomara como amante porque precisava sacrificar vítimas ao seu sentimento de inferioridade, porque necessitava alimentar a sua vaidade e ao mesmo tempo dar pasto aos seus desejos animais? Espiritualmente eles nada tinham em comum.

E ali agora estava Isabel com as mãos trêmulas apertando o lenço na boca, os olhos cheios de lágrimas, o peito arfante. Apiedou-se dela. Esforçou-se para dar ao rosto uma expressão de simpatia, para emprestar à voz um tom mais brando que lhe escondesse a irritação, a impaciência.

— Minha filha, que é isso? Se achas melhor...

Calou-se.

Subia da rua a trovoada dos bondes, um grasnar de buzinas.

Por alguns instantes Eugênio lutou consigo mesmo e por fim, num extremo esforço, terminou:

— ... acabamos tudo definitivamente.

Isabel voltou-se, deixou cair as mãos e ficou olhando para Eugênio com seus grandes olhos negros e úmidos, como se não tivesse compreendido o sentido de suas palavras:

— Acabar? É só o que sabes dizer?

— Mas, minha filha...

— Eu me arrisco... venho aqui... faço todos os sacrifícios... — Mordeu os lábios, as lágrimas lhe escorriam pelo rosto, abrindo sulcos no pó de arroz. — Acabar?

— Não é que eu queira... mas tu compreendes que mais tarde ou mais cedo alguém pode descobrir...

Isabel enxugava as lágrimas, apanhou a bolsa, aproximou-se do espelho do porta-chapéus e começou a empoar-se e a pintar os lábios. Eugênio olhava o rosto congestionado que o espelho refletia, compreendia o esforço desesperado que Isabel fazia para não chorar, para manter uma máscara de indiferença.

Houve uma curta pausa. Mas, de súbito, a expressão daquela face perdeu a rigidez, os olhos se apertaram, a boca se contraiu e Isabel de novo desatou o choro. Agoniado, Eugênio aproximou-se dela, segurou-lhe os ombros, beijou-lhe a nuca.

— Isabel... minha filha, por favor... mas que é isso? Eu não quis te magoar, palavra que não quis. Olhe aqui...

Ela voltou-se, brusca, e abraçou-o com veemência, encostando a cabeça no peito dele. Os soluços lhe sacudiam o corpo convulsivamente e como o tremor do desespero de algum modo lembrasse os movimentos do amor, Eugênio através da piedade começou a sentir um vago desejo e por causa desse desejo, que lhe pareceu confusamente sacrílego, ele se desprezou ainda mais.

— Vamos, fica quieta, não faças assim...

Acariciou-lhe os cabelos, procurou ser paternal, lembrou-se de Dora, imaginou Eunice ali na sala a observá-los, sentiu-se corar e teve a um só tempo desejos de maltratar Isabel, de amá-la, de fugir...

Os soluços dela aos poucos foram cessando. Ergueu para Eugênio um rosto devastado pelo sofrimento: as lágrimas lhe estriavam as faces de manchas mais escuras que desciam sinuosas como a representação dum rio.

Olhado assim de perto, com todos os seus defeitos bem visíveis — a pele sem frescura, os lábios mal pintados, os olhos de pálpebras cansadas e murchas —, aquele rosto não tinha nenhuma beleza. Mas nos olhos de Isabel não havia só o desejo: havia também esse negro temor da mulher que não quer envelhecer. E ela abraçava o amante com fúria, apegava-se a ele como a um último resto de mocidade. Naqueles breves instantes Eugênio sentiu bem vivo o drama de Isabel. Teve-lhe pena. Mirou-lhe os lábios entreabertos e palpitantes e, baixando a cabeça, beijou-os quase com ternura. Sentiu que o corpo dela estremecia de novo e que suas mãos escaldantes lhe seguravam a cabeça. Isabel agora lhe mordia a boca num frenesi. O desejo porém desaparecera estranhamente do corpo de Eugênio. Ele se sentia inibido pelas lágrimas de Isabel, pelo sofrimento de Isabel, pelo drama de Isabel. Tinha a impressão de que ia cometer um incesto.

Naquele dia a despedida da amante pareceu-lhe mais uma fuga. Ficou amargurado com as recordações daqueles instantes desagradáveis. Enfim, todas as coisas más lhe aconteciam. A vida rolava de fracasso em fracasso. Não se entendia com Eunice, sentia-se um estranho na própria casa, a sensação de inferioridade acompanhava-o por toda parte. E aquela ligação com Isabel, longe de lhe devolver a confiança em si mesmo, de lhe dar uma impressão de plenitude, aumentava-lhe a angústia, complicava-lhe a vida, fornecia-lhe novos motivos para remorsos, autocensuras, preocupações sem fim...

Foi até a pia, lavou as mãos, o rosto, molhou os cabelos, penteou-se e mirou-se no espelho, murmurando interiormente: Canalha! Quem falara assim fora a parte melhor do seu ser, a que se conservara pura e inteiriça apesar de todas as misérias e derrotas. Canalha! Talvez um dia ele pudesse ter força para reagir contra a dissolução, o aniquilamento total. Talvez...

Apanhou o chapéu e saiu. Tinha de ir ao escritório assinar uns documentos. Aliás, ele não fazia outra coisa na fábrica senão rabiscar o nome em papéis que outros preparavam.

Entrou no carro e disse:

— Para a fábrica.

Eram quatro horas da tarde. O auto avançava pela rua coalhada de veículos, sons e vultos. Eugênio tornou a pensar em Olívia. Viu-a perdida no nevoeiro, a acenar para ele. E se na realidade ela se achasse em situação difícil, precisando de auxílio?

Recostou-se no banco e cerrou os olhos. Não podia vencer aquela inexplicável sensação de insegurança, de perigo próximo, de véspera de catástrofe. Alguma desgraça parecia prestes a acontecer. Ele a pressentia de maneira indefinível mas inquietadora.

Quando tornou a abrir os olhos, o automóvel passava pelo parque. Crianças corriam e brincavam à beira do lago onde marrecos nadavam serenamente. As sombras das árvores eram azuis, uma garça voou no viveiro, um grito cortou o ar, dois cachorros corriam latindo atrás de uma bola amarela.

Naquele instante Eugênio sentiu com mais pungência o vazio sem cor de sua vida e desejou intensamente a presença de Olívia. (*Edifício Hora, 3º andar, sala 38.*)

Atravessou o pátio interno da fábrica. Os grandes pavilhões de concreto pareciam estremecer ao ritmo das máquinas. Eugênio ouviu aquela pulsação surda que lhe sugeria o bater dum enorme coração subterrâneo. Ela lhe dava uma vaga angústia, causava-lhe um indefinível temor: dir-se-ia a aflição dum homem que sente no subsolo o agitar-se duma sub-humanidade que trabalha com silenciosos propósitos de destruição. O atroar das máquinas era um ruído ameaçador.

O escritório lhe pareceu mais frio e convencional que nos outros dias. Sentou-se à mesa, abriu uma das gavetas, remexeu nos papéis... Não encontrando os que procurava, chamou a secretária, uma rapariga magra de ar cansado.

— Boa tarde, dona Ilsa. Alguém me procurou?
— Não senhor, ninguém.
— Onde estão aquelas folhas que vão para o Ministério do Trabalho?
— Na gaveta do centro.

Tornou a abrir a gaveta e encontrou os papéis.
— Tem razão, cá estão eles.

Pô-los em cima da mesa, tomou da caneta.
— A senhora anda muito pálida e com jeito de cansada. Por que não tira umas férias?

Assinava os papéis automaticamente, sem revisá-los. Sentia agora um interesse fraternal pela secretária. A criatura tinha um jeito encolhido de passarito doente.

— E a dor nas costas... ainda não passou?
— Às vezes, quando me deito, ela vem.
— Deve ser da posição em que fica quando escreve à máquina. Precisa cuidar-se, dona Ilsa.

A moça sorria, meio constrangida.

Eugênio se perguntava a si mesmo por que era que de repente se fazia assim tão solícito, tão atencioso, como um irmão mais velho. Concluiu que era porque tinha pena da moça: pena de todos os que sofriam. Por um breve instante se sentiu reconciliado consigo mesmo. Entretanto seu eu puro e implacável lhe cochichou que se ele se mostrava assim fraternal para com a secretária e para com os outros empregados da fábrica era para com essa atitude comprar a cumplicidade, a boa vontade e a simpatia deles. Porque todos ou quase todos sabiam da sua situação de inferioridade naquela firma. Não passava dum manequim, dum autômato que assinava papéis preparados pelos que realmente entendiam do negócio, pelos que trabalhavam de verdade mas que, no entanto, em questões de ordenado, se achavam muito abaixo dele. Aquela gente sabia que ele ali era apenas o marido da filha do patrão. E, mostrando-se benevolente e atencioso, ele como que procurava comprar-lhes pelo menos a tolerância, já que a simpatia não era possível.

Escreveu o nome com raiva, a pena rasgou o papel, um pingo de tinta saltou e espalhou-se no centro da folha. A secretária avançou com a prensa de mata-borrão.

— Obrigado.

O telefone tilintou. Eugênio levou o fone ao ouvido.

— Alô! Aqui fala Eugênio. (Tinha escrúpulos de dizer "doutor" Eugênio, podia parecer um acinte aos que não eram formados, ou uma exibição vaidosa.) — Quem?... ah!... — Ficou escutando em silêncio, enquanto seu rosto se enevoava numa expressão de contrariedade. — Sim... — disse ao cabo de um minuto —, está bem, já vou...

Repôs o fone no lugar e ergueu-se. No pavilhão nº 3, o chefe das máquinas o esperava. Tinha apanhado um de seus homens a escrever imoralidades numa das paredes do lavatório. Queria que Eugênio visse com seus próprios olhos. Tratava-se dum operário chamado Galvez, que já estivera preso como agitador comunista: era um sujeito perigoso — garantia o chefe das máquinas —, um elemento de desordem.

Eugênio encaminhou-se para o pavilhão nº 3. Ia contrariado. Como se não bastassem os momentos difíceis que passara com Isabel, agora lhe acontecia aquilo... Tinha horror a questões daquela natureza, era-lhe desagradável tratar com o pessoal da fábrica, resolver pendências, dar conselhos, aplicar sanções... Seria mil vezes melhor viver longe de todas aquelas coisas!

— Galvez é um patife! — disse o homem com os lábios apertados.

— Venha ver.

Seu rosto era uma máscara de pedra.

— Onde está ele?

Entrou. Deu três passos sobre o chão de cimento do pavilhão. E, como ao sinal dum invisível e cruel contrarregra que estivesse apenas esperando a sua entrada em cena, algo de pavoroso aconteceu.

— Galvez! — berrou o alemão.

Sua voz, que tinha uma qualidade metálica, soou acima do surdo matraquear das máquinas. Eugênio olhou na direção em que o outro lançara o grito. E viu, horrorizado, que a polia grande de uma das máquinas naquele instante apanhava o corpo dum operário. Ouviu-se um grito agudo. O corpo rodopiou enrolado na polia e depois, como um boneco de pano, foi lançado ao ar, caindo longe no meio de outras máquinas. Houve um momento de atarantamento. De todos os lados partiam exclamações. O alemão precipitou-se para a tábua dos comutadores e puxou a chave geral. As máquinas pararam. O silêncio que se seguiu gelou o sangue de Eugênio. Os homens correram numa só direção. Trouxeram depois um corpo ensanguentado e o puseram aos pés de Eugênio, como se — Deus cruel — ele tivesse pedido aquele sacrifício. Fazendo um enorme esforço para vencer o tremor das pernas, ele se inclinou. Não havia mais nada a fazer. O crânio do operário estava todo esfacelado, seu rosto absolutamente irreconhecível. O corpo perdera quase a forma humana. No chão, ao redor do cadáver, se formava uma poça de sangue.

O pavor estrangulava aqueles homens, reduzindo-os ao silêncio. Os olhos do chefe das máquinas se conservaram frios e seu rosto era uma máscara inumana de pedra.

Quando tornou a sentar-se à sua mesa, Eugênio teve a impressão de que saíra dali não apenas havia vinte minutos, mas sim vinte anos. Sentia-se mais velho, mais cansado e amargurado. Ficou com os cotovelos fincados na mesa, as mãos segurando o rosto, a olhar fixamente para o tinteiro. Do pátio interno chegava até ele, através das janelas, um rumor de vozes.

— Mandem tocar de novo as máquinas — disse o gerente. — Não podemos ficar parados. Tempo é ouro.

Ouro... Por que era que os homens não se esqueciam nunca do ouro? Ouro lhe lembrava outra palavra: sangue. Tempo também era sangue. Ouro se fazia com sangue.

Eugênio chamou a secretária, que, muito pálida e assustada, apareceu.

— Dona Ilsa... — Eugênio se esforçava por falar com voz firme. — A senhora me faça o favor de trazer a ficha... "dele".

Ela saiu e voltou dentro de pouco com uma ficha amarela. Eugênio tomou-a nas mãos trêmulas. O homem se chamava Toríbio Nogueira. Trinta e sete anos. Casado. Cinco filhos. Diária: dez mil-réis. Num dos cantos da ficha havia um retrato: rosto magro, olhos tristes. Eugênio achou-lhe uma vaga parecença com o pai, com o pobre Ângelo.

Naquele instante Cintra entrou e foi logo dizendo:

— Você viu que coisa lamentável? — Limpou a aba do paletó e ajeitou a gravata. — Esses homens são umas verdadeiras crianças, não sabem o que fazem. Vivo fazendo recomendações... Você não faz ideia de como essas coisas me deixam aborrecido.

Eugênio mostrou-lhe a ficha. Cintra examinou-a com ar volúvel.

— É bom você mesmo arranjar as coisas com a família dele. Vamos pagar a indenização de acordo com as leis trabalhistas.

Eugênio sacudiu a cabeça.

— Mas será preciso ir hoje mesmo?

Cintra encolheu os ombros.

— Não digo que vá agora... Mas amanhã. O essencial é não deixar a coisa esfriar. Algum advogado pode se meter no caso e é o diabo.

Cintra atirou a ficha para cima da mesa.

— Faça esse sacrifício, Eugênio. Vá procurar a família do homem. Fica mais decente ir uma pessoa da firma. É uma prova de consideração. — Limpou o chapéu. — Tenho de ir a uma reunião do Sindicato do Arroz. E depois — acrescentou noutro tom — você tem jeito para essas coisas.

Junto à porta, Cintra se voltou, acrescentando:

— Diga que pagamos o enterro. Até logo. Fechou a porta.

"Você tem jeito para essas coisas." Eugênio ficou ruminando essas palavras. Era o mesmo que dizer: "Você não dá para outra coisa".

Ergueu-se. Não podia esquecer o corpo ensanguentado, a cabeça esmigalhada, os membros triturados. Olhou de novo para a ficha. Cinco filhos. Sentiu-se culpado, como se tivesse matado o pai daquelas crianças.

Acercou-se da janela. O fantástico coração subterrâneo continuava a pulsar. Seu ritmo marcava a passagem dos segundos e cada segundo que passava — parecia-lhe — era mais um passo rumo da destruição total, da catástrofe. No pavilhão nº 3 a máquina assassina continuava a marchar como se nada tivesse acontecido. Era de ferro — refletiu ele —, mas sabia ter uma crueldade de homem.

Eugênio apanhou o chapéu e saiu. Entardecia. Parecia haver uma imensa e imperturbável paz no mundo. Passarinhos cantavam nas árvores que orlavam a avenida da fábrica. O céu do crepúsculo se tingia de ouro e rosa. Eugênio tornou a pensar em Olívia. Como estava precisando dela! Aquele dia mais do que nunca. Pensou com antecipado horror nos momentos que ia passar com o sogro e a mulher em torno da mesa de jantar.

Cintra falou pouco durante a refeição, parecia preocupado. Referiu-se por alto à reunião do Sindicato, em que seu ponto de vista não encontrara apoio. À hora do café, porém, ficou comunicativo, fez um boneco de miolo de pão e contou uma anedota em torno de conhecido político.

Eunice tomou conta da conversa, falou quase todo o tempo, dirigindo-se mais ao pai que ao marido: comentou o filme que vira aquela tarde, fez observações casuais sobre pessoas de suas relações, livros, a resolução que tinha tomado de estudar grego e psicanálise (diziam que o dr. Stekel viria fazer uma série de conferências na Sociedade de Medicina)... Eugênio lutava com a melancolia, a depressão. Falou pouco, comeu menos ainda. Cintra não fez a menor referência ao desastre da tarde. Era um *gentleman*.

Pondo no boneco de miolo de pão o anel do charuto à guisa do chapéu, perguntou:

— Aonde é que vocês vão hoje à noite? Estou com vontade de ir ao clube.

Eugênio não respondeu, mas Eunice declarou:

— Vou à conferência do Castanho no Círculo de Cultura. — E, olhando para Eugênio, perguntou: — Vais?

O tom com que ela fez a pergunta — achou ele — trazia implícita a ideia de que naturalmente ele não iria porque não se interessava pelas coisas do espírito.

Eugênio franziu a testa:

— Se quiseres que eu te leve...

— Tu sabes que posso muito bem ir sozinha. Ninguém te obriga a ir aonde não queres...

Em seguida sorriu um sorriso polido para corrigir a aspereza das palavras. (Uma mulher de espírito nunca se zanga — interpretou Eugênio.) E, ainda sem coragem para dizer um não puro e simples, perguntou:

— Qual é o tema da conferência?

— "A tragédia grega e o mundo moderno".

— Ah!

Eugênio acendeu um cigarro, perdido em dúvidas. Não se achava disposto a ouvir conversa fiada. O de que precisava aquela noite era de solidão ou então duma presença amiga. Tornou a lembrar-se de Olívia. Teria ela voltado para a casa dos Falk?

— Bom — fez Eunice com ar final. — Não vais, não é? Papai me deixa no Círculo quando for para o clube. — Ergueu-se e, com um brilho malicioso nos olhos, dirigiu-se ao marido: — Olha, no Apolo estão passando *A fuga de Tarzan*.

Eugênio ficou vermelho e baixou os olhos para a xícara de café. Cintra levantou-se, rindo a sua risada lenta e prolongada que naquele

instante parecia ter o propósito único de atenuar a mordacidade das palavras da filha.
— Pois eu vou ao clube — disse ele. — A propósito, Eugênio — acrescentou noutro tom —, propus você para o Country Club. Já paguei a joia e o primeiro mês.
— Obrigado.
— Então, vais ou não vais conosco?
— Não.
— Está bem.
Eugênio ficou sozinho na sala de jantar. Sozinho com aquela melancólica sensação de insegurança, abandono, indecisão. Começou a pensar coisas ridículas de Castanho. Ele chegaria aos sessenta anos sem publicar o seu famoso ensaio sobre a tragédia grega, tão pomposamente anunciado desde os tempos de estudante. Imaginou-o à mesa no salão do Círculo, metido num manto grego, coroado de louros, muito pálido e intelectual. Viu-o e ouviu-o recitando com voz branda trechos de Sófocles, ao passo que vestia máscaras — que eram todas e sempre a reprodução de seu rosto doentio e vago.
E já agora, ali imóvel a olhar para a xícara vazia, Eugênio se via atravessando o salão pelo meio dos espectadores, avançando resoluto na direção da mesa. Uma cena rápida. Estendeu o braço com força, o punho fechado golpeou violento o rosto de Castanho, que caiu de costas. Tumulto no salão.
Eugênio bateu a cinza do cigarro nas bordas do pires. Por que era que aborrecia tanto Acélio Castanho? — perguntou-se a si mesmo, já cheio de remorsos e confusão, como se na realidade tivesse cometido o ato truculento. Achou respostas várias e insatisfatórias. Talvez não gostasse de Castanho porque de certo modo ele estava ligado a uma recordação dolorosa de sua mocidade. Ou então porque sabia da profunda admiração intelectual de Eunice por ele. Ou ainda porque à medida que o tempo passava mais se fazia visível a silenciosa paixão que Castanho alimentava por Eunice. Ele a amava com a obstinação e a metódica fúria de que são capazes os homens castos.
Ergueu-se da mesa e foi até a janela. A noite estava serena, parecia um convite de Olívia. Continuaria ela morando com os Falk?
Na casa vizinha crianças gritavam e riam. Eugênio pensou nos cinco filhos do operário que a máquina matara. Precisava fazer alguma coisa por aquela família. E de repente uma ideia deixou-o muito perturbado. Havia no mundo gente que precisava de seu amparo. Estava

a seu alcance melhorar a vida de alguém... Se fizesse isso talvez conseguisse apaziguar um pouco a consciência. Lembrou-se do tempo em que, como médico da Assistência, atendia os pobres. Olhou para o portão da casa e se viu a si mesmo descendo da ambulância, metido na sua surrada roupa cinzenta, a maleta na mão. Teve saudades de si mesmo. Naquele tempo suas angústias eram grandes, a preocupação de fazer carreira o atormentava, mas ele tinha uma relativa independência e um certo sentimento de rebeldia. Ao passo que agora...

A solidão da casa deixava-o ainda mais deprimido. Pegou um livro, abriu-o ao acaso, leu algumas linhas. O livro não lhe disse nada. Nas suas páginas tornou a ver o operário que a máquina estraçalhara, cinco caras magras e doentias, cinco crianças sem infância nem esperança.

Pegou o guia telefônico. A... B... C... D... E... F... Fabrício... Fagundes... Falcão... Falk... Hans Falk. 5765. Não. Não telefonaria. Jogou o guia longe. Apanhou o chapéu e saiu.

A porta se abriu e, com o coração a bater desordenadamente, ele se viu em presença de Olívia.

— Eugênio! — exclamou ela com alegria.

Ele estendeu a mão, que a amiga apertou. Ficaram a se entreolhar por um instante, de mãos dadas, ela sorrindo, ele muito sério e perturbado.

— Eu sabia que vinhas. Entra.

Tomou-lhe do chapéu, fechou a porta. Ele não conseguia dizer uma única palavra. Como em outros tempos, segurando Eugênio pelo braço, Olívia conduziu-o suavemente até a poltrona, como uma enfermeira que guia e ampara os primeiros passos dum convalescente.

Eugênio sentou-se e contemplou Olívia, que se sentara na sua frente. Os olhos dela lhe ofereciam a paz. Ele passeou o olhar em torno: a sala estava bem como havia três anos passados: todos os móveis no seu lugar.

— Quanto tempo! — exclamou ele de repente, sem saber como lhe escapavam essas palavras. Olívia sacudia a cabeça lentamente. Depois fez um sinal na direção da janela:

— Eu não dizia sempre? As estrelas estão aí mesmo...

Eugênio entregava-se à paz e, absurdamente, não sentia nenhum constrangimento por ter voltado. A presença de Olívia lhe devolvia a confiança em si mesmo.

— A noite passada sonhei contigo. Estavas assim no meio duma cerração, fazendo sinais pra mim. Fiquei aflito, acordei impressionado.

O vento fresco da noite entrava pela janela, bafejava o rosto de Eugênio e ele tinha a impressão de que aquela frescura vinha da amiga. Prosseguiu:

— Mas devo confessar que vim porque... porque estou precisando de ti. Aconteceram tantas coisas hoje... não só hoje... em todos estes três anos. — Baixou a cabeça, continuou a falar sem olhar para a interlocutora. — É a volta do filho pródigo, não achas?

Olívia se levantou e disse:

— Então vou mandar matar um vitelo. Olha, a chaleira deve já estar chiando no fogo. Eu tinha começado a fazer chá para dois, com o pressentimento de que vinhas hoje.

— Mas como é que sabias?

Ela encolheu os ombros.

— São avisos misteriosos... eu nem sei explicar.

Retirou-se. Eugênio acendeu um cigarro. Estava agora perfeitamente à vontade. Aquela era a *sua* casa. Ergueu-se e começou a caminhar devagar pela sala, parando de quando em quando na frente dum quadro, dum móvel, dum vaso, dum bibelô. Deteve-se diante de seu retrato que se achava ao pé dum vaso com flores. Tinha-o tirado no dia da formatura. Estava muito sério, a testa franzida, a boca apertada. Tomou o quadro, examinou-o mais de perto.

Quando Olívia voltou, Eugênio mostrou-lhe o vaso e o retrato:

— Flores para o defunto.

Ela parou, com a bandeja nas mãos:

— Não te esqueças de que Cristo ressuscitou Lázaro.

Ele repôs o retrato no lugar.

— Isso foi no tempo em que Jesus andava pelo mundo.

Olívia servia o chá.

— Mas Jesus ainda anda pelo mundo. Será preciso que a gente só acredite no testemunho dos cinco sentidos? Jesus nunca deixou de estar no mundo. O pior cego é o que não quer ver.

Ele sacudia a cabeça com obstinação. Não lhe era possível distinguir a imagem de Jesus no meio daquele matagal cerrado de problemas, ideias confusas, conflitos, interesses cruzados, dúvidas e baixezas. E se Jesus ainda estivesse na terra, decerto como medida de defesa se tinha adaptado à miséria do mundo, como um camaleão. Quis dar palavras a essa ideia. Um secreto temor, porém, o deteve. Fosse como fosse, havia recuperado a paz, sentia-se feliz, e ambos iam tomar o seu chá, como nos velhos tempos.

Sentaram-se frente a frente. Eugênio narrou o desastre da tarde.

— Será que tudo isso não tem um sentido... uma significação, uma finalidade? Eu às vezes penso...

Ela avançou a cabeça, olhou-o bem nos olhos e lhe disse com uma expressão que ele nunca mais havia de esquecer:

— Graças a Deus, graças a Deus tu sofreste.

Eugênio fitou os olhos na amiga sem compreender. E de repente, como que arrependida da seriedade de sua atitude, Olívia voltou à habitual postura de serena simplicidade.

— Pouco ou muito açúcar?
— Assim está bem.

Ela lhe passou a xícara.

— Biscoito?
— Obrigado.

Serviu-se.

— Está bom?

Ele sacudiu a cabeça afirmativamente e logo após perguntou:

— Pode-se molhar o biscoito no chá?
— E lamber os dedos, se quiseres.
— Pergunto porque lá em casa não tenho licença de fazer isso. É gente de bom-tom, tu compreendes...

Sorriu, mas corou. Fez-se um curto silêncio.

— Conta tudo, Eugênio — pediu ela.
— Pra quê? Sei que já adivinhaste.

Ela sacudiu a cabeça numa lenta confirmação.

— E agora?

Ele encolheu os ombros.

— É a pergunta que faço todos os dias a mim mesmo.

Depôs a xícara em cima da mesa, olhou muito sério para Olívia, longamente, e por fim falou num tom ansioso.

— Olívia... eu não tenho nenhum direito de te fazer perguntas. Mas há alguma coisa que eu queria saber... Nem podes imaginar o que isso agora significa para mim.

Calou-se. Ela esperava.

— Tu te lembras daquela noite, da nossa última noite? — Ela sacudia a cabeça, afirmando. O rosto dele tinha uma expressão de dolorosa ânsia. — Por que, por que me deixaste ir, por que não me quiseste reter? Quando saí daqui foi com a certeza de que voltaria no outro dia e mandaria o resto para o diabo. Por que foste embora depois? Por quê?

Ela apertou as mãos dele nas suas e respondeu:

— Quando a gente está sozinha numa casa e ouve barulho no andar térreo, fica logo assustada pensando em ladrões. Se não desce para ver o que é, passa o resto da noite preocupada, não dorme ou dorme mal, tem pesadelos... O melhor é descer, verificar que foi apenas o gatinho que virou a cadeira; depois voltamos para a cama e dormimos tranquilos. — Pausa. — Se eu te retivesse aquela noite tu passarias o resto da vida amargurado e arrependido, julgando que tua felicidade estaria nesse outro mundo em que hoje vives.

Ele sacudiu a cabeça. A explicação era clara, mas ainda não respondia à sua pergunta.

— Olívia, eu já disse que não tenho direito... Há coisas que não compreendo, que nunca compreendi e que no meu egoísmo nunca procurei saber... Nunca falamos abertamente, evitamos certos assuntos... Eu, por comodismo... por covardia, confesso. Tu... não sei por quê. Mas há uma coisa que me preocupa. — Calou-se e, depois de alguma relutância, perguntou: — Olívia, tu... tu me amavas?

— Cego!

Ela lhe apertou a mão com mais força. E Eugênio viu-lhe no rosto uma tão grande expressão de amor, que teve uma sensação de desfalecimento. Nunca ninguém olhara para ele daquele modo. O amor de Isabel era diferente... o de Eunice, não existia mais. Enfim ali estava uma criatura que se interessava por ele, que o amava de maneira profunda. Que tudo dava e nada pedia...

Beijou as mãos de Olívia. Depois olhou-as bem de perto, examinou-as com muito cuidado, como se quisesse verificar se elas eram mesmo reais. Olívia acariciava-lhe agora os cabelos muito de leve. Eugênio se sentia feliz, uma felicidade tonta, inesperada, um pouco sufocante. Mas naquele paraíso surgiu de repente a lembrança de Eunice. Cintra também apareceu rindo a sua risada lenta e baixa. Isabel chorava. Não! Ele ainda não estava salvo. Ergueu-se de súbito, sentindo arder-lhe o rosto e as orelhas, e caminhou até a janela. Olívia seguiu-o e disse-lhe baixinho:

— Olha as estrelas e tem coragem.

Eugênio segurou a mão da amiga e, sem tirar os olhos do céu, murmurou:

— Se tu soubesses o bem que me fazes. Eu tinha a impressão de que todo o estímulo havia desaparecido de minha vida. Eu me sentia como uma "coisa"... Só via a meu redor caras indiferentes, pessoas que não me pareciam humanas... Se pudesses imaginar como isso dói...

Como única resposta ela o abraçou com ternura.

— Às vezes — continuou ele — descubro dentro de mim forças de bondade, de pureza. São elas que me dão alguma esperança, que me dizem que nem tudo está perdido...

— Eu sei, nunca deixei de saber, de ter esperança em ti.

Ficaram alguns instantes em silêncio olhando as estrelas. O vento bafejava-lhes o rosto. Ao cabo de alguns instantes, Eugênio tornou a falar:

— Como deves ter sofrido... Todo esse tempo em Nova Itália, sem um amigo, sozinha...

— Sozinha? — Ela sorriu. — Deixaste comigo a melhor das recordações naquela nossa última noite.

Ele voltou a cabeça para a amiga e encarou-a com ar interrogador. Aquelas palavras tinham um tom singular. Seriam meramente retóricas ou significariam algo de mais profundo?

— Tu te lembras da noite em que eu disse que estávamos numa encruzilhada? Pois tenho todas as razões para crer que esta noite também é uma encruzilhada, o princípio de alguma coisa muito nova e muito grande na tua vida. Vem...

Puxou-o de leve pela manga do casaco e levou-o até o quarto de dormir. Acendeu a luz. O que Eugênio primeiro viu foi a cama de Olívia, esmaltada de verde, com cobertas muito claras. Ao lado dela se achava um berço branco, no qual dormia uma criança. Eugênio aproximou-se. O coração, que adivinhara tudo, já marcava o ritmo daquele choque. Comovido, trêmulo, aéreo, ele se reconheceu no bebê adormecido. Os seus traços estavam naquele rosto fresco e sereno, era como se lhe fosse dado ver-se a si mesmo com dois anos, como num retrato que ainda guardava. Olhou para Olívia, de testa franzida.

— Tu compreendes — explicou ela. — Eu não podia ficar sozinha.
— Sorriu. — E ela já tem esse teu jeito de franzir a testa e o nariz. Chama-se Anamaria.

As lágrimas brotavam nos olhos de Eugênio, que continuava imóvel e tonto, incapaz do menor gesto, da menor palavra.

Passam pelo parque. Os bancos estão cheios de namorados. O lago brilha impreciso por entre as árvores. A lua se reflete tremulamente na água. Eu-

gênio, num relâmpago, lembra-se duma noite — há tão poucos dias! — em que passeou por entre estas mesmas árvores com Olívia e Anamaria. A revelação da existência da filha lhe dera uma sensação indescritível, semelhante à que ele tivera aos treze anos ao descobrir a primeira paixão. Depois daquele reencontro com Olívia, sua vida mudara por completo. De repente ele achava um motivo para ter confiança no mundo e em si mesmo. Tinha uma filha. Uma filha! Era humano. Não estava perdido.

Todas as noites ia vê-la, ver Olívia. Era lá que descansava os nervos, que ganhava coragem, estímulo.

Como eram doces aqueles serões! Anamaria brincava sentada em seus joelhos com os brinquedos que ele trazia. Chamava-lhe pai, enquanto Olívia apenas os contemplava com seus olhos profundos, que envolviam os dois com uma enorme onda quente, amiga e protetora. Depois a pequena ia para a cama. Uma noite (relembrando-a, Eugênio se odeia) ao despedir-se de Olívia, o beijo que lhe deu foi mais cálido e demorado, suas mãos viajaram pelo corpo dela num movimento inequívoco. Mas ela mirou-o bem nos olhos e serena, sem ressentimento, lhe perguntou:

— Eugênio, isso é absolutamente indispensável?

Não. Não era. Tinha sido um gesto irrefletido. Ele era um bruto.

Ela tornou a beijar-lhe o rosto. Disse-lhe que ambos agora procuravam algo de mais alto e ao mesmo tempo de mais fundo. Não haveria pecado nas relações carnais que pudessem ter. Acontecia que nas circunstâncias em que se encontravam elas apenas seriam uma pedra de tropeço, um motivo de novos dissabores, um desvio do caminho que se tinham traçado. Onde estava hoje o prazer das outras noites? A dúvida, o remorso se misturara a ele desvirtuando-o. Agora precisavam pensar em algo de superior, de mais duradouro. Continuarem como simples amantes apenas agravaria a situação moral dele, impedindo ao mesmo tempo que ambos conservassem os olhos limpos para ver a realidade. O desejo enevoa o espírito.

Ele saíra envergonhado de si mesmo. Voltara noutros dias. Fizera a si mesmo promessas de abandonar Isabel. Agora essa ligação lhe parecia ainda mais gratuitamente horrível. Em casa, porém, encontrava ambiente pouco propício ao florescimento de seus bons propósitos. Ele fazia parte daquele sistema, inexoravelmente. Era difícil reagir. Não achava jeito de livrar-se de Isabel. Um sábado não foi ao consultório, procurando pretexto para o rompimento. Segunda-feira Isabel telefonou para a fábrica. Teve de inventar desculpas, fazer promessas vagas.

Quinze curtos dias durou o seu convívio com Olívia. Havia chegado o verão, Eunice quis ir para Santa Margarida. Planejava recepções. Nos week-

ends *receberia amigos. Filipe, Isabel e Dora... O secretário da Educação e a esposa... O procurador-geral da República com a família. Cintra iria também passar os sábados e domingos na chácara.*
Eugênio não tivera outro remédio senão ir também.
A solidão do campo lhe avivara os remorsos, mas por outro lado dera esperanças no futuro. Pensava vagamente num desquite, mesmo sem se sentir ainda com coragem para propô-lo. Olívia não lhe fizera a menor insinuação. Dizia apenas que o sentia mais maduro, que o sofrimento começava a dar-lhe personalidade. No mais se mantinha reticente. Seus olhos talvez lhe dissessem coisas que ele ainda não estava preparado para compreender.
Estariam agora vivos ou mortos aqueles grandes olhos insondáveis?

O auto estaca à porta do hospital. Eugênio desce com o coração aos pulos, a garganta seca, um amolecimento trêmulo a lhe quebrantar o corpo inteiro.

Entra no hall. Deserto. Em que quarto estará Olívia? Irmã Isolda, no segundo andar, lhe dará a informação. Sobe pelo lento elevador. Os segundos lhe parecem eternos. Ele agora tem medo de saber...

O corredor sombrio do segundo andar. Um fantasma branco: Irmã Isolda.

— Boa noite, doutor.

Os olhos de Eugênio se fixam nela numa desesperada interrogação. Em voz baixa, como quem conta um doce segredo, ela murmura:

— A doutora Olívia morreu ao anoitecer, na santa paz do Senhor. O corpo está sendo velado na capela.

Parte II

13

É noite. Está aberta a janela do quarto de Olívia e o vento sacode o estore claro, que se balouça no ar como um lenço que acena. O luar é uma fresca neblina azulada.

Silêncio.

Sentado com a filha adormecida no colo, Eugênio pensa na morta. Os minutos passam. Pela sua mente já desfilaram todos os fantasmas. Não lhe deixaram na alma nenhum pavor, nenhuma angústia, mas sim uma grande e profunda tristeza. Ele sabe que a vida vai mudar, que ele se acha de novo parado diante duma encruzilhada. Não pode mais retomar a velha estrada. Voltar à condição antiga seria a morte e ele precisava viver por amor de Anamaria, por amor de Olívia, por amor de si mesmo.

Que lhe importa o que lhe possa acontecer de mau daqui por diante? Só através do sofrimento e da luta é que ele poderá encontrar-se a si mesmo. Mais tarde há de vir-lhe uma serena aceitação da vida e, no final, talvez ele descubra Deus.

Anamaria dorme tranquila, sua respiração é doce e regular e no sono ela sorri. Eugênio contempla a filha. Que misteriosas imagens lhe estarão povoando os sonhos?

A vida deve ter um sentido. Agora ele começa a adivinhar nela contornos mais lógicos, o princípio dum desenho nítido. Ser bom e ser forte na bondade, fugir à violência e à ambição desmedida, ter olhos para a profunda beleza das coisas, ser às vezes como uma criança que está a todo o instante redescobrindo o mundo. "A vida começa todos os dias", costumava dizer Olívia. Na memória de Eugênio soa a voz querida, esboça-se a imagem da que morreu. De repente ele tem a impressão de que está sendo vigiado por olhos invisíveis. Essa ideia lhe causa um leve estremecimento. Num gesto involuntário ele volta a cabeça, procurando... Sempre o silêncio e a solidão.

Eugênio aperta mais a filha contra o peito e no seu corpo sente o calor do corpo dela. Aconteça o que acontecer — promete ele a si mesmo —, nada conseguirá separá-lo da criança. Por amor dela há de achar coragem para vencer todos os obstáculos — Eunice, o sogro, a sociedade. Desde já ele sabe que o maior obstáculo está dentro dele mesmo, no seu corpo, na sua carne, nos seus nervos.

Anamaria move a cabeça, balbucia uma palavra, choraminga e depois fica de novo tranquila. Eugênio acaricia-lhe os cabelos, muito de leve para não despertá-la.

Uma porta se abre e ele tem um sobressalto. Entra um vulto. É d. Frida, que vem buscar Anamaria. Eugênio se ergue com a filha, beija-lhe a testa longamente e depois a entrega à dona da casa, que em silêncio a conduz para a cama.

Eugênio acende a pequena lâmpada ao pé do sofá, relê a carta que Olívia lhe escreveu poucas horas antes de morrer. Encontrou-a ali em cima daquela mesma mesa ao voltar do enterro. No envelope estava escrito simplesmente: *Para Eugênio.*

Meu querido: O dr. Teixeira Torres acha que a intervenção deve ser feita imediatamente e daqui a pouquinho tenho que ir para o hospital. Não sei por que me veio a ideia de que posso morrer na mesa de operações e aqui estou te escrevendo porque não me perdoaria a mim mesma se fosse embora desta vida sem te dizer umas quantas coisas que não te diria se estivesse viva.

Há pouco sentia dores horríveis, mas agora estou sob a ação da morfina e é por isto que encontro alguma tranquilidade para conversar contigo. Mas estarei mesmo tranquila? Acho que sim. Decerto é a esperança de que tudo corra bem e que daqui a quinze dias eu esteja de novo no meu quarto, com a nossa filha, e meio rindo e meio chorando venha reler e rasgar esta carta, que então me parecerá muito tola e ao mesmo tempo muito estranha.

Quero falar de ti. Lembras-te daquela tarde em que nos encontramos nas escadas da faculdade? Mal nos conhecíamos, tu me cumprimentaste com timidez, eu te sorri um pouco desajeitada e cada qual continuou o seu caminho. Tu naturalmente me esqueceste no instante seguinte, mas eu continuei pensando em ti e não sei por que fiquei com a certeza de que ainda havias de ter uma grande, uma imensa importância na minha vida. São pressentimentos misteriosos que ninguém sabe explicar.

Hoje tens tudo quanto sonhavas: posição social, dinheiro, conforto, mas no fundo te sentes ainda bem como aquele Eugênio indeciso e infeliz, meio desarvorado e amargo que subia as escadas do edifício da faculdade, envergonhado de sua roupa surrada. Continuou em ti a sensação de inferioridade (perdoa que te fale assim), o vazio interior, a falta de objetivos maiores. Começas agora a pensar no passado com uma pontinha de saudades, com um pouquinho de remorso. Tens tido crises de consciência, não é mesmo? Pois ainda passarás horas mais amargas e eu chego até a amar o teu sofrimento, porque dele, estou certa, há de nascer o novo Eugênio.

Uma noite me disseste que Deus não existia porque em mais de vinte anos de vida não O pudeste encontrar. Pois que até nisso se manifesta a magia de Deus. Um ser que existe mas é invisível para uns, mal e mal perceptível para outros e duma nitidez maravilhosa para os que nasceram simples ou para os que adquiriram simplicidade por meio do sofrimento ou duma funda compreensão da vida. Dia virá em que em alguma volta de teu caminho hás de encontrar Deus. Um amigo meu, que se dizia ateu, nas noites de tormenta desafiava Deus, gritava para as nuvens, provocando o raio. Deus é tão poderoso que está presente até nos pensamentos dos que dizem não acreditar na sua existência. Nunca encontrei um ateu sereno. Eles se preocupam tanto com Deus como o melhor dos deístas.

O argumento mais fraco que tenho contra o ateísmo é que ele é absolutamente inútil e estéril; não constrói nada, não explica nada, não leva a coisa nenhuma.

Se soubesses como tenho confiança em ti, como tenho certeza na tua vitória final...

Deixo-te Anamaria e fico tranquila. Já estou vendo vocês dois juntos e muito amigos na nova vida, caminhando de mãos dadas. Pensa apenas nisto: há nela muito de mim e principalmente muito de ti. Anamaria parece trazer escrito no rosto o nome do pai. É uma marca de Deus, Genoca, compreende bem isto. Vais continuar nela: é como se te fosse dado modelar, com o barro de que foste feito, um novo Eugênio.

Quando eu estava ainda em Nova Itália li muitas vezes o teu nome ligado ao do teu sogro em grandes negócios, sindicatos, monopólios e não sei mais quê. Estive pensando muito na fúria cega com que os homens se atiram à caça do dinheiro. É essa a causa principal dos dramas, das injustiças, da incompreensão da nossa época. Eles esquecem o que têm de mais humano e sacrificam o que a vida lhes oferece de melhor: as relações de criatura para criatura. De que serve construir arranha-céus se não há mais almas humanas para morar neles?

Quero que abras os olhos, Eugênio, que acordes enquanto é tempo. Peço-te que pegues a minha Bíblia que está na estante de livros, perto do rádio, leias apenas o Sermão da Montanha. Não te será difícil achar, pois a página está marcada com uma tira de papel. Os homens deviam ler e meditar esse trecho, principalmente no ponto em que Jesus nos fala dos lírios do campo que não trabalham nem fiam, e no entanto nem Salomão em toda a sua glória jamais se vestiu como um deles.

Está claro que não devemos tomar as parábolas de Cristo ao pé da letra e ficar deitados à espera de que tudo nos caia do céu. É indispensável trabalhar, pois um mundo de criaturas passivas seria também triste e sem beleza. Precisamos, entretanto, dar um sentido humano às nossas construções. E quando o amor ao dinheiro, ao sucesso nos estiver deixando cegos, saibamos fazer pausas para olhar os lírios do campo e as aves do céu.

Não penses que estou fazendo o elogio do puro espírito contemplativo e da renúncia, ou que ache que o povo deva viver narcotizado pela esperança da felicidade na "outra vida". Há na terra um grande trabalho a realizar. É tarefa para seres fortes, para corações corajosos. Não podemos cruzar os braços enquanto os aproveitadores sem escrúpulos engendram os monopólios ambiciosos, as guerras e as intrigas cruéis. Temos de fazer-lhes frente. É indispensável que conquistemos este mundo, não com as armas do ódio e da violência, e sim com as do amor e da persuasão. Considera a vida de Jesus. Ele foi antes de tudo um homem de ação e não um puro contemplativo.

Quando falo em conquista, quero dizer a conquista duma situação decente para todas as criaturas humanas, a conquista da paz digna, através do espírito de cooperação.

E quando falo em aceitar a vida não me refiro à aceitação resignada e passiva de todas as desigualdades, malvadezas, absurdos e misérias do mundo. Refiro-me, sim, à aceitação da luta necessária, do sofrimento que essa luta nos trará, das horas amargas a que ela forçosamente nos há de levar.

Precisamos, portanto, de criaturas de boa vontade. E de homens fortes como esse teu amigo Filipe Lobo, que seria um campeão de nossa causa se orientasse a sua ambição, o seu ímpeto construtor e a sua coragem num sentido social e não apenas egoisticamente pessoal.

Não sei, querido, mas acho que estou febril. Este entusiasmo, portanto, vai por conta de febre.

Ouço agora um ruído. Deve ser a ambulância que vem me buscar. Senti um calafrio e parece que minha coragem teve um pequeno desfalecimento. Estás vendo o tremor da minha letra? É que sou humana, Genoca, profundamente humana, tão humana que te confesso corando um pouco (apesar dos trinta anos e da profissão) que antes de ir para o hospital eu quisera beijar-te muito e muito.

Anamaria fica com d. Frida. Sei que depois, se eu morrer, virás buscá-la para a nova vida.

Reli o que acabo de escrever. Estou fazendo um esforço danado para não chorar. Tolice! Espero que tudo corra bem e que dentro de duas semanas eu esteja queimando esta carta que já agora me parece um pouco melodramática.

Antes que me esqueça: na gaveta da cômoda há um maço de cartas que te escrevi de Nova Itália expressamente "para não te mandar". Agora podes lê-las todas. Não encontrarás nada do meu passado, do qual nunca te falei e sobre o qual tiveste a delicadeza de não fazer perguntas. É pena. Gostaria que soubesses tudo, que visses como minha vida já foi feia e escura e como lutei e sofri para encontrar a tranquilidade, a paz de Deus.

Adeus. Sempre aborreci as cartas de romance que terminam de modo patético. Mas permite que eu escreva.
Tua para a eternidade
Olívia.

Eugênio dobra a carta com todo o carinho. Seus olhos estão inundados de lágrimas e ele encontra um esquisito prazer no sofrimento e na tristeza. Lembra-se dos anos que Olívia passou em Nova Itália. Nunca se esquecera dele, amara-o sem egoísmo, fora fiel até o fim.

Mas agora está morta. É horrível a ideia de que a esta hora o corpo dela esteja a se decompor debaixo da terra. Do que foi uma mulher terna e compreensiva, bela e corajosa, resta apenas uma carcaça repugnante, um monte de carne podre e fervilhante de vermes. Eugênio aperta os lábios, sente o gosto salgado das lágrimas que lhe entram pela boca. É impossível — pensa ele — que tudo acabe na morte. Seria demasiadamente cruel que Deus nos desse uma capacidade de criar e sentir a beleza e nos destinasse ao mesmo tempo ao desaparecimento total e, pior que isso, ao apodrecimento irremediável.

Dez horas. Eugênio sai. A noite é morna e clara. Ele caminha para as ruas centrais, lembrando-se de outras noites em que andava por aqueles mesmos lugares em companhia de Olívia. Ela sempre tinha histórias para lhe contar. Histórias da vida. Da vida que ela já sofrera e que ele ainda não conhecia de maneira profunda.

Chegou à praça e parou para olhar o arcabouço enorme do Megatério. Contou os andares. Vinte!

Visto assim à noite a sobressair dos outros edifícios, o arranha-céu de Filipe Lobo tinha qualquer coisa de monstruoso e descomunal. Eugênio acendeu um cigarro, pensou em Filipe, na sua ambição desmedida, na sua sede de grandioso, na sua idolatria do formidável. Veio-lhe à mente também a imagem de Cintra e com ela a lembrança de seus sindicatos, monopólios e organizações comerciais. No entanto as estrelas brilhavam por cima dos arranha-céus e dos monopólios, puras e distantes.

Continuou a caminhar. As ruas do centro da cidade eram um tumulto. Clarão de vitrinas, letreiros luminosos, gente a caminhar nas calçadas e no meio da rua. Eugênio seguia sem destino, e uma voz incolor lhe murmurava interiormente, com estranha obstinação: "Nem Salomão em toda a sua glória se cobriu jamais como um deles".

14

Num daqueles dias Eunice ofereceu um jantar a Túlio Altamira, pintor paulista muito discutido que havia pouco expusera suas telas no salão do Círculo de Cultura de que ela era secretária. Acélio Castanho esteve presente à festa, embora não aprovasse a arte de Altamira. "Fora as linhas clássicas", escrevera ele no Fórum, "não há salvação. O moderno, o rigorosamente moderno ainda paga onerosos tributos ao clássico. Anda por aí, como triste consequência da propaganda bolchevista, uma arte (merecerá esse nome?) primária, infantil, negroide e desprovida de qualquer finura, do menor vestígio de bom gosto e de cultura. Para esses inovadores de má morte o supremo refinamento é darem a impressão de que não sabem desenhar. Dizem que isso representa uma busca do ingênuo, da infantil pureza das linhas. Mas entre os que conhecem anatomia plástica e erram deliberadamente e os que, por não saberem em absoluto desenhar, abraçam a pseudoescola nova como extremo recurso, existe uma diferença abismal."

O jantar começara com uma discussão entre Túlio Altamira e Acélio Castanho em torno de pintura e pintores. O velho Cintra, à cabeceira da mesa, sorria, tolerante, procurando insinuar no sorriso compreensivo que não era de todo leigo naquela matéria. Filipe amassava o guardanapo, impaciente, porque lhe era insuportável ficar calado. Para ele só existia uma arte digna do homem forte, do homem verdadeiramente másculo — a arquitetura, ajudada pela sua serva, a escultura. Pintura, música e literatura eram ocupações para mulheres e para homens fracos, doentes ou efeminados. Eunice, dando mostras duma grande alegria, olhava de Castanho para Altamira e, como quem lança azeite na fogueira para avivá-la, de quando em quando fazia breves observações maliciosas, que provocavam o acirramento da polêmica.

Isabel estava tristonha. Eugênio evitava-lhe os olhos, pois sabia que havia de encontrar neles uma censura e ao mesmo tempo uma interrogação. Por que não tinha ido ao consultório o último sábado? Por que fugia dela?

Quando o jantar terminou e os convivas se ergueram para tomar café no *living-room*, Acélio falava em Miguel Ângelo, ao passo que Altamira, chupando um enorme charuto com aflita avidez, soltava vagos resmungos de preguiçosa aquiescência. Era um homem baixo, forte e de aspecto rude. Vestia-se com desleixo e sua cabeleira estava crescida e revolta. No rosto intumescido os lábios carnudos e vermelhos — o inferior saliente e caído — emprestavam àquela fisionomia uma qualidade imoral.

— Vós todos tendes ainda muito que aprender com mestre Miguel Ângelo — sentenciou Castanho.

As duas mulheres tinham subido até o quarto de Eunice. O pintor aproveitou-lhes a ausência e deixou escapar um arroto que a custo reprimira quando estava à mesa. Acélio não pôde evitar que seus lábios se crispassem de leve, marcando a sua repugnância por aquela sonora manifestação de animalidade.

— Miguel Ângelo — trovejou Filipe — só é grande por ser o autor da cúpula e não por ter pintado aqueles monos na Capela Sistina.

Com ar *blasé*, puxando as calças para se sentar, Cintra arriscou uma opinião:

— Hoje em dia não temos mais nas artes figuras como Miguel Ângelo, Leonardo da Vinci e... — a memória o traiu — et cetera, et cetera.

Altamira, que naquele instante ia sentar-se, tornou a endireitar o corpo e investiu para Cintra.

— Mas como não, coronel! — exclamou. — E Diego de Rivera? Nunca ouviu falar no gênio mexicano da pintura mural?

Fez-se curto silêncio. Sentado a um canto, Eugênio pensava em Olívia. Nunca se sentira tão estranho em sua casa como naquele dia. Lembrava-se de outras festas: um jantar a Friedmann, um chá a Bidu Sayão. Ele suportava todas essas ocasiões com colarinho duro, camisa engomada e um sorriso falso. Agora tinha de estar ali aturando aquele pintor de aspecto desagradável que mamava o fino charuto que Cintra lhe oferecera. O pior era que não conseguia dizer uma só palavra. Limitava-se a sorrir ou a sacudir a cabeça quando alguém dizia alguma coisa olhando para ele. Olívia não lhe saía do pensamento. O que ele sentia era saudades, desalento, melancolia, desejo de acariciar a cabeça da filha, de ficar a sós para pensar na morta. Se houvesse um meio de fugir...

Atirado para trás na poltrona, Filipe soltou o vozeirão:

— Vi uns quadros murais do Diego de Rivera quando estive nos Estados Unidos.

— E que tal? — perguntou o pintor, com a mão estendida e o charuto entre os dedos.

— Assim... assim. Rivera é pernóstico como todo mestiço.

— Mas, meu caro amigo — retrucou o pintor com veemência —, que é que a arte tem a ver com essa questão de raças? Ora nem me diga...

Eugênio contemplava Acélio Castanho, que lhe parecia ainda mais pálido que de ordinário. Estava vestido de escuro e seus olhos negros tinham um brilho de febre. Sua testa larga e cor de marfim pregueava-se toda de rugas quando ele ficava a pensar, de olhos erguidos para o alto, como numa ausência epiléptica.

Quando Eunice e Isabel desceram, falava-se do bolchevismo de Diego de Rivera. Os olhos de Acélio fuzilavam.

— É incrível — dizia ele — a indiferença e a cumplicidade dos intelectuais e da chamada classe conservadora diante da bolchevização do Ocidente. — O fogo estava apenas nos olhos. A voz continuava fria e calculada. — É lamentável o desrespeito que por aí anda à tradição, ao que é belo e nobre, à conquista de todos estes séculos de cultura, de bom gosto, de vontade organizada e de disciplina.

Eunice escutava-o com interessada seriedade.

— Vejam, por exemplo — continuou Castanho —, o quanto há de dissolvente, de iconoclasta, de subversivo... de... de... de venenoso nos quadros murais desse mexicano. Nenhum respeito a Deus. A Lênin se dá importância espiritual maior que a de Cristo. Nenhum respeito à Igreja...

— Ora... a Igreja... Bah! — fez Altamira, encolhendo os ombros com desdém.

Sem tomar conhecimento da interrupção, Castanho continuou.

— Nunca andamos tão baixo em matéria de livros e de arte. Nos últimos tempos tem surgido uma literatura sórdida que prolifera como míldio e que vai mofando a consciência da nossa mocidade. Principiou com esse ignóbil *Judeus sem dinheiro*. Não há mais respeito à gramática, aos métodos tradicionais do bom romance psicológico. Os escritores são fotógrafos, reles fotógrafos que só sabem focar suas máquinas em cenas imundas de miséria e imoralidade. Esses detestáveis escritores proletários (o nome até me dá náusea...) descobriram uma justificativa para seus apetites literários depravados: finalidade social.

O pintor se remexeu na cadeira.

— Mas venha cá, doutor... doutor... — Não lhe ocorreu o nome do outro. — Venha cá...

Castanho não lhe deu atenção, prosseguindo:

— Pornografia, quadros de miséria, termos da gíria, efeitos negroides, eis os grandes condimentos dos nossos chamados romances proletários. Cheiram mal desde a primeira até a última página. E todos nós somos um pouco culpados do nascimento e da aparente prosperidade desses escritores.

Altamira bateu a cinza do charuto e investiu:

— São apenas romances que nos mostram a realidade, e a realidade, meu caro doutor, nem sempre é isto... — Fez um gesto largo que abrangia o *living-room*.

— Mas realidade também não é só essa que sentimos com os olhos, com a ponta dos dedos, com o nariz.

— Eu sei, doutor, que o senhor vai falar no sexto sentido. — Lutou com novo arroto, venceu-o e continuou: — Mas veja bem: são cinco sentidos contra um!

— Eu não perco tempo com romances — declarou Filipe. — Eles me irritam, me fazem perder a paciência. Um cidadão ocupado que preza o seu tempo não se pode entregar à leitura dessas histórias de mentira. — Endireitou o corpo, olhou em torno como se fosse fazer uma grande revelação e prosseguiu: — E da poesia... nem se fala. Chego a ter raiva. Os teus olhos são isso, a tua boca é aquilo... Vão pro diabo!

Os olhos de Eunice se espremeram e, com um sorriso de malícia, procurando dar à voz um tom casual:

— Isso de gostar ou não de poesia — disse ela — é questão de maior ou menor permeabilidade às impressões de beleza. Não é de duvidar que, à força de tanto construir, o Filipe tenha fabricado para si mesmo uma epiderme de cimento armado.

Cintra soltou a sua risada prolongada e baixa. Isabel deu à sua incompreensão a forma dum pálido sorriso. E Filipe, limpando dos joelhos a cinza do charuto, retrucou:

— Aí está... A verdadeira poesia é a poesia da máquina, da pedra, dos arranha-céus. Nova York é um poema de pedra e cimento armado. — Abriu os grandes braços. — Mas não se trata de poesia feita de palavrinhas açucaradas, e sim de expressões duras e fortes como o aço. E flexíveis também.

— Como você gostaria de Verhaeren! — exclamou Eunice. — Mas é pena que o seu americanismo o tenha feito esquecer o francês...

Castanho e Altamira estavam de novo atracados. Dizia o primeiro:

— A nossa sociedade vai sendo aos poucos solapada pelo bolchevismo. O plano é diabólico. Não é só a literatura que prepara terreno para o amor livre, para o ateísmo, para a imoralidade e para a revolução comunista. É o cinema também, é o amoralismo dos filmes: divórcios, histórias escabrosas, músicas sensuais, danças lúbricas, nudismo, anedotas canalhas, bebedeiras, crimes, suicídios... O cinema explora tudo isso. O público vai ficando impregnado de ideias materialistas.

Castanho falava sem se alterar, pronunciando as palavras com toda a nitidez, com frio entusiasmo didático.

Eugênio, absorto em seus pensamentos, via-se com Olívia, na noite da formatura, sentados ambos ao pé da estátua do Patriarca, olhando desconsoladamente para as estrelas. Como era suave e boa a presença dela... Tinha uma qualidade sedativa, era a paz...

Entrou uma criada, que serviu licores. Altamira emborcou o seu cálice e, como se tivesse bebido entusiasmo, rebateu as palavras do adversário:

— E que é essa desordem que o cinema foca senão um reflexo da descrença das criaturas diante do descalabro econômico e moral e da morte da fé? — Ergueu-se, lambendo os beiços. A sua calça estava sungada, com joelheiras pronunciadas. — De repente os homens viram que tudo quanto lhes haviam ensinado em casa e no colégio a respeito de Deus, da Igreja, da virtude, de recompensa na outra vida, eram lorotas. Descobriram que tinham um corpo cheio de desejos e que para satisfazer esses desejos bastava que eles pulassem o muro das convenções. Ficaram loucos de alegria quando viram que esse muro era feito de fumaça e não de pedra e cal, como parecia. Foi uma corrida maluca. Só ficaram para o lado de cá do muro os tímidos e os doentes.

Soluçou, botou a mão no peito e pediu desculpas às senhoras.

Encurvado na sua cadeira, as mãos enlaçadas descansando sobre os joelhos, Acélio Castanho sacudia a cabeça obstinadamente.

— Só a castidade é que nos pode elevar acima dos animais irracionais — disse, sentencioso. E depois dum curto silêncio, como que cedendo a uma imposição da própria consciência, acrescentou: — A frase não é minha. Li-a num pensador inglês contemporâneo.

— Castidade? — riu Altamira. — O senhor com essa idade e nesta época ainda me vem com essa conversa fiada?

Isabel estava de olhos baixos. Filipe resmungava qualquer coisa a Cintra, com ar aborrecido. Eunice examinava o pintor com olhos frios.

Eugênio voltara à tona da realidade e prestava atenção à conversa. Era de certo modo interessante — achava ele — assistir às discussões, colocado num ângulo afastado e neutro. Fazia o possível para exercitar a sua tolerância. Seria meio caminho para a aceitação total da vida e das criaturas. Esforçava-se por não querer mal a Castanho, por não aborrecer Eunice. A questão era contemplá-los com ternura humana. Mas bastaria desejar isso para o conseguir plenamente?

Castanho olhava para o cálice de licor ainda cheio que se equilibrava na guarda da poltrona.

— Pode rir — disse ele a Altamira. — Enquanto você e os outros fumam tranquilamente os seus charutos — (fez um sinal na direção de Cintra e de Filipe) —, os judeus vão minando o nosso edifício social, preparando a queda de nossa civilização. Têm nas mãos o cinema e a imprensa. É uma vingança lenta e perversa que eles nos vêm preparando há séculos.

Caminhando para a sua cadeira e olhando para Eugênio com ar humorístico, o pintor murmurou:

— Olhe... ele acredita também nessa lenda do protocolo dos sábios de Sião...

Sacudiu a cabeça, sorrindo num gesto de quem acha estar diante dum caso perdido.

— Túlio Altamira — falou Eunice como se estivesse num teatro e aquela fosse a sua deixa. — Quer me fazer um favor? — Pôs na voz uma doçura de namorada, entortou a cabeça de leve e, como o pintor ficasse imóvel esperando o pedido, ela continuou: — Diga-nos com franqueza o que é que você pensa de tudo isso, de todos esses ismos, ideias, aspectos do mundo, e o mais que segue...

Túlio Altamira depôs o charuto apagado no cinzeiro e disse simplesmente:

— Ninguém pode desviar o curso do rio da história, com o perdão do lugar-comum...

— E então? — perguntou Eunice, exigindo uma conclusão. O pintor encolheu os ombros.

— Sou um simples pinta-monos e não um profeta, minha prezada senhora.

Castanho levantou-se num gesto de impaciência, olhou firme para o pintor e falou:

— Pois eu lhe vou dizer corajosamente o que penso, doa a quem doer. Acredito na nobreza de nascimento, na nobreza de sentimento, bem como na cultura, no estoicismo e nas virtudes cavalheirescas...

— Palavras... — murmurou Altamira, tratando de reacender com

deselegância o charuto. — Palavrinhas bonitas de quem nunca conheceu a miséria e a necessidade...
Castanho passou a fina mão esguia pelos cabelos, lambeu os lábios.
— Tenho a hombridade de não me deixar embriagar nem amolecer por essa lenga-lenga de liberdade, igualdade e humanidade — continuou. — Olhem para a natureza e convençam-se de que igualdade é uma ideia impossível. Eu acredito na hierarquia, na divisão das classes da sociedade segundo o ideal de Platão. A classe baixa formada de camponeses, lavradores e homens de negócio...
Altamira olhou para Cintra e sorriu. Filipe fez uma careta, misto de tédio e desdém. Castanho continuou:
— A classe média composta de soldados... E a elite, formada pelos homens de mentalidade superior...
— O senhor, por exemplo... — interrompeu-o o pintor.
— ... pelos que tiveram capacidade de admitir conhecimentos científicos e estudar filosofia. Esses são os aptos para se tornarem os timoneiros do Estado...
— Platão é do tempo do Onça! — exclamou Altamira.
Castanho se calara. O suor — um suor discreto, comportado, observou Eugênio — escorria-lhe pelo rosto emaciado. Fez-se um silêncio, ao cabo do qual Filipe declarou:
— Não entendo essas histórias de Platão. Comigo é no fascismo. Mussolini disciplinou a Itália. Hitler reergueu a Alemanha. Disciplina! Construir uma nação é quase o mesmo que construir um grande edifício. É preciso primeiro um plano, uma ideia. Depois, bom material de resistência, bases sólidas, equilíbrio...
— E beleza de linhas — acrescentou Eunice. — O fascismo é belo e vertiginoso. "*Vivere pericolosamente.*"
— Frases... — disse o pintor.
— Olhe que houve frases que derrubaram governos — interveio Cintra. — Uma palavra às vezes move multidões.
Olhou para a filha para lhe pedir aplauso.
Eugênio — era curioso — lembrava-se da sua primeira operação de importância. O tiroteio longe, o paciente magro e pálido, os olhos de Olívia, negros, quentes, animadores... De repente surpreendeu-se a contemplar os olhos de Isabel. Corou. Remexeu-se na cadeira, perturbado.
— No meio da chatice da Europa decadente — falou Filipe — ergueu-se o grande arranha-céu do fascismo.

Castanho tirou o cálice de licor do braço da cadeira (não bebia álcool nem fumava) e pô-lo em cima da mesinha do centro.

— Resta saber — disse ele — se as bases desse edifício são sólidas. Tenho graves dúvidas.

Altamira deu a sua opinião:

— O fascismo é um castelo pomposo edificado sobre areia movediça.

Filipe fez um gesto desligado.

— Só respondo pelos arranha-céus que eu mesmo construo.

Eugênio pensou no Megatério. O grande arcabouço na noite. Lembrou-se em seguida de Dora. Por onde andaria ela? Provavelmente estava com Simão. O caso continuava sem solução. Os pais dela ainda se opunham ao casamento. Era uma oposição formal, teórica. Preocupado com os negócios, Filipe não se lembrava de dar conselhos à filha, não fazia o menor movimento nem dizia a menor palavra no sentido de impedir que ela se encontrasse com o rapaz.

Por alguns instantes a conversa se neutralizou. Isabel falou a Eunice dum filme que vira no Rex.

Apiedando-se do isolamento silencioso em que Eugênio se encontrava, Altamira lhe fez uma pergunta paternal:

— Então... como vai a clínica?

— Regularmente.

Cintra e Filipe discutiam a taxa bromatológica. E enquanto Eunice dizia ao pintor: "... gostei principalmente da sua *Volúpia*, porque em nenhum outro quadro o senso de volume..." — Isabel lançava para Eugênio um furtivo olhar de angustiosa interrogação.

Do fundo de sua poltrona, Eugênio olhava e escutava em silêncio, com a imagem de Olívia sempre no fundo de seu espírito. Ele via e julgava as outras criaturas através das ideias dela. Por isso se sentia sereno. Tudo agora tinha para ele uma transparência de vidro. Sim. Ele na verdade não pertencia ao mundo de Eunice. Era um intruso: precisava ir-se. Os seus mortos o exigiam. Não podia tornar a decepcioná-los.

De repente foi arrancado do fundo de seu devaneio pelo clamor duma nova discussão:

— Mas o judeu é simplesmente o bode expiatório — berrava o pintor. — É sempre necessário descobrir um culpado para as coisas más que acontecem. Abra a história. Sempre foi assim, em todos os tempos.

Cintra deu voz a uma opinião que lera numa revista:

— Os judeus são um mau elemento para um país como o nosso, porque não vão para o campo, ficam atravancando as cidades, abrindo pequenos negócios, vendendo em prestações, desequilibrando o orçamento da classe proletária...

— Não gosto de judeu — declarou Filipe, resumindo nessas palavras definitivas a sua maneira de encarar o problema.

Castanho contemplou longamente Eunice, com expressão séria no rosto doentio. Depois, sem tirar os olhos dela, disse:

— Mas os fatos aí estão. Que era esse detestável e paranoico Lênin senão um judeu? E esse insuportável Trótski? Foi essa raça que fez a revolução russa. O judeu não tem espinha dorsal — Castanho sacudiu a cabeça num gesto nervoso que traduzia a sua intolerância —, o judeu é um molusco. Sujeita-se a todas as misérias contanto que consiga o fim que deseja... E coloca-se sempre acima do bem e do mal.

Altamira fez um gesto de desdém.

— Os judeus são homens como os outros... Têm defeitos e qualidades.

— Os meus melhores fregueses são judeus... — declarou Cintra com um sorriso mais tolerante.

Castanho fitou os olhos nele com infinito desprezo.

— Parece incrível que os senhores industrialistas e comerciantes, os pilares da famosa classe conservadora, não compreendem o perigo que nos ameaça a todos. Bons fregueses, não? Pois essa tolerância, essa ânsia de lucros vai ser a ruína da vossa classe. A hora é grave e os senhores capitalistas olham apenas para os lucros imediatos sem cuidarem do futuro. Amanhã, quando a revolução estiver na rua, os senhores membros das classes conservadoras se encolherão de medo, entregarão o seu amado ouro para não perderem a vida. — Fez uma pausa. E com voz sempre serena, mas os olhos em fogo, acrescentou: — Uma coisa eu lhes afirmo. Hei de lutar. — Fechou os dedos como se empunhasse um florete. — Vivo, eles não me terão.

Com ar aborrecido o pintor se voltou para Castanho e disse:

— Olhe cá uma coisa, doutor. A troco de quê, os revolucionários haviam de querer o senhor vivo ou morto? Ora, não me amole...

Houve como um hiato na conversa, um vácuo repentino de expectativa. Castanho pareceu prestes a reagir com palavras violentas, mas conteve-se. Voltou-se para Eunice e com fingida naturalidade lhe perguntou:

— Já leu o Chesterton que lhe mandei?

Voltou as costas para Altamira, que se recostou na cadeira, dizendo para Filipe com voz sonolenta:

— Seu Lobo, eu me animava a pintar numa parede desse seu... seu... como é mesmo o nome do bicho?

— Megatério...

— Isso. Pois eu me animava a pintar numa das paredes do Megatério um grande quadro mural. — Começou a fazer gestos largos, dando a impressão de que pintava com uma pistola automática. — O quadro se chamaria: *O perigo vermelho*. O nosso amigo Cintra, sentado numa confortável cadeira fumando um charuto, representará o capitalismo. (E notem que o charuto será um zepelim.) Um judeu, desses que vendem gravatas na rua, será o símbolo do perigo vermelho. Com a unha do dedo mínimo ele procurará raspar com uma bruta paciência o pé da cadeira do coronel Cintra, com a perversa intenção de quebrá-la e fazer vir abaixo o capitalismo. E ali o nosso amigo Paranhos — apontou com o dedo para Castanho — aparecerá a cavalo, fantasiado de Dom Quixote, armado cavaleiro e montado no burro da cultura, pronto para intervir contra o perigo semítico.

Desatou a rir.

— Pois eu lhe cedo todas as paredes do Megatério — disse Filipe, sacudido de riso.

Castanho ergueu-se. Eugênio percebeu que as mãos dele tremiam. Perfilado, grave, procurando mostrar-se sereno, ele parou na frente de Altamira.

— Já que procura ser irônico — disse-lhe —, vou dizer-lhe com toda a franqueza uma coisa que não disse nem escrevi antes por um sentimento não só de cavalheirismo como também de piedade. O senhor é um pintor detestável. — Estas últimas palavras foram sibiladas.

Cintra interveio, segurando Castanho por um braço.

— Vamos, vamos, que é isso?

— Mau desenhista — continuou Acélio —, mau colorista...

Altamira encolhia os ombros.

— Que é que vai se fazer? Nasci assim...

— Procura numa pseudo-originalidade, no arbitrário e no exótico um refúgio para sua falta de conhecimentos básicos... E se encontra quem o elogia e tolera é porque estamos numa terra de botocudos. Era o que eu tinha a dizer.

Voltou-se para as duas mulheres, enxugando a testa com o lenço.

— Peço perdão se me excedi.

Eunice esforçava-se para manter a calma, para dizer alguma coisa de espírito que se adaptasse às circunstâncias.

De repente, como se só então tivesse descoberto a existência de Eugênio lá no canto afastado, Filipe lhe perguntou, brincalhão:

— E você com quem fica, Genoca? Com Mussolini ou com Stálin?

E Eugênio se surpreendeu a repetir as seguintes palavras que ouvira uma noite dos lábios de Olívia:

— Antes de Mussolini e de Stálin já existiam as estrelas e depois que eles tiverem passado elas ainda continuarão a brilhar.

Eunice voltou a cabeça para o marido e ficou a contemplá-lo com a testa franzida, cheia de surpresa.

15

Ele estava numa rua sombria, parado à calçada, olhando o desfilar das meninas dum orfanato. Eram criaturinhas pálidas, apagadas e tristonhas, vestidas de pelúcia xadrez, com grosseiras meias de algodão a cobrir-lhes as pobres pernas magras. Iam de duas a duas, as mais moças nas primeiras filas, formando uma escada que subia, até se sumir no céu da noite. Eugênio sentia uma indefinível aflição. Sempre tivera pena das meninas sem pais, queria acariciar aquelas cabeças, mas alguma coisa lhe imobilizava os membros. Na freira que comandava as meninas ele reconheceu a mãe: uma cara de cera, imóvel, como a que vira no caixão, entre flores. Quis gritar para avisá-la de que ele estava ali. As meninas caminhavam e já não eram mais orfãzinhas e sim anjos, mas nem mais anjos continuavam a ser, pois uma perversa mão lhes aparara as asas com a tesoura com que o pobre Ângelo cortava as suas fazendas. (Estava enferrujada, havia anos se achava debaixo da terra com o cadáver do alfaiate.) As meninas do orfanato pararam e Eugênio viu que a primeira da longa fileira era a sua filha. Como estava triste de vestidinho xadrez e de meias de algodão, como tremia de frio! Dava a mão a uma companheira que ainda era ela, que tinha os olhos dela, as feições dela, a mesma altura e se chamava Eugênia. Anamaria e Eugênia, de mãos dadas, tiritando de frio e de tristeza. Pobres meninas de orfanato! Eugênio quis correr para salvar a filha e para se salvar a si mesmo, porque de súbito ele sentia que alguma desgraça muito grande ia acontecer. Pensou em precipitar-se para a fileira, mas que força maléfica era a que o prendia? De novo as meninas começaram a caminhar e se perderam na noite cinzenta, na noite fria.

Eugênio acordou angustiado. Ficou ruminando o sonho por alguns instantes. Acendeu a luz, olhou o relógio de cabeceira: quatro horas da manhã. Ergueu-se, ainda tonto, enfiou os chinelos e foi até a janela. A noite estava clara e estrelada. Havia silêncio no quarto contíguo, onde Eunice dormia. E de repente, ainda com restos da névoa do sono a lhe embaciar a mente, teve a sensação de que se achava sozinho no mundo e de que aquele silêncio havia de continuar indefinidamente. Teve vontade de gritar, de acordar alguém... Abriu a janela. O vento fresco da noite bateu-lhe no rosto, nas mãos, no pescoço. Era tolice pensar aquelas coisas. Foi até o banheiro, molhou a ponta da toalha em água fria e passou-a pelo rosto, apertou-a contra as pálpebras, demoradamente. E de repente, como quem defronta um fantasma ou um velho inimigo temido, deu com a própria imagem no espelho. Apesar da intensidade da luz, a princípio uma espécie de nuvem se interpôs entre seus olhos e o vidro. Depois a nuvem se dissipou e Eugênio pôde ver-se com os cabelos em desalinho e uma expressão de espanto nos olhos. Ficou a se mirar por algum tempo, como que fascinado. O "outro" lhe fazia perguntas, exigia satisfações. Tinha sido em vão todo o sofrimento de Olívia? Anamaria continuaria na vida sem mãe, sem pai, sem amparo? Onde estavam os protestos de regeneração? O que havia por enquanto era a deplorável covardia duma pobre carne sem vontade que amava o conforto e se negava a desprender-se das coisas que lhe proporcionavam gozo, bem-estar.

E Eugênio, olhando em torno do coruscante quarto de banho de ladrilhos brancos e amarelos, surpreendeu-se de ainda estar ali, naquela casa, de continuar a ser o marido de Eunice Cintra, o genro de Vicente Cintra. Os últimos dias haviam passado num atordoamento. Ele não conseguia ver claro. Tinha de libertar-se. Mas como? Quando? Por onde? Não podia fugir como um criminoso, precisava dar uma explicação, uma justificativa. Havia a fábrica, o consultório, e, fosse como fosse, devia consideração a Eunice. Às vezes se envergonhava da própria fraqueza que permitia aquela indecente protelação. Para apaziguar a consciência, preparava a fuga. Punha em dia os papéis do escritório, pensava em desmontar o consultório, liquidava contas particulares. Mas o difícil, o insuportavelmente difícil seria falar a Eunice, contar-lhe tudo. Sabia que, no fim de contas, incrédula, o menos que ela podia fazer era rir de seus românticos propósitos de regeneração. Previa também a natural reação do sogro. Primeiro julgaria que se tratava duma brincadeira de mau gosto. Depois, havia de invocar mil razões teóricas e práticas: a sociedade, a reputação de Eunice, a divulgação do desquite pelos jornais, a exploração dos inimigos, a maledicência a inventar razões que não existem...

Eugênio acendeu um cigarro e desceu para o *living-room*. Abriu um livro, tornou a fechá-lo em seguida. Deitou-se no sofá, pôs o cigarro nas bordas do cinzeiro, fechou os olhos, procurou recapturar o sono. Tornou a lembrar-se do sonho: Anamaria na fileira das meninas do orfanato... Sim, aquele seria o seu destino natural, pois ela não tinha pai nem mãe. A mãe lhe morrera e o pai talvez nunca chegasse a estar realmente vivo.

O silêncio persistia, agora mais pesado, morno e escuro. E de inopino Eugênio sentiu a presença de Olívia na sala. Quem primeiro a percebeu foi seu coração, que começou a bater com mais força. Olívia se achava sentada a seu lado, no sofá. Mas ele estava apavorado, porque sabia que Olívia tinha morrido, ele próprio vira seu caixão descer à terra. Agora mal lhe discernia as feições, era como naquelas noites em que os dois ficavam em silêncio frente a frente no quarto dela, a luz apagada, o luar entrando pela janela. O medo o abafava, ele procurava convencer-se de que estava sonhando. Havia pouco tinha um cigarro nos dedos, pusera-o depois no cinzeiro. Se o cigarro ainda estivesse ali, seria uma prova de que não estava sonhando. Olhou... Viu imprecisamente a chama da brasa do cigarro. Sim. Estava acordado. E Olívia continuava a seu lado, ia dizer-lhe alguma coisa. Um calafrio lhe percorreu o corpo. Quis falar primeiro, gritar que ela tivesse confiança, pois ele não havia de abandonar Anamaria. Porque agora compreendia que Olívia tinha voltado para lhe pedir contas. Perdão! — esforçava-se por dizer. — Perdão! Mas a voz não lhe saía. Foi então que viu que a luz do *living-room* de novo se achava acesa e que ele estivera mesmo a dormir. Tinha sido um pesadelo. Adormecera com o livro em cima do peito. O cigarro ardia ainda nas bordas do cinzeiro.

Com o rosto molhado de suor Eugênio levantou-se, foi até a cozinha, bebeu um copo de água gelada e depois passou pela testa, pela face e pelo pescoço um pequeno cubo de gelo.

Subiu a escada, entrou no banheiro, despiu-se e tomou uma ducha fria, demorada, procurando fazer que ela lhe varresse do corpo o sono e do espírito os pensamentos sombrios.

Estava agora ali no terraço, olhando a noite com uma sensação de frescura na epiderme e uma grande lucidez de ideias. Brilhavam no céu as estrelas de Olívia. Havia um mistério no mundo. Seria que os mortos voltavam? Na sua infância ouvira histórias de casas assombradas. Sabia agora que existiam consciências assombradas.

Os tanques da Hidráulica pareciam grandes chapas de alumínio. Vinha de longe o amiudar dos galos.

E de repente, como se brotasse da madrugada, como se descesse das estrelas, como se subisse da terra molhada de sereno, uma esquisita emoção tomou conta de Eugênio, envolveu-o por todos os lados, provocou-lhe um calafrio, fez que ele contraísse o rosto como se sentisse dor física, que cravasse as unhas nas palmas das mãos. Era uma sensação que não sabia definir. Saudades de Olívia e de Anamaria misturadas com ódio de si mesmo, com a raiva da impotência diante da inexorabilidade da vida.

Tudo depende de mim, só de mim... — murmurou para si mesmo.
— Por que não hei de ter coragem?

A serenidade dos tanques da Hidráulica se quebrou por um instante, pois Eugênio os via agora tremulamente através de suas lágrimas.

Uma necessidade urgente de ver Anamaria imediatamente, como se disso dependesse a vida de ambos, fez que ele se vestisse às pressas e saísse de casa, cauteloso como um ladrão. Eram quase cinco horas. As ruas estavam desertas. Eugênio ouvia o som dos próprios passos na calçada e recordava-se de outras madrugadas, de antigas emoções. Revia-se nas horas mais dolorosas de sua vida e de repente se perguntou a si mesmo se um dia chegaria a encontrar a paz, a grande paz interior que tanto desejava.

Na metade do caminho ocorreu-lhe que para ver Anamaria teria de acordar os Falk e que acordar os Falk às cinco da manhã sem um motivo imperioso seria estúpido. Mas apesar disso continuou a caminhar. Esperaria o clarear do dia no quarto de Olívia. Pensou confusamente em ficar lá para sempre, em não voltar mais para a casa de Cintra...

O jardim dos Falk tinha um aspecto irreal à luz da madrugada. Eugênio abriu a porta devagar e entrou na ponta dos pés.

O tempo passava. Sentado debaixo da lâmpada acesa da mesinha do centro, Eugênio relia as cartas que Olívia escrevera de Nova Itália, as cartas que nunca lhe mandara. E a cada releitura elas lhe ofereciam novas revelações. Era doloroso que só agora ele começasse na verdade a conhecer Olívia. Toda aquela bondade, toda aquela profunda compreensão da vida tinham permanecido escondidas para ele.

No seu egoísmo, na sua cegueira ele não atentara na alma da companheira. No princípio eram amigos, ela o animava, mostrava compreendê-lo. Depois se fizeram amantes e Olívia lhe dava o prazer, resolvendo-lhe providencialmente o problema sexual. Não fazia nenhum alvoroço, não pedia compensações, nem sequer falava em amor. Era uma situação conveniente. Ele simplesmente a usava como quem usa um objeto.

Mas que terá ela visto em mim? — perguntava-se ele. Que terei eu feito para merecer esse amor, essa dedicação, essa fidelidade que continua até mesmo na morte?

Eugênio acariciava as cartas. Havia um trecho que o impressionava, que lhe dava uma grande tristeza:

O inverno aqui é terrível, meu querido. Hoje está um dia chuvoso, a cerração esconde os montes, meus dedos estão duros e eu me sinto inclinada à melancolia. As pessoas que entram em casa trazem nos sapatos o barro dos caminhos. É grande o meu desconforto. Anamaria está com o narizinho vermelho mas parece não sentir frio, pois quer tirar o casaco de lã e sair para o pátio. Uma goteira pinga e a boa velha em cuja casa moramos resmunga na cozinha uma velha canção napolitana. Se não fosse a minha fé em Deus, em ti e no futuro de nossa filha, eu agora estaria triste. Mas eu me recuso a capitular à tristeza. A chuva e a cerração hão de passar e amanhã decerto o sol já estará alumiando as parreiras. Penso em ti. Enquanto as horas passam tu amadureces como as uvas. E sabes? — às vezes me surpreendo a envolver-te a ti e a Anamaria no mesmo sentimento maternal.

Mais adiante:

Nossa filha fez dois anos ontem. Já fala, já faz perguntas e já sabe ficar parada, de cabecinha torta, pensando ninguém sabe em quê. Tenho de lhe explicar que ela também tem um pai, como as outras meninas. Anamaria indaga coisas sobre esse pai que nunca viu mas que já principia a amar. Para ela, pois, tu existes à maneira de Deus: tua filha não te vê mas sabe que "és", sente em mim e de certo modo nela própria a tua existência. Por que será que ainda há homens que não acreditam em Deus? O simples milagre de existir é uma afirmação de Deus.

Eugênio fecha os olhos e vê Olívia e Anamaria em Nova Itália, num dia de chuva. Que estaria ele fazendo à hora em que ela lhe escrevia aquelas palavras? Talvez resfolgasse como um animal nos braços de Isabel... Ou escutasse, indiferente, a voz fria de Eunice e a risada polida e condescendente de Cintra...

Procurar nossa felicidade através da felicidade dos outros — aconselhava Olívia noutra carta sem data. — *Não estou pregando o ascetismo, a santidade, não estou elogiando o puro espírito de sacrifício e renúncia. Tudo isso seria inumano, significaria ainda uma fuga da vida. Mas o que procuro, o que desejo, é segurar a vida pelos ombros e estreitá-la contra o peito, beijá-la na face. Vida, entretanto, não é o ambiente em que te achas. As maneiras estudadas, frases convencionais, excesso de conforto, os perfumes caros e a preocupação de dinheiro são apenas uma péssima contrafação da vida. Buscar a poesia da vida fora da vida será coisa que tenha nexo?*

Ele agora via... Tinha tido apenas a ilusão de viver, mas na verdade andara morto por entre os homens.

O dia mais importante da minha vida foi aquele em que, recordando todos os meus erros, achei que já chegara a hora de procurar uma nova maneira de ser útil ao próximo, de dar novo rumo às minhas relações humanas. Que era que eu tinha feito senão satisfazer os meus desejos, o meu egoísmo? Podia ser considerada uma criatura boa apenas porque não matava, porque não roubava, porque não agredia? A bondade não deve ser uma virtude passiva. No dia em que achei Deus, encontrei a paz e ao mesmo tempo percebi que de certa maneira não haveria mais paz para mim. Descobri que a paz interior só se conquista com o sacrifício da paz exterior. Era preciso fazer alguma coisa pelos outros. O mundo está cheio de sofrimento, de gritos de socorro. Que tinha eu feito até então para diminuir esse sofrimento, para atender a esses apelos? Eu via a meu redor pessoas aflitas que para se salvarem esperavam apenas uma mão que as apoiasse, nada mais que isso. E Deus me dera duas mãos!
Pensei tudo isso numa noite de insônia. Quando o dia nasceu senti que tinha nascido de novo com ele. Era uma mulher nova.

Eugênio levantou-se e foi abrir a janela. O dia começava a clarear.

16

Quando ele ia sair, a filha agarrou-o pela aba do casaco.
— Pu que tu vai imboia, pai? — perguntou. — Pu quê?
Ergueu a cabeça, muito séria, arregalou os olhos, apertou os lábios e assim na ponta dos pés, com uma das mãos abertas com a palma para o ar, era toda ela uma interrogação.
Eugênio acocorou-se e tomou-a nos braços.
— O pai tem de trabalhar...
— Pu que tu tem de tabaiá, pai?
As mãos gorduchas, com covinhas nas juntas, seguravam o rosto de Eugênio.
— Fica quietinha com dona Frida que o pai já volta. Olha... vou te trazer uma boneca. Queres?
Ela sacudiu a cabeça três vezes, mas seu rosto continuou sério. Eugênio mirou-a longamente em silêncio.
— Pai... Onde é que está a mãe?
— Queres uma boneca ou um cachorrinho? — perguntou ele com a voz já velada.
Os olhos de Anamaria não deixavam os dele: eram sérios e profundos como os de Olívia.
— Eu quero a mãe.
— A mãe já vem.
— Onde que ela foi?
— Foi passear.
— Pu que não me levou?
— As meninas devem ficar em casa muito quietinhas.
Apertou-a contra o peito, beijou-lhe os cabelos, a testa, as mãos. Depois ergueu-se dizendo:
— O papai já volta, sim?
Desceu para o jardim. Ao fechar o portão, voltou-se. Anamaria, parada junto da porta, acenava-lhe com a mão.
Como se de repente se lembrasse de alguma coisa, ela gritou:
— Pu que tu não vem dormi com nóis?
Durante todo o trajeto da casa dos Falk ao centro da cidade, a voz de Anamaria perseguiu Eugênio: "Pu que tu não vem dormi com nóis?".
A manhã estava cheia de sol, o céu era dum puro e fresco azul.
É hoje ou nunca — dizia Eugênio para si mesmo. Hoje ou nunca. Custe o que custar.

Avistou o arcabouço do Megatério. Parou como sempre para contemplá-lo. O edifício lhe dava uma vaga sensação de medo.

Eugênio continuou a caminhar. Agora pensava em Isabel. Ela lhe telefonava com insistência, estava-lhe sendo difícil desembaraçar-se dela. Era curioso como de repente as coisas mudavam. Mais que nunca ele via a gratuidade horrível daquela ligação. Era uma traição a Filipe, a Dora, a Olívia e a si mesmo. Devia terminar tudo duma vez por todas.

Quando chegou a casa, encontrou Eunice a ler no *living-room*.

— Bom dia.

— Bom dia — respondeu ela sem levantar os olhos do livro.

Eugênio parou na frente da mulher. Temera aquele instante e agora se achava tomado duma fria calma. Era como nas operações. Antes de vestir a máscara e as luvas era presa do medo — as mãos tremiam, o coração lhe batia em ritmo acelerado, a garganta ficava ressequida e ele sentia o estômago com uma agudeza nauseante. Mal porém pegava do bisturi, voltava-lhe a calma. Era uma dolorosa calma por trás da qual havia nervos retesados que a qualquer momento podiam afrouxar.

Eugênio contemplava Eunice e procurava recapitular naquele breve instante toda a humilhação que ela voluntária ou involuntariamente lhe infligira.

— Que é que há? — indagou ela com ar desligado.

Ele sentiu por uma fração de segundo que estava prestes a fraquejar. Mas dominou-se. Pensara centenas de vezes no que ia dizer, preparara o discurso, colecionara argumentos e agora não sabia como principiar.

— Tenho um assunto muito importante a tratar contigo. Quando podemos conversar? — perguntou, descobrindo de imediato nessa pergunta o covarde desejo de transferir o colóquio para outra ocasião.

— Podemos conversar agora, por que não?

Fechou o livro, marcando antes com refinado cuidado a página que estava lendo.

Sem saber que fazer com as mãos, Eugênio meteu-as nos bolsos do casaco.

— Eunice... — principiou ele, hesitante. Calou-se. E de repente surpreendeu-se a dizer coisas em que não havia pensado antes. — Parece incrível que depois de mais de três anos de casados ainda não tenhamos nenhuma intimidade um com o outro, nenhuma franqueza...

— E achas que a culpa é minha?

Ele sacudiu a cabeça numa negativa.

— A culpa é exclusivamente minha. Eu devia saber que água e azeite não se misturam. Devia compreender que tu... Enfim, foi um erro que nós os dois cometemos... este casamento.

— Agora é tarde — disse ela encolhendo os ombros e tornando a abrir o livro.

— Não é tarde, não, Eunice. Quero te dizer alguma coisa que já devia ter tido a coragem de dizer. Nesta casa sempre me senti como um intruso.

— Por tua culpa.

— Por que por minha culpa?

— Em vez de olhos tens dois espelhos convexos ou côncavos, sei lá! que deformam as imagens. Nunca vês as pessoas como elas são, nunca recebes as palavras com o sentido que realmente elas têm. É o teu maldito complexo de inferioridade.

Eugênio se sentiu desarmado. As coisas tomavam um rumo inesperado e ele perdia terreno. Reagiu, mas sem nenhum ímpeto.

— Não saberás olhar a vida a não ser através de teus psicanalistas? Em vez de olhos humanos não terás nas órbitas dois livros... mil livros?

Eunice sorriu. Estendeu a mão, apanhou um cigarro da caixa de metal cromado que estava numa mesa ao pé do sofá. Eugênio pôde notar que os dedos dela tremiam um pouco ao acender o cigarro. Houve um curto silêncio.

— Em vão eu procurei te curar, Eugênio. Tentei todos os meios. Por fim cheguei até a humilhar-te. Tudo inútil. — Encolheu os ombros. — Confesso-me fracassada.

— Resta agora jogar no lixo a cobaia morta. Que é que te impede de fazer isso. Piedade?

Os olhos de ambos se encontraram por um instante, fitaram-se sem pestanejar. Foi Eugênio quem primeiro desviou os seus. Sentou-se — porque tinha de dizer ou fazer alguma coisa.

— Lixo... Piedade — murmurou Eunice. — Sempre a ideia de que te rebaixam, de que te desejam humilhar. E me vens dizer essas coisas com ar de vítima, de mártir, como se fosses a única parte prejudicada em toda essa desagradável história. — O cigarro lhe ardia esquecido entre os dedos. — Tu te esqueces decerto de que eu também sou uma criatura de carne e nervos. A minha paciência tem um limite e no fim de contas eu também tenho direito a um bocado de paz e de... de felicidade. Pensas que não me foi difícil suportar as tuas desconfianças, as tuas melancolias... as... as tuas suscetibilidades exageradas? — Como que embriagada pelas próprias palavras, ela se exaltava cada vez mais. — Nunca passaste dum insatisfeito, dum desmancha-prazeres, dum egoísta, em suma.

Eugênio a escutava em silêncio, de olhos desviados. Eunice se conteve, levou o cigarro aos lábios e, mais serena, acrescentou:

— Se eu me exaltei foi por culpa tua. Achas que não sou humana. O meu mal talvez seja levar muito a sério essa coisa que se chama boa educação. Há sentimentos vulgares de que uma pessoa bem-educada tem pudor. É uma questão de formação, um sentimento que se herda ou que se adquire com o convívio de pessoas de nosso nível. Não sei se me entendes...

Eugênio sentiu estas últimas palavras como uma agulhada.

— Compreendo perfeitamente. Não temos nada em comum. Tu és uma mulher fina, educada e culta. Eu sou um homem vulgar.

Eunice tornou a sacudir os ombros e baixou os olhos para o livro. Eugênio, porém, sentiu que ela não estava enxergando as palavras impressas na página.

— Interpreta como quiseres as minhas palavras — disse ela. — Mas fica certo de que foste tu que me forçaste a falar assim.

Ele se ergueu. Sentia uma estranha sensação de alívio. Agora podia dizer tudo.

— Pois bem. Isso me torna mais fácil a confissão que vou fazer.

— Há ainda uma confissão?

— Há — retrucou ele quase com raiva. — É que eu fui suficientemente patife para casar contigo sem te amar, só por causa do teu dinheiro.

A testa de Eunice se franziu, os olhos se lhe apertaram e os lábios tiveram uma ligeira crispação.

— Eu era pobre e odiava a pobreza. Este casamento... — as palavras se lhe trancavam na garganta — ... este casamento era uma oportunidade para eu fazer a minha carreira, para...

Calou-se, sufocado. Eunice deixou o livro cair. Fez-se um silêncio pesado ao cabo do qual ela disse:

— Pensas que estás contando novidade? Julgas que com essa "confissão" vais ferir o meu amor-próprio? — Sorriu, apanhou o livro, pôs o cigarro no cinzeiro. — Agora deixa que eu diga por que foi que casei contigo. Foi por uma extravagância e um pouco por pura piedade. E também por piedade procurei curar esse teu complexo lamentável... Era uma obra de caridade e no fim de contas o emprego de marido duma moça rica te era mais vantajoso que o de médico da Assistência Pública. E eu me sentia boa por ter te proporcionado essa oportunidade...

Sorriu vitoriosa.

— Ainda há mais alguma coisa — continuou ele. — Tenho na minha vida outra mulher...

Corou ao dizer essas palavras.

— Todos os homens têm... — interrompeu-o Eunice. — Até os empregados do comércio.

— Uma mulher que me fez compreender o meu erro horroroso e que me deu coragem para procurar corrigi-lo e pensar numa vida decente.

— Isso é romance.

— É a verdade. Ela morreu há duas semanas. Mas só agora é que começo a viver.

Eunice mirou-o com expressão interrogadora.

— Tenho uma filha com ela.

— Uma filha?

Eugênio tornou a sentar-se. Caiu pesadamente na poltrona como se tivesse chegado ao limite de suas forças. O silêncio se prolongou de maneira insuportável. Eunice brincava com o livro e com surpresa Eugênio ouvia-a dizer em voz baixa, como se falasse para si mesma:

— O lamentável é que tivéssemos chegado os dois a esta situação...

Eugênio falou:

— Vou-me embora hoje mesmo. Depois combinarei detalhes com teu pai... Levo só o que é meu, exclusivamente meu... Gostaria que tu pedisses desquite, fica melhor que parta de ti. Podes alegar incompatibilidade de gênios. Ou o que quiseres...

Levantou-se e sem mais uma palavra saiu da sala.

17

Quando Eugênio terminou de contar a sua história, o dr. Seixas coçou a barba intonsa e fitou no amigo os seus olhos azuis de criança.

— Isso até me cheira a história da carochinha — disse ele ao cabo de alguns instantes de reflexivo silêncio.

— E o mais estranho é que para mim mesmo tudo agora parece

também uma espécie de conto de fada... Nem sei como tive coragem para deixar aquela casa...

Seixas se ergueu da cadeira. Estava no novo consultório de Eugênio — duas salas de aluguel barato num edifício modesto.

— Coragem você vai precisar é daqui por diante.

Começou a passear dum lado para outro, examinando os quadros que se viam na parede, parando um momento diante dum armário de vidro onde se enfileiravam instrumentos cirúrgicos.

— Acha que procedi mal? — perguntou Eugênio de repente.

O outro encolheu os ombros e sem se voltar respondeu:

— Você tem trinta e um anos. Deve saber o que está fazendo...

Eugênio se achava um tanto decepcionado. Considerava o dr. Seixas uma espécie de aliado, esperava encontrar nele aplauso e estímulo, mesmo que fosse sob a forma duma cordial descompostura.

O diabo entendesse aquele velho esquisitão!

— Pode ficar certo de que as coisas não se podiam passar de outra maneira. Depois da morte de Olívia, daquela carta que lhe mostrei...

— Claro, claro! — retrucou Seixas, impaciente. — Não estou dizendo o contrário. Você é moço. Eu é que estou mais pra lá do que pra cá... Dizem que os hereges mais danados na hora da morte fazem as pazes com a Igreja. Talvez eu já esteja me preparando para adorar o bezerro de ouro, para vender a alma por trinta moedas de prata... — Soltou uma risada curta e rascante. — Mas quem é que quer uma alma velha e escangalhada?

Calou-se, acendeu um cigarro, seus olhos ficaram pensativos por alguns segundos.

— Genoca, o dinheiro tem uma importância brutal na vida. Eu às vezes penso se não fui uma besta vivendo como sempre vivi... Não tanto por minha causa, porque no fim de contas cada um pode fazer o que bem entender com a carcaça que Deus lhe deu. Mas qualquer hora eu morro. Muito bem, não se perde grande coisa... Mas que vai ser da minha família, da minha velha, da minha filha? Nunca pude manter um seguro, os que cheguei a fazer caducaram... Economias? Nem me fale... Seu Genoca, o dinheiro tem uma importância cachorra!

Eugênio sentia agora um enregelamento interior, uma impressão de vácuo, de desamparo. Era como se presenciasse o desmoronamento dum velho ídolo.

— E se lhe fosse possível voltar? — perguntou. — O senhor teria coragem de seguir outro caminho, de viver de outra maneira?

Seixas botou o chapéu na cabeça.

— Sei lá! Bom. Vou andando. Seja feliz.

— Apareça, doutor.

— Hei de aparecer. Vou lhe mandar amanhã um cliente desses que não têm onde cair morto. É pra você ir se habituando... — Caminhou para a porta e, já com a mão no trinco, voltou-se. — O sacerdócio da medicina, o sublime sacerdócio! — Soltou uma risada. — Sacerdócio uma ova! Pode ser para uma escassa dúzia de malucos como este seu amigo burro e sentimental. Me dá o fogo.

Eugênio apressou-se a passar-lhe a caixa de fósforos. Depois de reacender o cigarro, Seixas continuou:

— Para muitos a profissão médica não passa dum balcão... O que importa é a féria. Você não leu o jornal o outro dia? Um grupo de médicos numa cidade dos Estados Unidos combinou-se pra simular uma operação numa viúva milionária. Inventaram uma doença, botaram a miserável na mesa de operação, abriram-lhe a barriga e fecharam em seguida sem tocar numa tripa. Bumba! A mulher morreu. A conta foi de um milhão ou coisa parecida. Gângsteres! E tudo por causa do dinheiro. — Chupou o cigarro de palha. — Seu Eugênio, ouça o que lhe digo. O dinheiro é uma coisa nojenta. Um sujeito decente não se escraviza a ele.

Abriu a porta e tornou a fechá-la atrás de si com estrondo.

Aquela tarde o consultório esteve movimentado. Os clientes — verificou Eugênio ao tomar notas para o fichário que estava organizando — eram em sua maioria empregados do comércio, funcionários públicos, estudantes pobres e prostitutas. Chegavam quase sempre acanhados, falavam com dificuldade ou então, como a mãe duma criança que engolira um alfinete, desatavam numa loquacidade nervosa e interminável.

Eugênio se surpreendia a tomar pelos pacientes um interesse não só profissional como também humano. Era-lhe agradável ver que alguém de certo modo lhe pedia auxílio, precisava de seus serviços e que se lhe proporcionava a oportunidade de ser útil a outrem. As horas daquela tarde lhe passaram quase despercebidas. Ao escurecer se foi o último cliente. Era um empregado do comércio, sofria do estômago e tinha pavor de câncer.

— Então a coisa não é o que eu pensava, doutor?

— Pode ir descansado — respondeu Eugênio, como se fosse senhor do destino das criaturas. — O seu caso não tem nenhuma gravidade. Venha fazer as injeções aqui, não lhe cobro nada.

— Muito obrigado, doutor, Deus lhe pague.

Às sete horas Eugênio saiu. Ia de alma limpa, com uma curiosa sensação de liberdade a inflar-lhe o peito. Quantas emoções experimentara naqueles dez dias de vida nova! Fora-lhe custoso desembaraçar-se dos laços que o prendiam à vida antiga. Tivera de enfrentar Cintra num diálogo difícil. O sogro lhe viera com argumentos macios... E se eles deixassem as coisas como estavam e esperassem — por exemplo — mais um ano? O tempo às vezes era o remédio aconselhado para males daquela natureza. E se o casal fizesse uma viagem a Buenos Aires ou à Europa?... Essa história de desquite, no meio burguês e cheio de preconceitos em que vivemos... Pense bem, seu Eugênio, você é um moço sensato.

— É inútil. Estou resolvido.

Cintra, vencido, se limitara a fazer um gesto polido. Era um *gentleman*. Só lhe restava discutir os detalhes daquela separação. Um advogado trataria do desquite amigável. O círculo de amigos do casal seria discretamente notificado: incompatibilidade de gênios.

Eugênio esclareceu que levaria apenas o que era seu: roupas, objetos de uso particular, livros. De dinheiro ficaria apenas com o que ganhara na profissão. Deixaria o automóvel, desligar-se-ia da fábrica e dela não queria um real. Ao ouvir esta última condição, Cintra não pôde conter o seu espanto:

— Mas você deve estar doido varrido!

Eugênio caminhava pelas calçadas cheias de gente, rumo de seu quarto. Doido varrido! Nunca estivera tão lúcido em toda a sua vida. Enxergava claro, descobria aos poucos novas perspectivas do mundo. Era certo que viriam dissabores, dias amargos e difíceis... Mas que importava? Tudo que lhe pudesse acontecer nada seria, comparado com o que Olívia sofrera por ele, com a vida obscura e dolorosa de seu pai, com os sacrifícios silenciosos de sua mãe.

Continuou a andar, olhando com esquisito prazer para as pessoas que passavam. Todas elas deviam ter os seus dramas, os seus problemas morais e materiais, as suas pequenas e grandes alegrias. Eram seres humanos. Viviam!

"A vida começa todos os dias." Essa frase lhe visitou a mente durante todo o trajeto do consultório a casa.

Eugênio fazia as refeições com os Falk. D. Frida era uma senhora alta, gorda, loura e grisalha, de olhos cinzentos e nariz adunco; tinha um ar de "Valquíria aposentada", como costumava dizer-lhe o dr. Seixas. Caíra um dia gravemente enferma e Olívia, que então cursava o quinto ano de medicina, tomara conta dela, desveladamente. Restabelecida, d. Frida se tomara de amores pela moça, levando-a para sua casa, e passou a considerá-la pessoa da família. Dera-lhe duas salas independentes e toda a liberdade.

Hans Falk era a exata reprodução do bom tipo alemão explorado pela caricatura: amigo do cachimbo, da salsicha e da cerveja. Gordo, de calva lustrosa, cachaço vermelho e nédio, olhos sonolentos de expressão brincalhona. Nascera em Munique; aos vinte e cinco anos emigrara para o Brasil. Estava agora com cinquenta e cinco. E certas noites, fumando o comprido cachimbo de louça com pinturas que representavam cenas da Baviera, suspirava pelos bons tempos do Vaterland, da velha Alemanha de antes da Guerra, tão diferente do Terceiro Reich de que os jornais lhe davam sombrias notícias.

A sala de jantar dos Falk era simples e asseada, tinha um morno ar de domesticidade. Num aparador de nogueira se enfileiravam grandes canecões de barro com figuras coloridas e inscrições simbólicas. Nas paredes havia paisagens de cidades alemãs (litografias de velhas revistas, emolduradas pelo próprio Falk), um retrato de Bismarck e outro de Hindenburg. Os estores das janelas eram de algodão de saco de farinha com florzinhas amarelas, obra também de Hans, que, ao comentá-la, costumava fazer dissertações sobre a economia no lar, defendendo a tese de que tudo se aproveita.

Naquela noite o velho Hans estava melancólico. Tivera no clube uma violenta discussão com um compatriota partidário do nazismo.

— Puxa diabo! — disse ele. — A gente não fica descansado nem longe da Alemanha. Que tenho eu com Hitler?

— Por que tu vai no clube? — perguntou d. Frida.

Hans baixou a cabeça para o prato e espetou a salsicha no garfo. Eugênio olhou para Anamaria, que, sentada à mesa na sua frente, com um babador amarrado ao pescoço, batia com a colher no prato, gritando:

— Eu quero linguiça! Eu quero linguiça! — E apontava para o prato de salsichas.

— Crianças não podem comer isso — retrucou-lhe d. Frida. — Coma purê de batatinhas, sim?

Eugênio olhou melancólico para o quinto lugar da mesa. Era onde costumava sentar-se Olívia. O prato ali continuava, com o talher, o copo e o guardanapo onde se via bordada a letra O.

D. Frida dizia sempre:

— O lugar da Olívia continua. É como se ela estivesse sempre com a gente.

Se Olívia se achasse ali com eles em pessoa tudo seria duma felicidade completa. Ele ganharia mais coragem para continuar no seu trabalho, Anamaria teria uma mãe, a vida oferecer-lhe-ia uma face mais risonha e desanuviada.

Terminado o jantar, Hans sentou-se na cadeira de balanço (feita por ele próprio) e acendeu o cachimbo. A criada retirou os pratos da mesa e d. Frida deu um livro de gravuras a Anamaria.

Eugênio dirigiu-se para a sala de visitas que fora de Olívia e que agora ele ocupava. Tudo ali continuava como no tempo em que ela era viva.

Mas Olívia estaria realmente morta? — perguntou-se Eugênio a si mesmo. Sentia a presença dela nas suas próprias palavras, nos olhos de Anamaria, nas saudades dos Falk, no aspecto e no perfume daquela sala e principalmente nas cartas que ela lhe deixara.

Olívia de certo modo estava viva. A sua memória o acompanhava por toda a parte. O doloroso era que essa maneira subjetiva e espiritual de existir não lhe bastava. Talvez ele fosse grosseiramente materialista. Havia momentos — como aquele agora de silêncio e de solidão — em que ele desejava ter Olívia ao alcance de suas mãos, senti-la na epiderme, aspirar o perfume de seus cabelos, ouvir-lhe a voz profunda e envolvente. As horas de solidão eram as horas de perigo. De manhã havia o sol, as visitas aos doentes, os ruídos da casa e da rua — coisas que lhe ocupavam o espírito. À tarde, o consultório, o desfile sensacional, as surpresas que lhe ofereciam os clientes e uma certa volúpia que ele começava a sentir no enfrentar a vida, no oferecer-lhe batalha em campo aberto. Mas à noite, na quietude do quarto, temia a visita do medo, pensava no futuro, lembrava-se do conforto e das facilidades da vida antiga.

Sentou-se no sofá, acariciou-lhe o estofo, num vago desejo físico de mulher. Os minutos se passaram. Pensou em Eunice, em Filipe, em Isabel, em outras pessoas que conhecera durante o tempo em que fora "genro do velho Cintra". A vida lá no outro mundo continuava. Não havia dúvida que era agradável, fácil, deslizava macia e mornamente sem atritos nem solavancos. Não fosse a maldita consciência que Deus nos dá. Deus... Mas no fim de contas, Deus existia mesmo? Talvez existisse e um dia Se lhe revelasse, trazendo-lhe a paz definitiva.

— Genoca! — era a voz de d. Frida. Ela fazia um esforço comovente para se familiarizar com o hóspede. — A Anamaria diz que não dorme sem o papai dela.

Eugênio foi até o quarto de dormir dos Falk. Anamaria estava deitada na cama do casal, com a chupeta na boca. Tinha adquirido o hábito de dormir segurando na orelha do pai. Quando o viu, choramingou:

— Pai, eu quero a tua olelha.

Ele se deitou ao lado da filha, tendo o cuidado de conservar os sapatos fora da cama. O quarto estava em penumbra. Anamaria segurou a ponta da orelha do pai.

— Eu vou te comprar um burrinho.
— Pa quê?
— Pra tu dormires segurando na orelha dele.
— Não precisa. Eu tenho tu.

Eugênio sentia no rosto a respiração morna da criança. Anamaria cheirava a leite e a banana.

— Bai? — fez ela, piscando.

Quando dizia *bai* com voz arrastada em vez de *pai*, era porque o sono já lhe tinha jogado areia nos olhos.

— Que é?
— Conta uma história.
— Oh! O pai não sabe. É hora de nenê dormir.
— Conta, pai, aquela do porco.
— Está bem. Era uma vez um porco. — Eugênio falava num cicio. — O porco foi no mato. — Calou-se, vendo a menina de olhos fechados.
— E depois? — resmungou ela, sem abrir os olhos.
— Ah! No mato tinha um cachorro. O cachorro mordeu a vaca...

Era a história de todas as noites. Nunca chegava a terminá-la. O sono arrebatava-lhe a ouvinte, prometendo-lhe decerto as histórias mais bonitas dos sonhos. — E a vaca...

— A vaca fez buuu... — completou Anamaria.

Depois, silêncio.

Passaram-se os minutos. Eugênio se perdeu nos próprios pensamentos. E, quando verificou que a filha caíra no sono, ergueu-se com cuidado e saiu do quarto na ponta dos pés.

Naquela noite releu ainda as cartas de Olívia. Dizia uma delas:

Já pensaste na importância social que os médicos têm e no enorme trabalho que ainda está por fazer em matéria de higiene?

Às vezes eu me pergunto se por estarmos parados a cuidar apenas de nós mesmos, não somos um pouco culpados da miséria e da desgraça que anda pelo mundo.

Consola-me a ideia de que num dia que não estará muito longe um de nós comece um trabalho sério nesse sentido.

Na carta datada de 5 de maio havia este trecho:

Quando aprendi a te conhecer, vi em ti uma criatura que amava a vida mas não a vivia integralmente, um ser que possuía grandes qualidades humanas em potência mas que não era ainda humano. Pelo que me contaste de teu passado, senti que te haviam humilhado, que tua alma tinha sido desfigurada, torcida, violentada e que teus olhos se habituaram a olhar a vida com desconfiança e quase rancor.

Numa carta escrita em princípio do inverno, Olívia falava em Cintra, nos seus monopólios e grandes empresas, e continuava:

Viver como certos homens vivem é simplesmente inumano. Procurar a riqueza por amor é fugir da vida. Procurar a paz e a felicidade através do dinheiro é qualquer coisa que se parece com o espírito daquele macaco da história infantil. Deram-lhe um bocado de leite numa panela e, para ter a ilusão de que tinha a panela sempre cheia, o macaco punha o leite a ferver para que a espuma crescesse e transbordasse.

Não tenho nenhuma prevenção contra os ricos, seria tolo se tivesse. Há os que sabem empregar humanamente a sua riqueza. Elogiar a pobreza seria também doentio. O mundo foi feito para que todos nele tivessem um lugar decente. Não há nada que melhor ilustre a moral egoísta de certas criaturas do que a fábula da cigarra e da formiga. Parece que a cigarra leu o Sermão da Montanha e quis imitar os lírios do campo. Passou o verão a cantar, ao passo que as formigas trabalhavam e mais trabalhavam como os homens que, à maneira desse teu amigo Lobo, vivem às cegas, só pensam em dinheiro, esquecidos de que são mortais e de que existe o sol, os campos e as cigarras. O ideal, meu querido, seria um mundo em que cigarras e formigas vivessem em harmonia inteligente.

Estas são coisas que penso e que nunca quis te dizer, preferindo fazer que as sentisses por ti mesmo. Porque só valem as experiências que fazemos com a nossa própria carne. Pode ser que tudo isso seja apenas um grande sonho. Mas sonhar também é humano.

Eugênio dobrou cuidadosamente as cartas e guardou-as.

Ergueu-se. Eram nove horas. Quando ia tirar um livro da estante, o telefone tilintou. Chamado urgente. Apanhou o chapéu, a maleta, e ganhou a rua.

18

— Eu não compreendo, Eugênio, não compreendo. Tenho ficado quase maluca pensando...

Isabel olhava para ele com olhos ansiados; a ruga no sobrolho marcava o seu esforço para decifrar o enigma.

— Quando Filipe me contou que vocês iam se separar, me deu uma tontura... Acho que fiquei branca, pensei que tinham descoberto que nós... que... nem sei quanta coisa me passou pela cabeça naquele momento...

Eugênio olhava fixamente para o cálice de vinho do Porto que pedira apenas como pretexto para ocuparem a mesa por alguns instantes. Estavam no fundo duma casa de chá, àquela hora quase deserta. Ele relutara muito em concordar com o encontro. Isabel insistira, telefonara-lhe repetidamente. Ele achara melhor vir para matar de vez o assunto.

Houve um demorado silêncio. Eugênio continuava de olhos baixos.

— Diga o que é que há — pediu ela.

Ele levantou os olhos. A insistência de Isabel não lhe dava raiva, dava-lhe pena. E através desse sentimento de piedade ele desprezava o outro Eugênio, o que fora suficientemente cínico, vaidoso e sensual para fazer-se amante da mulher dum amigo.

— Há apenas isto: eu estava cego e agora vejo claro. Nós não podemos continuar como antes. É horrível...

— E por que é que só agora você vê que é horrível?

— Eu já disse que antes estava cego.

Ela sacudiu a cabeça num movimento nervoso, a expressão de seu rosto era a duma pessoa ansiada que procura em vão enxergar através dum nevoeiro.

— Mas não compreendo, não compreendo... Há tantos meses que nós... E só agora... não! Por favor, Eugênio, diga a verdade...

— Eu disse a verdade.

Isabel levou o cálice aos lábios. A mão lhe tremia.

— E por que foi que vocês se separaram?

Ao fazer a pergunta avançou a cabeça quase agressiva, como quem joga a cartada definitiva. Eugênio desviou dela o olhar e fitou-o no vácuo.

— Ora... É uma história muito comprida.

— Você não está sendo sincero.

Ele mudou de tom.

— Pense no seu marido, Isabel, pense na sua filha.

— Só agora é que você diz isso?

— Não... Só agora é que tenho coragem de pensar nisso.

— Por que não tem a coragem de dizer que se aborreceu de mim? — A voz dela era velada, quase rouca. — Não pense que vim lhe pedir pra voltar, não desci tão baixo assim. Mas queria ao menos uma explicação... uma...

Os olhos de Isabel ganharam um brilho líquido e de repente ela se calou. Quando tornou a levar o cálice aos lábios, Eugênio teve a perfeita impressão de ver uma criança que, choramingando, toma o remédio amargo, forçada pelas ameaças dum mais velho.

— Olha aqui, Isabel — disse ele com brandura. — Pensa bem. Não achas que cometemos um erro e que ainda é tempo de evitarmos que ele tenha consequências sérias? Tua filha está moça... seria tão doloroso para ela se...

Calou-se antes de formular a hipótese desagradável. Quis falar também em Filipe, lembrá-la de que ela o podia ainda reconquistar. Anteviu, porém, o ridículo da situação. Temia tomar ares de pregador protestante. Depois de tudo que acontecera isso seria positivamente grotesco.

Acendeu um cigarro. Isabel continuou a bebericar o seu coquetel, os olhos úmidos fitos no amante com uma expressão atônita. Era uma criatura desamparada — pensava ele —, sem ideais, sem fé. Tivera educação medíocre, nunca abria um livro — ele sabia —, folheava apenas revistas, mas gostava mais de figurinos que de revistas. Filipe lhe contara o seu noivado com Isabel. Fora um idílio de romance. Nos primeiros anos de casamento, ambos haviam lutado, lado a lado. Ele era pobre e ambicioso, acabava de ganhar o diploma de engenheiro, procurava tomar pé no mundo. Tinham passado horas amargas, enfrentando juntos situações difíceis. Filipe trabalhava formidavelmente, fazia progressos, subia aos poucos. Vieram melhores dias. Dora nasceu. Festejou o décimo aniversário já numa casa confortável, numa festa brilhante, com muitos convivas. Depois, à medida que Filipe prosperava social e financeiramente, as relações dos Lobos na alta-roda se alargavam. O casal fez viagem aos Estados Unidos, de onde Filipe voltou cheio de planos, obcecado pelas manias americanas de racionalização, organização, embriagado pelo colossal. Seu nome e retrato apareciam nos jornais, eram entrevistas em que ele externava impressões da América do Norte e formulava planos para o futuro. Mme. Lobo dava recepções. Mme. Lobo fazia parte de comitês de caridade. Mme. Lobo era dama da primeira sociedade da metrópole. O dr. Lobo ia construir o maior arranha-céu da América Latina. O dr. Lobo trabalhava quinze horas por dia. O dr. Lobo tinha desmedidas ambições, faltava-lhe tempo para ser humano. Esquecia-se da mulher, esquecia-se da filha. O Megatério exigia-lhe cuidados paternais. Erguer aqueles trinta andares era quase o mesmo que construir um império. Mme. Lobo olhava com temor a aproximação dos quarenta anos. Os seus chás e *garden-parties* e obras de caridade não conseguiam apaziguar-lhe aquele receio que a trazia inquieta. E um dia, na casa dos Cintras, um aperto de mão mais demorado, um olhar mais quente e longo...

Eugênio pensava essas coisas olhando para Isabel. Com que limpidez compreendia tudo, como era maravilhosa a visão que agora tinha das coisas...

Isabel depôs o cálice na mesa e, com alguma relutância, perguntou:

— Então não há outra mulher?

Eugênio hesitou um instante. Contar-lhe a verdade seria complicar a situação, aumentar a miséria de Isabel, que não acreditaria na sua história. Olívia para ela não passaria dum mito. Sacudiu a cabeça negativamente.

— Podes ficar certa de que não há.

— Então... tudo acabado?

— Tudo acabado.

Isabel se levantou. Eugênio fez o mesmo. Entreolharam-se por um instante.

— Adeus.

Apertaram-se as mãos.

— Adeus.

Depois de alguns minutos, Eugênio pagou as bebidas e saiu. Comprou um jornal no primeiro estande, abriu-o e procurou a página dos pequenos anúncios. Lá estava a nota que mandara publicar. "Deseja-se saber o paradeiro de Ernesto Fontes. (Seguiam-se os sinais.) Quem der uma informação segura ao dr. Eugênio Fontes, rua da Paz, 675, receberá boa gratificação." Mandara ler aquelas mesmas palavras nas estações de rádio locais. Havia de achar Ernesto, custasse o que custasse.

Olhou o relógio. Duas horas. Tinha de ir ao consultório. Entrou num bonde. Não podia esquecer a expressão do rosto de Isabel. Ela sofria, devia ser a dor do orgulho ferido, do abandono e — quem sabe? — do remorso. E tudo por causa dele!

A sala de espera do consultório já estava cheia. Eugênio tirou o casaco, vestiu o avental branco, lavou as mãos e disse à empregada que mandasse entrar os clientes pela ordem. Começou o desfile. Naquela tarde foi particularmente doloroso. Três homens e duas mulheres com doenças venéreas. Estavam amarelos e abatidos, tinham um ar de miséria e vergonha. Eram todos jovens, com a exceção de um dos homens, que devia já andar pelos cinquenta. Confessou muito constrangido que era casado, tinha filhos, não sabia como acontecera aquilo...

E, enquanto lhes fazia curativos e os animava com palavras, Eugênio pensava no que a carne tem de perecível e de frágil. O cheiro do iodofórmio enchia o ar, entrava-lhe pelas narinas, dando-lhe uma impressão de doença e irremediável sordidez. Aquela noite ele precisava de estrelas, de muitas estrelas para se convencer de que ainda havia esperança no mundo.

O sexto cliente foi uma menina franzina, de olhos assustados, que entrou em companhia do pai. Este último disse chamar-se Anaurelino Mendonça. Queria saber se a filha ainda era virgem. Tratava-a com brutalidade, chamava-lhe sem-vergonha. Ela chorava.

— O senhor não adianta nada tratando-a assim — disse-lhe Eugênio.

— Mas ela é uma sem-vergonha mesmo, doutor. Que é que tinha de andar fazendo essas bandalheiras como mulher à toa? Olhe, doutor, tinha tudo em casa, não faltava nada. Isso é assanhamento, essa sem-vergonha, não sei por que não morreu quando teve tifo...

O exame foi rápido. Eugênio olhou para o pai longamente, hesitante.

— Então, doutor? É moça ou não é moça?

Ele sacudiu a cabeça:

— Não é. E o defloramento é recente.

A menina desatou a chorar. Muito vermelho, o pai balbuciou:

— Essa ordinária... essa... — A cólera o engasgou.

Eugênio teve pena da menina.

— Que idade ela tem?

Nenhum dos dois respondeu. A rapariga continuava a soluçar, com as mãos cobrindo o rosto. O pai fungava e mirava-a com olhos torvos. Depois de alguns instantes, dominando-se, pediu:

— O senhor me dê um atestado, doutor.

Eugênio sentou-se à escrivaninha, perguntou o nome e a idade da menina.

— Aurora — respondeu o pai. — Quinze anos. Aurora Mendonça. Tenho até vergonha dela usar o meu nome, essa safada...

Rompeu também no choro, as lágrimas lhe escorriam pelo rosto queimado e ele as enxugava com a manga do casaco.

Eugênio ergueu-se e deu o atestado ao homem.

— E agora, doutor? — perguntou este com ar humilde, quase de súplica. — E agora, que é que eu vou fazer com a menina em casa, nesse estado? — e suspirando fundo, com uma lágrima a lhe pingar no nariz, continuou: — "Ele" é casado, o canalha... Só matando.

As mãos de grossos dedos, que seguravam o atestado, tremiam.

— Quer me fazer um favor? — perguntou o médico.

O homem sacudiu a cabeça, afirmativamente.

— Não maltrate sua filha. Pense bem no que estou lhe dizendo. Ela tem só quinze anos, é uma criança...

— Criança que faz essas coisas, doutor? E depois a desavergonhada confessa que não foi à força...

Eugênio encolheu os ombros.

— Seja como for. A violência só pode piorar a situação. Todos nós erramos. E depois pense que o senhor pode ser tão culpado do que aconteceu como ela. Talvez até mais culpado...

— Essa... ora essa... e o senhor ainda me diz isso?

Os olhos do homem exprimiam estonteada revolta.

Quando os clientes saíram, Eugênio escancarou a janela, sorveu demoradamente o ar fresco da tarde. De certo modo se sentia alegre. Começava a tomar a vida pelos ombros e tentava beijá-la na face, como lhe aconselhava Olívia. Era um beijo de sacrifício que ele dava ainda com alguma repugnância, num desfalecimento de medo, violentando a sua natureza mais íntima. Mas havia nesse beijo um estranho elemento de fascínio. E ele sabia — se sabia! — que um dia, não muito remoto, ele ainda beijaria com amor essa mesma vida incoerente, sórdida, brutal e apesar disso, ou talvez por isso mesmo, bela.

Aquela noite chegou a casa um pouco cansado e melancólico. Tomou um banho demorado, trocou de roupa e dirigiu-se para a sala de refeição. Quando se inclinou para beijar a filha, foi recebido com uma reclamação:

— Tu não trouxe o meu volino, pai!

E de repente ele se lembrou de que, na véspera, Anamaria lhe encomendara um violino bem igual ao de um homem que ela vira tocar na rua.

— Ora... O papai s'esqueceu...

A menina apertou os lábios e pelo seu rosto passou uma nuvem de tristeza.

D. Frida, para quem Eugênio não era mais uma pessoa de cerimônia e sim um novo membro da família, começou naquele instante a censurar o marido. Hans tinha passado a tarde a beber e a jogar com amigos boêmios como ele. Aquilo tinha lugar? Enquanto ele vadiava, os concorrentes andavam na rua trabalhando, aproveitando oportunidades, fazendo bons negócios. Ainda por cima, no fim do mês vinha a conta do bar, uma barbaridade! E no meio do seu discurso, que cada vez se acalorava mais, d. Frida rompeu a falar alemão. De quando em quando Hans erguia a cabeça do prato e piscava um olho para Eugênio.

Anamaria olhava para o pai e murmurava:

— O meu volino... O meu volino...

Eugênio, numa sensação de desconforto, lembrou-se de uma noite, havia muitos anos, em que, à hora do jantar, ele procurava fugir ao olhar do pai. E por breves segundos julgou ver no rosto da filha os olhos do pobre Ângelo.

— O meu volino...

D. Frida deixou o marido em paz por alguns segundos e voltou-se para Anamaria.

— Quietinha, senão o papai fica brabo.

A menina entortou a cabeça com ar interrogador.

— É mesmo, papai?

Eugênio franziu a testa e sacudiu a cabeça afirmativamente. Reconheceu Olívia nos olhos de Anamaria, que brilharam duma luz humana de tolerância e de paz. Era estranho — pensou ele —, era inquietador como os mortos estavam voltando a cada instante.

— Não precisa o volino, não é? — disse ela. — Amanhã tu traz...

Eugênio se inclinou e beijou-lhe a ponta dos dedinhos.

Aquela noite, por volta das dez horas, Eugênio foi chamado para atender um doente na cidade baixa. Voltou a pé às onze menos vinte e passou pelo Megatério, que exercia sobre ele poderosa fascinação. De algum modo aquele edifício se achava ligado ao seu caso sentimental, aos seus problemas íntimos, à carta de Olívia. Sempre que passava por ele, parava para contemplá-lo. O arranha-céu de Filipe crescia cada vez mais. Agora ali estava a subir arrogante para as estrelas, levado — achava Eugênio — não pelo desejo lírico de se aproximar delas, mas sim pelo orgulhoso propósito de dominá-las.

Eugênio levantou a aba do chapéu e ergueu os olhos para os últimos andares. Com uma das mãos no bolso e a outra segurando a valise, ficou imóvel por alguns instantes. Ouviu de repente uma voz de timbre familiar.

— Olha o doutor Eugênio!

Voltou a cabeça e viu Dora e Simão sentados num dos bancos da praça, bem na frente do Megatério.

— Não tinha visto vocês... — disse ele, aproximando-se.

— Estamos conversando... — explicou Dora.

Sem erguer a cabeça, Simão resmungou:

— Faz quase meia hora que nenhum de nós diz uma palavra...

Eugênio contemplou-os em silêncio. O banco ficava debaixo duma árvore. O contorno das folhas se estampava no rosto e no pescoço de Dora num rendilhado móvel de sombra. Ela estava vestida de branco e o seu chapeuzinho de palha negra com abas reviradas lhe dava um ar comovedoramente infantil.

De cabeça baixa, encurvado, braços apoiados nas coxas e mãos entrelaçadas, Simão olhava para o bico das botinas. Devia estar com o pensamento longe, Eugênio bem o conhecia. O rapaz estaria ruminando não só as suas próprias dores como também as dores dos de sua raça e — quem sabe? — as dores da humanidade inteira.

— Por que não senta um pouquinho, doutor?

No tom de voz de Dora, Eugênio julgou descobrir um pedido de socorro. Era um convite sincero. Os olhos dela suplicavam.

— Bom, estou sem sono... — disse ele tirando o chapéu e sentando-se ao lado de Dora. — Estive vendo um doente... — Nenhuma resposta. — Um caso bem grave. — Os outros dois continuavam silenciosos. Simão acendia um cigarro. Ofereceu um a Eugênio. — Não, obrigado.

O Megatério dava a impressão dum tórax de esqueleto descomunal. Através das simétricas costelas de cimento armado, Eugênio via as estrelas. Pela rua passavam bondes e automóveis. O trânsito de pedestres diminuía.

— Que é que você tem, Simão? — perguntou Eugênio com ar profissional. E no instante mesmo em que fez a pergunta não pôde fugir a um sentimento de autoaplauso. Porque falara num tom de voz humano, dando — parecia-lhe — a impressão de quem quer realmente ajudar.

Simão limitou-se a encolher os ombros. Mas Dora não se conteve e contou:

— Hoje na faculdade um professor falou contra os judeus e ele se retirou da aula. Houve muita complicação, parece que ele vai ser suspenso...

— Eu tenho boas relações com o diretor da faculdade, Simão. Se você quiser...

Simão o interrompeu com um gesto de irritação:

— Mas que importa se me botarem para fora? Que diferença faz para o mundo se Simão Kantermann se formar em medicina ou for simplesmente um vendedor de móveis a prestações? O que me dói é a injustiça desse ódio aos judeus. Nós somos homens como os outros.

Estas últimas frases, pronunciadas numa surdina, tiveram no espírito de Eugênio a força dum grito de desespero.

— Como é que os homens podem ser tão cegos, tão cruéis... — murmurou ele, sacudindo a cabeça. E uma voz interior lhe cochichou: Tu também foste cego e cruel.

Dora brincava com a bolsa de couro negro, olhando aflita para o rapaz.

— Nasce um judeu no Brasil neste mesmo instante — continuou Simão — e já cai em cima dele toda a maldição milenar da raça. Por quê? Por quê? Porque ainda continuamos sendo judeus? Mas nós não seríamos mais judeus se não fosse o ódio dos cristãos. Eles nos perseguem, nos torturam... Temos uma tradição, sim. Mas essa tradição já teria desaparecido se não fosse esse inexplicável ódio que nos obriga a atitudes de defesa. Veja bem: de defesa e não de agressão.

Simão jogou longe o cigarro, empertigou o busto e olhou para Eugênio. Era um rapaz de rosto comprido e belo. Tinha olhos escuros e de expressão triste.

— Abra a história. Ela está cheia de gritos de dor e de angústia do meu povo. Negaram aos judeus o direito de ter uma pátria. Eles viveram através dos anos como feras acossadas, alimentaram as fogueiras da Inquisição, morreram sob a espada dos cruzados e mais tarde nos *pogroms* da Rússia, da Polônia e da Romênia... Não leu ainda sobre os horrores dum campo de concentração da Alemanha Moderna? Pois lá vamos encontrar milhares de judeus que estão recebendo o prêmio de seu sacrifício nas trincheiras da Grande Guerra, quando como "soldados alemães" defendiam essa pátria que hoje os renega e expulsa. E apesar de tudo isso, nós ainda não aprendemos a odiar!

Imóvel, o Megatério parecia também escutar. Eugênio olhava para uma estrela de brilho irisado que aparecia bem por cima do último andar. Um vento fresco bulia nas folhagens das árvores, fazendo as sombras dançarem no rosto, nos braços e no peito de Dora.

— Somos uns doentes de justiça. É a nossa grande glória diante de Deus e é o nosso maior mal perante os homens. Temos dado ao mundo notáveis escritores, filósofos, políticos, cientistas. Não obstante todo o bem que fizeram à humanidade, eles continuam a ser judeus. Porque querem? Não. Porque o mundo não lhes permite ser outra coisa. Os cristãos nos odeiam e, no entanto, a nossa raça lhes deu esse Cristo de amor e de perdão. De perdão. Tem graça!

Soltou uma risada que pareceu mais um soluço. Eugênio e Dora continuavam calados.

— Éramos um velho povo de pastores, veja a Bíblia. Transformaram-nos num exército de pequenos comerciantes astutos e às vezes ou quase sempre ignóbeis, porque nos negaram o direito de possuir terras. Há dois mil anos somos escorraçados, vilipendiados, apontados com o dedo, ridicularizados e massacrados. Se fôssemos um povo inferior, já nos teríamos anulado, teríamos ficado refocilando na lama... No entanto, continuamos a dar ao mundo filósofos, sábios, músicos, escritores... Muitos dizem que somos perigosos justamente porque a nossa raça é formada de homens superiores. Mas será lícito, será decente, será lógico esmagar um povo só porque ele tem altas qualidades de inteligência?

— Escute, Simão, o ódio de seu professor é um caso isolado. No Brasil, felizmente, ainda não há preconceitos de raça. Veja, por exemplo, o problema dos negros! Eu acho...

— Mas o senhor pensa que eu não sou suficientemente humano e suficientemente judeu para sentir na minha carne, no meu espírito o sofrimento da carne e do espírito dos judeus da Alemanha, da Romênia, de todo o mundo?

Dora segurou o braço de Simão.

— Não fales assim. O doutor Eugênio é teu amigo.

— Olhe o meu caso, doutor — prosseguiu Simão mais sereno. — Não sou judeu ortodoxo. Rompi com a tradição. Considero-me tão bom brasileiro como o senhor. Mas, às vezes, faço a mim mesmo perguntas assim: eu teria renegado a crença dos meus pais por covardia, por querer fugir a essa marca humilhante de ser judeu? E se eu continuasse a ser visceralmente judeu, não seria assim mesmo um homem, um ente que tem o direito de amar, de possuir uma mulher de qualquer sangue, de respirar este ar, de viver como os outros? É nesses instantes que me vem uma espécie de raiva, um desejo de ser judeu, fanaticamente judeu, e de enfrentar o ódio dos que perseguem o meu povo. Procuro a companhia dos cristãos, naturalmente, não porque seja cristão, mas sim porque sou um ser humano igual a eles. Mas sempre ando perseguido por essa certeza horrível de que, por mais que eu faça, por mais que me esforce nunca deixarei de ser judeu, porque eles, ou outros, não permitirão que isso aconteça. Mais tarde ou mais cedo hão de me lançar em rosto a palavra maldita: "Judeu".

Ergueu-se de repente e parou na frente de Eugênio.

— E por que "judeu" há de ser uma palavra maldita, um insulto, uma vergonha? Dizem que nós matamos Cristo. Mas se os cristãos queimaram Joana d'Arc, a sua santa!

— Fala baixo — pediu Dora.

— Dizem que os grandes capitalistas que infelicitam o mundo são judeus. Mas acontece que eles não são judeus, e sim apenas capitalistas, isto é, uma classe que não tem pátria. Criticam em nós o nosso caráter antinacionalista, no entanto, durante a Grande Guerra, milhares de soldados judeus davam o seu sangue nas trincheiras sob as bandeiras da Rússia, da Alemanha, da Inglaterra... E enquanto essa raça "sem pátria" se estraçalhava nos campos de batalha, os capitalistas que mantinham a fogueira acesa, vendendo armas e munições para as duas partes em guerra, eram sócios entre si, passando por cima de fronteiras e bandeiras...

— É incrível... — murmurou Eugênio, achando-se em seguida estúpido por ter dito uma palavra tão inexpressiva e inútil. Dora contemplava Simão e nos seus olhos havia uma expressão de amor misturada com piedade e medo. Simão tornou a sentar-se. Fez-se um silêncio curto e depois ele prosseguiu:

— Isto se chama pedra. — Bateu com o pé na laje da calçada. — Aquilo ali é uma casa. Um gato é um gato. Mas o trágico é que nos obrigam a ser sempre judeus só para depois nos humilharem e nos desprezarem por isso. E o que mais me dói é a injustiça dessas coisas. Ao mesmo tempo sinto orgulho por ver que, apesar de tudo, a minha gente no fundo conservou a sua grande pureza. E, no dia em que o judeu deixar de ter uma "razão moral", ele desaparecerá como povo. Não existem vinte milhões de judeus no mundo. Os bilhões de seres humanos não judeus em dois mil anos teriam podido eliminar facilmente a "raça maldita" da superfície da Terra, não fosse essa "razão moral".

— Ama a teu próximo como a ti mesmo... — murmurou Eugênio. E ficou pensando no que em seu lugar Olívia teria dito naquelas circunstâncias.

— Aí está — interveio Simão. — Confiscar os bens do próximo, mandá-lo para a fogueira, eis uma bela maneira de amá-lo... Cristo aprovaria essa perseguição aos judeus? Ou será que o judeu não pode ser considerado um "próximo", como qualquer criatura humana?

Os três ficaram em silêncio olhando para o Megatério.

— E o caso de vocês? — perguntou Eugênio ao cabo de alguns segundos.

Dora encolheu os ombros. Simão fez um gesto de desânimo.

— Não tem solução.

Olhou para Dora com apaixonado rancor:

— E eu não sei por que é que gosto dela! — acrescentou, dirigindo-se a Eugênio. — É apenas um monte de carne de forma agradável aos olhos. A cabeça é oca. Tudo o que acabei de dizer, para ela não passa de lenda. Dora não compreende. Não tem a menor noção da existência desse problema. No fundo para ela turco, russo, polaco e judeu é uma mesma raça, sem angústia, sem consciência, sem problemas.

Segurou no queixo de Dora. Seus olhos brilharam.

— Mas eu gosto dela. — Franziu a testa, apertou os lábios. — Como um maluco. Sei que ela pertence a um outro mundo, diferente do meu. Desde o primeiro dia que descobri que a amava, compreendi que a minha vida estava desgraçada e que eu não ia ter mais sossego.

De repente tornaram os três a ficar em silêncio. O Megatério continuava a escutar.

— E que é que vocês pretendem fazer? — perguntou Eugênio.

Simão deu de ombros.

— Veja a nossa situação. Meus pais se opõem ao nosso casamento porque Dora não é judia. Os pais de Dora não querem saber de mim porque sou judeu. Poderíamos casar sem o consentimento deles. Bonito de dizer. Com que dinheiro íamos viver? Sou pobre e, mesmo que conseguisse um bom emprego, seríamos infelizes porque Dora se criou no luxo, habituada a vestidos caros, automóveis, perfumes. E mesmo que por fim, sem outro remédio, o pai dela me aceitasse, que seria de mim? Mais tarde ou mais cedo no mundo de Dora alguém me lançaria em rosto o nome maldito: "Judeu". Nossos filhos seriam desprezados pelos judeus e olhados também com reservas pelos cristãos. Está vendo que beco sem saída? E o pior de tudo é que eu não posso passar sem essa menina.

Tornou a olhar com estranha expressão para Dora.

Eugênio tinha piedade deles, mas não era só piedade — verificava com alegria —, era simpatia humana, era quase amor. Principiava a amá-los como a irmãos mais moços. Amava-os porque eram jovens e infelizes, amava-os porque os via aflitos, amava-os porque sabia que em seu lugar Olívia sentiria a mesma emoção.

— É inacreditável — disse ele — que coisas aparentemente tão pequenas, obstáculos tão fáceis de remover, tenham, às vezes, força para estragar uma vida, duas vidas, mil vidas...

Dora e Simão se entreolhavam com amor. Por alguns instantes esqueceram a presença de Eugênio.

— Vocês acham — perguntou o último — que adianta alguma coisa falar eu com o Filipe? Não posso acreditar que ele não compreenda.

Simão fez uma careta pessimista:

— O engenheiro Filipe Lobo só compreende as criaturas de cimento armado e aço.

Fez com a cabeça um sinal na direção do arranha-céu. E os três ficaram de novo em silêncio olhando para o Megatério.

19

Mas havia dias escuros na nova vida de Eugênio. Surgiam contrariedades e lá vinha a hora em que de repente, estonteado, ele defrontava o outro Eugênio, o covarde, o indeciso, o fraco. Certa madrugada, numa casa pobre de subúrbio, ele se viu sozinho esperando a chegada da morte. O doente perdia o pulso, sua respiração era imperceptível. O sono empanava as ideias de Eugênio, amolentando-lhe o corpo. Ele sabia que nada mais podia fazer, mas não era humano deixar que a pobre criatura morresse ao abandono. Os minutos passavam. Pouco antes das quatro da manhã, Eugênio aplicou no moribundo uma injeção de morfina. Clareava o dia e lá estava o doente ainda vivo, olhos esgazeados, rosto impassível. Dir-se-ia que o fio de vida que lhe restava se concentrara nos olhos miúdos e sujos, que ganhavam um brilho vidrado. A mulher do doente olhava para Eugênio e choramingava:

— Se nós fosse rico o Manuel se salvava. — Eugênio sentia a cabeça em fogo. Foi até a janela e abriu-a com um gesto desesperado.

— Não vai fazer mal p'rele, doutor?

Eugênio não lhe deu resposta. Recebia em pleno rosto o ar fresco da madrugada. Olhou para as luzes da cidade. Pensou no seu quarto na casa do velho Cintra. Poderia estar dormindo tranquilamente àquela hora. No outro dia sairia no Packard para ir à fábrica assinar papéis. À tarde, teria Isabel nos seus braços... Na mesa dos Cintras havia cristais, bons vinhos, comidas finas... Levou a mão à testa. Lembrou-se duma frase de Olívia: "A bondade não é uma virtude passiva". Como era fácil ser mau e como era ainda mil vezes mais fácil ser indiferente! A roda da vida girava e no fim de tudo estava a morte, o silêncio, o aniquilamento. E quem lhe garantia que Olívia do "outro lado" tivesse encontrado o seu Deus e não apenas o apodrecimento e o nada?

— Doutor! — gritou a mulher. — Ele está roncando.

Eugênio correu para o doente e viu que a morte, afinal, chegava.

— Faça alguma coisa, doutor! Por amor de Deus, salve o meu marido!

O doente estertorava, da boca entreaberta lhe saía um ronco horrível.

A mulher acendeu uma vela e tentou pô-la nas mãos do marido. A vela caiu, prendeu fogo no lençol, a chama cresceu. Eugênio abafou o fogo com um cobertor. A mulher, que se atirara no chão, rolava dum lado para outro, gemendo.

— É aviso, ele vai pro inferno... ai meu Deus... ai... é castigo!

Eugênio, a muito custo, aplicou-lhe uma injeção de éter. Dentro de alguns segundos ela ficou absolutamente calma, estendida no soalho. Quando Eugênio se ergueu para examinar o doente, verificou que ele já estava morto.

Chamou os vizinhos, passou o atestado de óbito, disse que voltaria mais tarde, pegou o chapéu e a maleta e foi embora.

No dia seguinte confiou suas dúvidas ao dr. Seixas:

— O que eu não posso compreender, o que nunca perguntei à Olívia, é por que é que, sendo tão bom e misericordioso, o Deus dela permite que na terra haja tanta miséria e tanto sofrimento. E depois a gente fica bestificado diante de certas cenas perfeitamente gratuitas. Por exemplo, essa história que lhe contei há pouco... A mulher vai botar a vela na mão do marido moribundo, a vela cai e prende fogo no cobertor e lá estou eu todo atrapalhado procurando abafar a chama, enquanto o pobre homem morre e a mulher rola no chão aos gritos. Contado, parece mentira.

Seixas encolheu os ombros. Grudado no lábio inferior, pendia-lhe um toco de cigarro apagado.

— Já desisti de compreender a vida — disse ele. — O melhor é não pensar muito e não fazer perguntas. Pra quê? Quando a gente tem uma ferida, faz o possível pra não meter o dedo nela. Você parece que é desses que gostam de escarafunchar nas próprias feridas...

Tornaram a falar em doentes, em médicos, na vida e em Deus.

— Há coisas engraçadas — disse Seixas, acendendo o cigarro. — Quando nós salvamos um doente é costume dizer: "Abaixo de Deus, doutor, eu devo a minha vida ao senhor". Está bem. Não somos nada. Deve haver alguém maior que governa esta droga. Mas quando o doente morre, por que é que tiram Deus do brinquedo e só nos culpam a nós?

Soltou um ronco de impaciência e se foi.

Os jornais daquele dia noticiavam a viagem de Eunice e do pai à Europa. Seguiam para o Rio, de onde embarcariam no *Neptunia*. A notícia esclarecia que o conhecido industrialista ia numa viagem de recreio e de negócios. Eugênio dobrou o jornal e ficou a pensar em Eunice com uma ponta de melancolia. No fim de contas ele de certo modo só trouxera aborrecimentos e dificuldades para a vida dela. Mesmo que ela viesse a amar outro, estaria sempre presa a ele. Era lamentável que as coisas tivessem chegado àquele ponto.

A caminho do consultório naquela tarde, Eugênio ainda pensava em Eunice. Ela era frívola, esnobe, irônica... mas que se podia esperar duma moça que se criara sem mãe, aos cuidados dum pai que apenas queria vê-la instruída e admirada? No fundo, ela não tinha culpa. Ninguém tinha culpa no mundo. Todos andavam às tontas. Pensou em Dora e Simão, lembrou-se de que na véspera vira Isabel de longe, dentro dum automóvel... Tornou a pensar em Eunice. Apesar de tudo tinha dela algumas recordações agradáveis. A lua de mel fora estranhamente deliciosa, cheia de pequenas revelações. Com que facilidade a gente se ilude!

Passou pelo Megatério. Eram quase duas horas da tarde. Os operários trabalhavam freneticamente. Eugênio deteve-se um instante para olhar a obra. Um carro parou junto da calçada e Filipe Lobo saltou de dentro dele.

— Mas homem de Deus! — exclamou. — Por onde tens andado?

Apertaram-se as mãos. A última vez que Eugênio vira Filipe fora poucos dias após o seu rompimento com Eunice. Filipe o procurara para tentar uma reconciliação.

— Aonde vais?

— Ia indo para o consultório.

Filipe tomou-lhe o braço.

— Os doentes que esperem. Se fosse em Esparta eles seriam jogados desfiladeiro abaixo. Vem comigo, vamos subir ao último andar do Megatério. Já estiveste lá? Não? Pois vais ver um espetáculo formidável.

Eugênio deixou-se levar. Atravessaram a rua, entraram no Megatério. Filipe empurrou Eugênio para dentro do elevador de carga.

— Vamos agora ao ponto culminante da cidade!

Enquanto o elevador subia, examinando Eugênio da cabeça aos pés, Filipe perguntou:

— Mas que é que tens feito?

Eugênio fez um gesto vago.

— Trabalhado um bocado.

Filipe acendeu um charuto, tirou uma baforada e segurando o outro pela aba do paletó lhe disse com fingida seriedade:

— Um homem como tu merecia ser jogado lá do último andar para se esborrachar na calçada! Acho que me compreendes, não?

Eugênio sacudiu a cabeça, sorrindo. Agora já não prestava mais atenção ao que Filipe lhe dizia, pois, à medida que subiam, começava a sentir vertigens. A praça lá embaixo parecia pertencer a uma cidade de brinquedo. Os bondes eram vermes rastejando.

Chegaram ao último andar. Ventava forte. Eugênio segurou o chapéu pela aba.

— Vem por aqui.

Filipe estendeu a mão a Eugênio para que ele passasse por uma tábua estendida entre duas vigas de cimento. Com uma sensação de vertigem, Eugênio olhou em torno. Dali de cima se avistava toda a cidade, o rio, as ilhas, as montanhas.

— Não é um colosso? — perguntou Filipe.

Operários passavam com carrinhos de mão cheios de argamassa, despejavam-nos sobre uma rede de finas vigas de ferro, que pareciam os nervos simétricos daquele monstro.

— Quanto tempo falta para terminar o colosso? — perguntou Eugênio.

— Em dez meses, no máximo, estamos tomando champanha na soteia do Megatério! — bradou ele, como se quisesse que o vento levasse a notícia para o mundo inteiro.

Eugênio contemplava a cidade, mudo. Via-a lá embaixo muito chata e silenciosa, coalhada de telhados claros e escuros, cortada de ruas, manchada de arvoredos, com zonas de sol e sombra, pontilhada de coruscações — absurda, indecifrável, comovente.

No alto duma colina branquejava o cemitério.

Eugênio teve um estremecimento quando Filipe lhe apertou o braço.

— Olha só essa paisagem, homem — disse-lhe o engenheiro, estendendo o braço. — Que sensação de vitória a gente tem aqui em cima...

Um avião decolava do rio, alçava-se na direção das montanhas.

— Olha aquele avião, pensa neste arranha-céu, naqueles outros grandes edifícios e em tudo mais que o homem construiu aqui e em outras partes do mundo. — Apertou com mais força o braço do amigo. — Se todos pensassem como tu, a terra ainda seria nua e desolada.

— Mas é preciso um pouco de tudo para fazer um mundo... — retrucou Eugênio, lembrando-se duma sentença muito do gosto do velho professor do Columbia College.

— Sim. Queres dizer que é preciso haver médicos e construtores, advogados e sapateiros, alfaiates e poetas. Concordo. Mas eu falo é na maneira de sentir a vida. Tu te lembras daquele dia em que te procurei para te fazer ver a loucura que tinhas cometido? — Eugênio sacudiu a cabeça afirmativamente. — Quis abrir-te os olhos. És moço, tens vida como o diabo pela frente, podias fazer coisas formidáveis com o dinheiro do Cintra. Só um fraco é que se importa com o que o povo pode dizer. Que é o povo? O povo é aquilo.

Mostrou lá embaixo vultos miúdos e escuros que se agitavam nas ruas e calçadas.

— O povo não pensa, não tem vontade. Palavras são palavras. Pedra é pedra. Pois bem. Tu me vieste com uma lenga-lenga muito sem entusiasmo. Falaste em cegueira, em falta de personalidade, disseste que estavas morto e querias viver de verdade. Vê se isto não é vida. Neste terreno existia uma baiuca colonial de porta e janela. Hoje se está erguendo em lugar dela um arranha-céu de trinta andares. Não é colossal?

— Não digo o contrário, Filipe. Eu te admiro, admiro a tua obra, mas acho... acho...

Filipe mirou-o num desafio.

— Fala com franqueza. Que é que achas?

Eugênio ficou calado por um instante e depois disse:

— Nós somos homens, Filipe, e vivemos quase como máquinas. Essa ânsia de progredir, de acumular dinheiro, de construir, faz a gente esquecer o que tem de humano. Nunca pensaste nisso?... Bom. Não tenho nada com a tua vida.

Olhou para o rio. Uma vela branca passava diante de pequena ilha rochosa.

Filipe soltou uma risada.

— Humano! Essa é boa! Haverá alguém mais humano que eu? — Bateu no peito, mordendo o charuto com fúria. — Tenho ambições, sou um bom garfo, aprecio uma mulher bonita, contribuo todos os meses com dinheiro para obras de caridade, sou vaidoso e tenho vícios. Macacos me mordam se isso não é ser humano!

Eugênio sacudiu a cabeça devagarinho.

— Não me compreendeste, não me compreendeste.

Procurava uma oportunidade para falar no caso de Dora e Simão.

— Olha, menino — prosseguiu Filipe. — Não há nada mais humano do que querer gozar a vida. O mundo é dos ativos, dos que acordam cedo e dos que têm a audácia de dar os grandes golpes. Vocês sentimentais vivem falando em humanidade e no entanto não são humanos. São mais é uma espécie de santos. No fundo, uns frustrados, uns doentes. O mundo não precisa dos doentes. Os doentes são uma pedra no caminho dos sãos. Se eu não construísse esta casa, se fosse um simples empregadinho de escritório ou de loja, acho que teria a impressão perfeita de estar morto. Morto e pobre.

Tirou o chapéu. O vento revolveu-lhe os cabelos. Eugênio acompanhava com os olhos a marcha do veleiro no rio.

— Só há uma verdade — continuou Filipe. — O forte engole o

fraco e para o fraco só há uma esperança: a de fazer-se forte e entrar na competição. Por que é que eu admiro Mussolini e acho que o regime ideal é o fascista, o do braço de ferro? Porque ele não anda com essa conversa mole de santo. Olha só o golpe que a Itália deu na Abissínia. Os teus correligionários choramingaram, falaram em pobres negros massacrados, et cetera. Mas os da minha têmpera pensaram nas belas estradas que Mussolini vai abrir naquela terra selvagem, nos edifícios que vai construir, nas plantações que vai fazer. O massacre durou meses. Mas esses edifícios, estradas e todos os outros benefícios da civilização italiana vão durar séculos e séculos.

Eugênio escutava-o, ainda com os olhos fitos no veleiro, que agora rumava para uma das margens do rio.

— Séculos — murmurou ele. — Séculos. Você já pensou do que lhe pode servir o Megatério depois da sua morte?

— Um homem forte nunca pensa em Deus — retrucou Filipe. — Mas, apesar de tudo, sente que Deus existe. Deus é um grande construtor. Ele saberá compreender os construtores menores...

Ao mesmo tempo que ouvia o amigo, Eugênio tinha também consciência daquela sensação de medo e vertigem, que era como que uma estranha música de fundo para as palavras do engenheiro. O vento continuava a soprar. Os elevadores subiam e desciam. De quando em quando um homem gritava uma ordem ou fazia uma observação.

De pernas abertas, casaco desabotoado, mãos nos quadris, Filipe olhava em torno, fazia perguntas aos operários, dava-lhes instruções. Depois, voltou-se para Eugênio:

— O Megatério — declarou — dá serviço para duzentos e quarenta e cinco homens. Amanhã, estará embelezando a capital, será o orgulho do Brasil. Uma cidade dentro da cidade. É ou não é uma obra formidável?

— Mas precisas saber — redarguiu Eugênio — que não sou contra o Megatério. Seria tolo se fosse. O que eu estou tentando dizer é que ele não é tudo, "tudo", compreendes? Depois que terminares esta casa, hás de querer construir outra, depois outra e mais outra, sempre na mesma fúria. Já pensaste numa coisa?

Filipe encarou Eugênio. Pausa breve.

— Que coisa?

— Na tua filha, na Dora. Quem é que ocupa um lugar maior no teu coração? Ela ou o Megatério?

Filipe soltou uma risada.

— Ora, ora, Eugênio! Duas coisas tão diferentes. Parece pergunta de criança.

— As perguntas das crianças em geral são as que nos deixam mais atrapalhados...

— Mas como é que foste pensar nisso? Dora tem tudo, casa, vestidos, automóvel, perfumes, amigas. Tu compreendes que ela não está mais em idade de andar no colo. Depois, não devemos dar muito mimo aos filhos, criam-se umas nulidades...

— Não fujas do assunto. Bem sabes o que eu quero dizer...

Filipe tornou a encará-lo numa interrogação.

— O judeuzinho atrevido?

Eugênio sacudiu a cabeça afirmativamente.

— Pois qualquer dia eu sei o que vou fazer para acabar com essa história. Não tenho tempo a perder com besteiras de crianças. Se ele insistir, dou-lhe umas palmadas naquele lugar.

Jogou fora o charuto, olhou a curva que ele descreveu no ar, antes de cair para a rua...

— Palmadas não resolvem esse problema.

— Os judeus são covardes.

— São antes de tudo perseverantes... — retrucou Eugênio.

Filipe encolheu os ombros.

— Não gosto deles.

Era um argumento definitivo.

— Judeu é uma palavra apenas. O importante é saber que os judeus também são homens.

— Maus homens, por sinal...

— Eu disse que são homens, e é sabido que existem homens bons e maus.

Filipe botou a mão no ombro de Eugênio.

— Olha, Eugênio, queres saber duma coisa? Esse sujeito não casa com minha filha. Não se fala mais nisso.

— Mas não é questão de falar ou não falar, Filipe. É questão de sentir. Dora gosta do rapaz...

Filipe olhou para Eugênio com ar desconfiado:

— Isso está me cheirando a sermão encomendado. Uma coisa eu te peço, Eugênio. Vive como quiseres, mas não metas as tuas caraminholas na cabeça da minha filha. Enfim, sou pai dela e um pai deve fazer valer a sua autoridade.

— Mas autoridade é uma palavra também... — insistiu Eugênio.

— Estou te desconhecendo. Para as coisas boas não tens essa tenacidade. — Olhou para os lados. — Queres ver o que é autoridade? Escuta só. — Gritou para um dos homens. — Maneco, desça e vá até o café e me traga uma carteira de cigarro Astoria. — Atirou-lhe uma moeda. O homem apanhou-a no ar, fez um sinal de assentimento quase servil e desceu pelo elevador. Filipe se voltou para Eugênio. — Isso é autoridade. Eu mando, ele me obedece. Eu sou patrão e ele é empregado.

— Tu te esqueces de que ele é ainda um homem e que pode dizer não.

— Se ele dissesse "não", hoje mesmo seria posto para fora, perderia o emprego.

— O mundo é grande. Não lhe faltaria trabalho.

Filipe fez um gesto de capitulação.

— Assim não se pode discutir.

Poucos minutos depois, desceram. Ao se despedir de Eugênio, Filipe pediu:

— Não me fales mais nesse caso da Dora, ouviste?

Eugênio olhou o outro bem nos olhos.

— Prometo. Mas tu vais me fazer também uma promessa.

— Qual é?

— Pensar no que eu te perguntei sobre a Dora e o Megatério.

— Besteira!

Filipe fez um gesto brincalhão. Eugênio se foi, achando esquisito que o outro não se oferecesse para levá-lo ao consultório em seu carro.

Naquele dia chegaram aos ouvidos de Eugênio as últimas versões sobre o seu rompimento com Eunice. Dizia-se que ele havia apanhado a mulher nos braços de Filipe — afirmavam uns —, nos braços de Acélio Castanho — garantiam outros. Contavam-se detalhes: o velho Cintra dera duzentos contos ao genro para ele pedir desquite sem fazer escândalo, alegando apenas incompatibilidade de gênios. Outros se inclinavam para histórias de caráter mais picante. A verdade, diziam, era que Eugênio era um impotente sexual e Eunice, por piedade, optara por um desquite amigável em que o verdadeiro motivo da separação ficasse escondido.

Eugênio ouviu os mexericos sem se perturbar. Limitou-se a sorrir e depois que ficou a sós não pôde deixar de se perguntar a si mesmo como lhe fora possível encarar os fatos duma maneira tão desligada, tão superior e serena? Se lhe tivessem contado aquelas infâmias em outro tempo, ele teria sentido dor física, teria ficado num estado de absoluta prostração, numa angústia que se prolongaria durante dias e dias.

Os homens eram perversos — concluiu ele. Mas depois se corrigiu: — Havia homens muito perversos. Não bastariam as misérias reais da vida, aquelas de que ele tinha todos os dias dolorosas amostras na sua clínica? Algumas pessoas achavam um prazer depravado em inventar misérias. Como podia uma criatura de alma limpa andar pelos caminhos da vida? Lembrou-se das palavras de Olívia numa de suas cartas. *Tu uma vez comparaste a vida a um transatlântico e te perguntaste a ti mesmo: "Estarei fazendo uma viagem agradável?". Mas eu te asseguro que o mais decente seria perguntar: "Estarei sendo um bom companheiro de viagem?".* Realmente, os homens em geral eram maus companheiros de viagem. Apesar da imensidão e das incertezas do mar, apesar do perigo das tempestades, do raio e da fragilidade do navio, eles ainda se obstinavam em serem inimigos uns dos outros. O sensato seria que se unissem numa atitude de defesa e que se trocassem gentilezas a fim de que a viagem fosse mais agradável para todos.

Enquanto a seringa fervia e o paciente — um rapaz magro e amarelo — esperava, sem casaco, com uma das mangas arregaçadas, Eugênio chegava mais uma vez à mesma conclusão. A gentileza podia melhorar o mundo. Se os homens cultivassem a gentileza seria possível atenuar um pouco tudo quanto a vida tinha de áspero e brutal.

Eugênio olhava para o braço magro do cliente, mas na realidade só via as imagens de seus pensamentos. A chama do álcool se extinguiu. Eugênio segurou a seringa com a pinça.

Naquela noite, em casa, releu uma das últimas cartas que Olívia lhe escrevera de Nova Itália:

Fiz ótimas relações com um senhor italiano, o dr. Candia. Deve ter perto de sessenta anos, é uma criatura esquisita. Mora há oito anos no Brasil, comprou terras em Nova Itália, tem uma linda vivenda com pomar. Da minha janela avisto sua propriedade. O dr. Candia é um solitário, foge dos homens mas gosta muito dos bichos. Simpatizo com ele. É um tipo alto, forte, corado e o bigode grisalho que lhe escorre pelos cantos da boca lhe dá um ar de vovô bondoso. O meu velho amigo é um grande caminhador, ele em pessoa faz as suas compras, desce à vila e vai de armazém em armazém com um cesto no braço. Vivemos a discutir. Ele é ateu, cético e cínico. Mas simpatiquíssimo! Confesso que quase sempre me embaraço com as suas perguntas inesperadas, que formula sorrindo e cofiando o bigode. Fica me olhando com os olhos muito azuis. Ainda um dia destes, como eu lhe falasse em não violência, ele me propôs o seguinte problema:

— O coronel Tinoco é o chefe político da terra. Muito bem. O coronel Tinoco é um homem mau. Diga-me uma coisa. Se ele mandasse um de seus capangas matar a Anamaria na sua presença, a senhora se manteria fiel aos seus propósitos de não violência e continuaria ainda amando o coronel Tinoco como o seu Deus manda?

Fiquei atrapalhada, é claro, mas ocorreu-me responder-lhe com outra pergunta:

— Não será doentio a gente estar cavoucando desse modo no mundo das possibilidades? E se um cometa se chocar de repente com a Terra? Se dum momento para outro falhar a lei da gravidade?

O dr. Candia sacudiu a cabeça, sorrindo sempre.

— Confesse que a vida é horrível — retrucou ele. — Confesse também que a possibilidade do coronel Tinoco mandar matar a sua filha é menos remota que a do cometa dar uma cabeçada na Terra.

Que velho impossível! Mas gosto dele; apesar de tudo. Trouxe-me um cesto de morangos muito maduros. Disse que era para reparar o mal que me causava com suas perguntas céticas e embaraçosas.

Ontem me apareceu de novo com um cesto de uvas e maçãs. Abriu um jornal, mostrou-me uma meia dúzia de notícias que tivera o cuidado de marcar com um lápis encarnado — roubos, desfalques, guerras, assaltos, chantagens, atos de crueldade — e me disse num tom de mestre-escola:

— O mundo está cheio de criaturas perversas, audaciosas e egoístas que não escolhem meios para conseguirem a satisfação de seus desejos. Muito bem. Que é que a senhora com a sua filosofia de amor, tolerância e boa vontade propõe fazer para libertar o mundo da influência dos políticos sem escrúpulos, dos traficantes gananciosos, de todos os males que o afligem? Os patifes usam da violência. Que fazeis vós, os pacifistas? Cruzais os braços e ficais na contemplação de Deus?

Sacudi a cabeça numa negativa vigorosa, convidei o dr. Candia a sentar-se, tomei dum lápis e duma folha de papel, disposta a lhe mostrar que o meu plano de campanha nada tem de vago, passivo ou fatalista.

Congregar os homens de boa vontade partidários do pacifismo e determinar a cada um a sua tarefa, tendo em vista que todos, desde o artesão mais *humilde até o intelectual mais reputado, podem prestar serviços à causa dentro do raio da sua atividade.*

Devem-se usar as armas do amor e da persuasão.

Fugir sempre a toda e qualquer violência, mas saber opor à violência uma coragem serena.

Mobilizar todas as forças morais e utilizá-las na guerra à guerra e aos outros males sociais.

Fazer que homens de espírito são, desinteressados e lúcidos subam aos postos de governo e fiquem senhores da situação.

Educar as crianças, procurando dar-lhes desde o jardim de infância uma consciência social.

Procurar influir em todos os meios de publicidade moderna: literatura, cinema, teatro, imprensa, rádio, fazendo o boicote de tudo quanto é mau e vicioso.

Não esquecer que o exemplo individual é uma poderosa arma de propaganda.

Estar disposto ao sacrifício e nunca fugir à luta.

Dar assistência eficiente à infância.

Encher o país de escolas, hospitais e dispensários.

Conseguir aos poucos a socialização da medicina.

O dr. Candia leu estas proposições, sorriu, sacudiu a cabeça devagarinho e acabou dizendo que eu era muito jovem (imagina!) e portanto não conhecia o mundo.

— *Suas ideias não passam dum sonho. A força sempre há de vencer. Não há nenhuma lógica na brutal balbúrdia da vida.*

Retruquei-lhe que, falando com sinceridade, eu não acreditava em que se conseguisse um mundo perfeito, mas por outro lado tinha uma confiança absoluta em que, ao cabo de algumas dezenas de anos de reeducação, uma sensível melhoria de vida se havia de operar. Não só isso: seria também possível obter alguns resultados imediatos bem apreciáveis.

— *Fique então com a bela ilusão* — *concluiu ele, amável.* — *Isso conforta.*

Deu-me um lindo cacho de uvas, duas maçãs, um beijo na testa e se foi.

Eugênio tornou a guardar a carta. Olhou para o retrato de Olívia, que estava debaixo da lâmpada, e estendeu-se no sofá, com os olhos fitos nele. E assim adormeceu... Acordou no meio da noite e imaginou, na tontura da sonolência, que estava em outros tempos; tivera aquela noite Olívia em seus braços, a madrugada raiava e era preciso que ele se fosse, pois a mãe devia estar a esperá-lo em casa, aflita...

20

Uma manhã Simão foi buscar Eugênio a toda a pressa para ir socorrer-lhe o pai, que se debatia numa nova crise de angina do peito. Um automóvel os levou a toda a velocidade à casa de Mendel Kantermann. Era uma casa pequena e úmida, de porta e duas janelas. Logo ao entrar, Eugênio sentiu no ar que respirava a pobreza em que aquela gente vivia.

Deitado de lado na sua velha cama de casal, pálido, encurvado e imóvel, Mendel Kantermann gemia e ofegava. Nos seus olhos, Eugênio reconheceu uma expressão que já lhe era familiar: o pavor da morte.

Ao pé da cama, com a cabeça inclinada, as mãos enlaçadas e o olhar de mártir posto no marido, a mãe de Simão parecia já orar por alma dum defunto. Era uma mulher baixa e roliça, de feições orientais e olhos de ovelha sacrificada. Não dizia palavra. Limitava-se a suspirar de quando em quando. Era a imagem viva do desalento e da dor.

Eugênio quebrou uma ampola de éter amilnitroso e levou-a às narinas do doente, fazendo-o aspirar longamente os seus vapores. Aplicou-lhe em seguida uma injeção de Sedol.

Os minutos se passaram. Eugênio tomava o pulso do paciente. A mulher continuava fechada no seu silêncio de desgraça.

Mendel Kantermann já respirava com mais força. Era um homem de quase sessenta anos, de barba grisalha, pele flácida e muito branca. Seus olhos eram dum azul opaco e triste.

Eugênio bateu-lhe no ombro afetuosamente:

— O pior já passou — disse com jovialidade.

Mendel fez um meio sorriso e ergueu os olhos para a mulher. Eugênio tirou o bloco de notas e a caneta automática e rabiscou uma receita. Arrancou a folha do bloco e deu-a a Simão.

— Mande aviar. Aí está o modo de tomar. Depois do consultório, voltarei.

Quando Eugênio se ergueu, os olhos do doente lhe suplicaram que ficasse. Mendel murmurou qualquer coisa ininteligível que lhe saiu num fio áspero de voz.

— Não tenha medo — tranquilizou-o Eugênio. — Eu volto.

Tornou a bater-lhe no ombro e passou com Simão para a sala de jantar. Olhou o relógio: oito e dez.

— Onde é que eu posso lavar as mãos? — perguntou.

— Mamãe! — gritou o rapaz. — Traga uma bacia com água e toalha.

Dali a um instante a mulher entrou com as coisas que o filho pedira. Tinha um caminhar miudinho, segurava a bacia com um cuidado compungido e triste, como se trouxesse nos braços o cadáver duma criança.

Eugênio fez recomendações quanto à dieta e outras atenções que deviam dispensar ao doente. Ele fumava? Tomava álcool? Fazia algum exercício violento? Precisava muito repouso — repouso absoluto.

A mulher pôs a bacia e a toalha em cima da mesa e retirou-se. Simão acompanhou-a com os olhos e quando a viu desaparecer no outro quarto disse em voz baixa:

— Tem um seio só.

Eugênio ensaboava as mãos.

— Câncer?

Simão sacudiu a cabeça numa triste negativa.

— Antes fosse. Câncer é uma crueldade da natureza. Ela perdeu um seio por causa da crueldade dos homens. — Fez uma curta pausa. Suspirou fundo. — Em 1906, houve na Rússia uma série de *pogroms*. Um cossaco lhe cortou o seio a fio de espada.

Eugênio franziu a testa. Tanta crueldade chegava a parecer ficção. Má ficção, por sinal. A única coisa que lhe ocorreu dizer foi:

— Bom... Em todo caso está viva e a ferida não lhe porá a vida em perigo. Ao passo que se fosse câncer...

Simão se empertigou de repente como se tivesse recebido uma picada de agulha.

— Vida? O senhor chama vida a isto?

Eugênio enxugava as mãos. Sabia aonde essas palavras podiam conduzir aquele diálogo. Simão tinha um prazer mórbido em cavoucar nas próprias feridas. Era melhor mudar de assunto.

— Como vai a Dora?

Mal pronunciara essas palavras, Eugênio compreendeu que tinha entrado por outro portão no mesmo terreno perigoso.

— Vai bem... — disse Simão com ar vago. — Sabe? — perguntou com mais vivacidade. — Um dia eu trouxe a Dora até cá. Queria que ela visse quem são os meus pais e como é a casa em que vivemos. Mostrei tudo.

Puxou Eugênio pelo braço e levou-o ao seu quarto de dormir. Era um cubículo que cheirava a mofo. Nele mal cabiam a cama desengonçada de ferro e uma mesa sem lustro de pernas raquíticas. Livros — brochuras encardidas compradas no sebo — empilhavam-se nos cantos, debaixo da cama e da mesa e no peitoril da janela.

— Olhe — disse Simão. — Mostrei tudo a Dora, não escondi nada. Ela conheceu meu pai, minha mãe, viu bem como eles são. Bichos dum outro mundo... Fiz questão de mostrar que minha gente não tem nada de comum com a gente dela.

Calou-se. Eugênio perguntou:

— E por que você fez isso?

— Por amor da verdade, para que nunca ela possa dizer que eu a enganei.

— Só por isso?

Simão encolheu os ombros.

— Talvez também por certo prazer doentio de torturá-la...

— Como se ela tivesse culpa de pertencer a outra classe...

Voltaram para a varanda. Eugênio fechou a maleta e preparou-se para sair.

Simão postou-se-lhe na frente com ar quase agressivo.

— Doutor, não pense que eu procurei o senhor porque não quero pagar... Quero, sim — afirmou com ênfase.

Eugênio sorriu.

— Mas ninguém está falando em dinheiro.

— Eu estou falando em dinheiro. Não quero que o senhor pense...

— Mas eu não estou pensando coisa nenhuma!

— Preciso deixar isso bem claro. Quero que o senhor mande a conta.

— E se eu não quiser mandar?

Simão não teve resposta imediata. Hesitou um instante e, noutro tom, a voz levemente alterada, perguntou:

— Caridade? — E sorriu com desdém.

Eugênio apanhou o chapéu, constrangido.

— Segundo as praxes correntes — disse ele, esforçando-se para não parecer sentencioso —, quem pratica a caridade se exalta, quem a recebe de certo modo se humilha. Não, não se trata dessa caridade...

— Piedade, então? — tornou a indagar Simão, como quem quer a todo o custo discutir.

— Também não é piedade. Dê a isso o nome que quiser. Espírito de camaradagem, simpatia humana, solidariedade...

Caminhou para a porta.

— No fundo — insistiu Simão, que o seguia —, no fundo sempre uma forma de egoísmo.

É o mal da raça — pensou Eugênio —, a mania de discutir, a volúpia de vestir um escafandro e descer ao fundo de todas as coisas. Mas é que existem lagos rasos. E lembrou-se dum filme de Charlie Chaplin. O herói vestiu traje de banho; armou o salto elegante e precipitou-se no regato, sonhando com um grande mergulho. O regato, porém, tinha apenas um palmo de profundidade e lá ficou Carlitos com os pés para o ar e a cabeça enterrada no lodo.

— A troco de quê havemos de nos atormentar por causa de palavras? — perguntou Eugênio.

Simão arrefeceu. Parecia perceber que o outro, na verdade, não tivera nenhuma intenção de tomar ares protetores.

— Mas é que o senhor vive da medicina, precisa ganhar...

— As minhas necessidades são pequenas, posso viver com pouco. Agora só tenho uma ambição...

Calou-se, como se parasse à beira duma confissão. Simão esperava.

— Bom — desconversou o outro. — Mande aviar a receita imediatamente e não deixe o velho fazer travessuras. Recomende-me à velha. Adeus!

Chegando a casa, Eugênio encontrou lá o dr. Seixas, que estava sentado na sala de jantar de d. Frida com Anamaria em cima dos joelhos. Com as mãozinhas aferradas nas barbas do médico a menina cantarolava:

— Oia o Papai Noel! Oia o Papai Noel!

Seixas ria a sua risada gutural e áspera, sacudia as pernas fazendo a menina saltar como se estivesse sobre o lombo dum cavalo a todo o galope.

— Larga a minha barba, sua bruaquinha!

— Bom dia! — exclamou Eugênio ao entrar. Seixas não respondeu.

— De quem é essa carinha de sapo-cururu? — perguntou ele puxando as bochechas de Anamaria.

— É do vovô — respondeu ela, puxando por sua vez as barbas do velho.

Mas de repente Seixas ergueu-se, pôs a menina no chão e gritou:

— Seu Genoca, arranjei outro abacaxi pra você. Temos que carnear uma rês na Santa Casa.

— Quando?

— Hoje, agora.

— Ventre agudo?

— Direitinho.
Entraram num auto de praça. Seixas contou a história. Tratava-se duma mulher paupérrima, viúva e mãe de cinco filhos. Morava na Colônia Africana e tinha sido durante algum tempo sua lavadeira.
— É uma mulata velha, magra e escangalhada. Mas vamos ver se salvamos ela. Pra quê, não sei...
— Aguentará o choque operatório?
— Olhe... Às vezes esses magros dão cada surpresa na gente!
Depois de curto silêncio, Seixas tornou a falar.
— Seu Genoca, quando será que essa pobre gente que não pode pagar vai ter o seu hospital, a sua assistência médica decente?
Coçou a barba com gesto de irritação. Eugênio recostou-se no banco estofado do carro e disse:
— Talvez um dia tenhamos a medicina socializada...
— Os nossos bisnetos... talvez — rosnou o outro.
— Um grande hospital de urgência com um perfeito serviço de ambulância, todos os recursos da técnica, muitos médicos...
Eugênio estava satisfeito consigo mesmo. Já não lhe custava falar a linguagem humana. Alegrava-se por ver como nos últimos tempos já pensava menos em si mesmo, vivendo mais voltado para fora.
Seixas mordia o cigarro em silêncio, olhando para a rua.
— E quando a medicina estiver socializada — continuou Eugênio — só seguiriam a profissão médica os que tivessem verdadeira vocação. Veríamos médicos com espírito médico...
— Dois malucos sonhando de olhos abertos dentro dum auto de praça...
— Quem sabe? Coisas mais difíceis o homem já realizou.
Seixas cuspiu para fora.
— O homem é um animal cabeçudo. Cabeçudo e mal-intencionado.
— Mas apesar de tudo o senhor gosta desse "bicho", confesse...
— Sou como mulher sem-vergonha que só gosta de homem que dá bordoada nela. Em suma, o tipo do velho errado. — Jogou fora o cigarro. E de repente, atirando-se para a frente, gritou: — Eh, moço! Mais depressa com essa joça.
Voltou-se para Eugênio e prosseguiu noutro tom:
— Ainda há muita coisa errada em matéria de saúde. Ainda ontem me apareceu no consultório uma menina cheia de doenças. Por sinal era bem graciosa, a diabinha! Pensei que fosse mulher da vida. Qual nada! É casada, seu Genoca, casada há dois meses. — Fez uma pausa

211

para acender novo cigarro com seus dedos amarelecidos de fumo e de iodo. — O homem casou cheio de porcarias. Uma barbaridade. O resultado é que ela perde o respeito ao marido e, adeus!, é meio passo dado para procurar um amante...

— E os filhos, se vierem? — perguntou Eugênio. — Nascem doentes, o pai não os saberá educar em assuntos sexuais porque por sua vez não teve quem o educasse. Os rapazes crescem, enchem-se de doenças que vão transmitir no futuro às esposas. E assim por diante numa cadeia sem fim...

O automóvel parou na frente da Santa Casa de Misericórdia. Apearam. O dr. Seixas pagou o chofer. Subiram as escadas apressadamente.

— E tudo por causa dum falso pudor — explodiu Seixas, já meio ofegante, ao chegar aos últimos degraus. — O exame pré-nupcial obrigatório podia cortar essa cadeia.

Entraram no hospital, atravessaram o saguão, começaram a subir a escada que levava ao primeiro andar.

— Convencionou-se que o exame pré-nupcial é uma coisa indecente, imoral...

Chegaram ao primeiro andar.

— Mas é preciso fazer alguma coisa! — berrou o dr. Seixas. Sua voz ecoou no corredor triste. — Alguém tem que começar!

— Mas que é que nós podemos fazer? — indagou Eugênio. — Não temos dinheiro, não temos influência política. Se tentarmos alguma coisa, nos tornaremos suspeitos e correremos o risco de parar na cadeia.

— A vida já é uma cadeia. Mas nós podemos falar, discutir, contar essas misérias ao maior número possível de amigos e conhecidos. Um dia é possível que algum sujeito importante leve a coisa a sério.

Atirou o chapéu num cabide e foi tirando o casaco.

Uma enfermeira se aproximou.

— Mande pra sala de operações aquela sujeita que eu trouxe hoje.

A intervenção durou vinte e cinco minutos e Eugênio foi particularmente feliz. Operou com alegria, divertindo-se com as piadas ocasionais do dr. Seixas, que o auxiliava. Teve a impressão de que estava cortando a carne duma múmia. A pele da mulher parecia pergaminho velho.

— Daqui a dez dias ela está no arroio batendo roupa — profetizou Seixas quando tiraram a paciente da mesa de operações. — São uns

animais! — disse, para esconder a sua ternura. — Tenho outra surpresa para você — acrescentou o velho médico no corredor.
— Boa?
— Boa por um lado, ruim por outro. Está aqui um doente que é seu velho conhecido e que quer ver você...
Eugênio sentiu um desfalecimento, pois a primeira imagem que lhe veio à mente foi a de Ernesto. Quis perguntar de quem se tratava, mas teve medo.
— Aqui — disse Seixas, parando diante duma porta.
Entraram. Era uma vasta sala em que se enfileiravam uma dúzia de camas. Um cheiro pestilencial de corpos suados, fenol e roupas sujas pairava no ar. Estavam deitados ou sentados naquelas camas, homens magros, amarelos e barbudos. Homens? Pareciam antes pertencer a um outro ramo do reino animal, um tipo intermediário entre o macaco e o homem. Em alguns deles só os olhos tinham brilho. Devia ser o brilho da febre. Noutros já os olhos também principiavam a morrer. Alguns gemiam. Outros — os que se aproximavam da convalescença — começavam a sorrir um pálido e horrendo sorriso de dentes amarelos.
Seixas parou diante de uma das camas e perguntou a Eugênio:
— Conhece?
Eugênio olhou, comovido. O doente que o amigo mostrava com a mão cabeluda era um homem calvo, de barba crescida pintalgada de prata, olhos miúdos mas vivos. Tinha um curioso ar de superioridade e se por qualquer estranha razão se tornasse necessário escolher por eleição um chefe para aquela sub-humanidade, via-se logo que os votos, na certa, seriam todos para aquele homenzinho que se achava ali especado entre os duros travesseiros de fronha encardida e áspera.
— Florismal! — murmurou Eugênio. Aproximou-se da cama e apertou a mão do doente, que lhe mostrou os dentes miúdos e podres num sorriso amigo. — Mas que é isso?
Florismal fez um gesto manso com a mão de criança e falou com voz fraca mas digna:
— São voltas da vida, voltas da vida.
Eugênio sentou-se junto dele, fazendo um esforço desesperado para evitar que sua repugnância pelo fartum que o doente e a cama exalavam se lhe traduzisse na expressão do rosto.
— Mas eu não sabia que o senhor estava doente. Como vai passando?
— Estou bem, perfeitamente bem — respondeu Florismal com

voz pausada, como um chefe de Estado que responde aos ministros que vieram saber de sua saúde.

— E o doutor, como vai? — indagou ele por sua vez.

— Não me chame de doutor...

— Oh! O seu a seu dono. — Ajeitou a coberta, abotoou a camisa. — Eu soube da morte dos velhos. — Compôs o rosto numa máscara de compunção. — É a vida, Genoca. Posso chamar você de Genoca? Pois é. A vida às vezes é madrasta.

Seixas aproximou-se da cama, tomou o pulso do doente e fitando os olhos nele, entre agressivo e brincalhão, perguntou:

— Mas no fim de contas quando é que você resolve esticar a canela?

Florismal sorriu e com ar diplomático respondeu:

— Tenho estado parlamentando com a Morte, mas não chegamos ainda a um acordo.

— É. Você vai acabar logrando ela.

Florismal sorriu com orgulho.

— Lábia não me falta. É o que todos dizem.

Depois, ficando sério e assumindo uma atitude profissional, pediu:

— Olhe, doutor, faça o possível para me tirar deste hospital com urgência. Tenho várias causas lá fora esperando por mim. Ouviu falar na morte daquele ricaço, o Ribas? Pois vou pegar o inventário dele... — Furou o ar com a mão estendida num gesto muito macio. — Já combinamos a percentagem, et cetera, et cetera. Desta vez faço a minha independência.

Quando Seixas convidou o amigo para sair, Florismal prendeu a mão de Eugênio na sua e perguntou-lhe quase em segredo:

— Genoca, quem foi Florismal? — Ficou sorrindo numa alvoroçada expectativa.

Imediatamente Eugênio se reviu na casa paterna, com nove anos, diante do dr. Florismal de colarinho duro, casaco de mescla e calças à fantasia. Respondeu comovido:

— Foi um dos Doze Pares de França.

Uma luz de saudades passou pelos olhos do doente.

— Bons tempos — murmurou ele, apertando mais forte a mão de Eugênio e olhando para o teto. — Bons tempos. Mas deixe estar que eles hão de voltar. Ora se hão!

No corredor, quase ao pé da escada, Seixas contou que Florismal teria poucos dias de vida. E, como Eugênio voltasse para ele olhos interrogadores, esclareceu:

— O coração do coitado não vale um níquel.

Uma semana depois, Florismal morreu. Quando um novo dia clareou aquela sala triste, todos os sub-homens continuaram a gemer ou sorrir os seus sorrisos de caveira, todos, menos Florismal, que a morte surpreendera no sono. Seu rosto conservava a expressão de dignidade. Eugênio pagou-lhe o enterro, comprou-lhe uma sepultura modesta. Voltou do cemitério pensando nos seus mortos. Era uma tarde de fim de verão, a luz do sol tinha uma doce qualidade de madureza, o ar era macio e levemente azulado. Eugênio sentia uma calma aceitação dos homens e das coisas. Tudo estava bem e ele não desejava mais nada além da posse daquela paz interior que agora começava a entrever. A morte não o assustava. A sua sede de sucesso parecia extinta. Já não sonhava mais com glórias e principiava a não ter medo da vida. Sentia um desejo de ternura, de bondade, de gestos mansos. Mas sabia também que aquele instante ia passar, que amanhã haveria no ar, na luz do sol e na face das coisas um elemento qualquer de estranheza, de hostilidade que havia de provocar nele outras reações. Viriam momentos de fraqueza e desânimo. Surgiriam dificuldades, motivos de irritação. Os seus nervos seriam mil vezes postos à prova. A dúvida tornaria a entrar-lhe na alma. Mas Olívia ainda estaria na sua memória para ajudá-lo a vencer todas as crises, até que de novo viessem instantes preciosos como aquele de pura aceitação, de harmonia, de paz.

Quando chegou a casa, Anamaria, que estava brincando no jardim, correu a seu encontro e pendurou-se-lhe ao pescoço.

— Que foi que tu me trouxe?

— Um beijo.

— Ora! Beijo não quero.

Eugênio inclinou-se e deu-lhe um beijo estralado nas bochechas e depois, erguendo-a nos braços, olhou-a bem nos olhos. Anamaria estava ainda fresca do banho e sua pele exalava um perfume suave de sabonete. Eugênio contemplou a cara redonda e séria, de franja negra, úmida e lustrosa. E naquele minuto sentiu mais que nunca o quanto amava aquela criaturinha que acontecera em sua vida como um milagre. Era um sinal de Deus — como lhe dissera Olívia.

Entrou em casa com a filha nos braços.

Toda risonha e alvoroçada, d. Frida veio contar a Eugênio a última proeza da afilhada. Estava vermelha e saltitante, juntava as mãos num gesto de quem vai orar e dizia:

— Venha ver, venha ver o que é que a engraçadinha fez. Venha ver uma vez.

Arrastou Eugênio até a copa e, junto duma mesa esmaltada de azul, ajoelhou-se. Dentro duma caixa de sapatos estava aninhado um gatinho cinzento com malhas negras, e uma das patas do animal estava amarrada com uma tira de pano branco.

— Veja só! — disse d. Frida olhando do gato para Eugênio. — Mimi machucou a patinha dele e, sem ninguém mandar, Anamaria veio direitinho e botou água na perninha do gato e amarrou com um paninho. Ela estava tão quieta e engraçadinha que eu vim na ponta dos pés pensando que era travessura. Pois imagine! *Ach!* eu disse, que é que tu estás fazendo? "Ó madrinha", ela disse, "estou fazendo curativo no gatinho." A riqueza da engraçadinha!

Anamaria segurou o rosto do pai com ambas as mãos:

— O póbe do gatinho falou: "Pode fazê injeção, não dói".

Eugênio ficou sério, olhou para a filha e depois exclamou:

— Sua mentirosa! Gato não fala.

— Fala sim.

— Não fala.

— Como foi que tu contou a história do Gato de Bota que falava?

Vencido, sem mais argumentos, Eugênio cobriu-lhe o rosto de beijos.

No banheiro, Hans Falk cantava a velha valsa dos bebedores de cerveja. Anoitecia.

Aquela noite, Eugênio mais uma vez folheou o álbum de fotografias de Olívia. Viu-a com onze anos, de cabelos compridos, ar assustado, vestidinho branco com faixa presumivelmente azul na cintura caída, tristemente caída. Debaixo da fotografia uma data — 1916. Depois, um retrato dos quinze anos, de blusa branca, saia e boina escuras. Eugênio examinava aquelas fotografias, comovido, procurava parecenças com a Olívia que ele conhecera, estudava detalhes e com os olhos já meio turvos continuava a folhear. Havia uma série de pequenas fotografias de Kodak. Cinco raparigas abraçadas, Olívia no meio delas. Uma cena de piquenique. Olívia debaixo de uma árvore (1921) lendo um livro. Olívia trepada num muro. Olívia em primeiro plano, sorrindo. Eugênio examinou a fotografia. Teve um vago ciúme dos pensamentos que Olívia pudesse ter na cabeça na hora em que tirara aquele retrato. Para quem sorria? De quem sorria? Como seria o seu mundo interior e exterior? Que paixões lhe faziam vibrar o corpo de dezoito anos? Quem era aquele rapaz de rosto oval e belo, olhos oblíquos e boca petulante que a fotografia da página seguinte mostrava? Um mistério para Eugênio, desde a primeira vez que o vira. Por baixo do retrato, havia um nome e duas datas: Carlos — 1921-1923. Pela centésima vez, Eugênio se deteve diante da imagem do desconhecido a fazer conjecturas. Olívia não tinha irmãos. Nunca lhe falara em nenhum Carlos. Por que motivo estava tal fotografia naquele álbum de recordações? Examinando-a mais de perto, verificava ainda uma vez que a sua superfície esmaltada estava quebrada em muitos pontos, dando a impressão de que a fotografia havia sido um dia amassada talvez por uma mão raivosa. Eugênio não se podia furtar a um sentimento de ciúme, pois tinha a desconfiança de que aquele Carlos estava ligado à parte escura do passado de Olívia. Sim, talvez fosse o homem que primeiro a tivera nos braços.

Ainda com o álbum nas mãos, recostou a cabeça no respaldo da poltrona. Como Olívia devia ter amado aquele Carlos para se entregar a ele! Na sua mente formavam-se imagens odiosas, ele queria espantá--las, evitá-las, mas era inútil. Ele via aquela Olívia de dezoito anos nos braços de Carlos, via-a estremecer de prazer e chegava a ouvir confusamente as palavras de amor que ela murmurava. Insuportável! Não reconhecia a sua Olívia, a verdadeira Olívia, na figura de seus pensamentos. Tornou a odiar aquele desconhecido.

Ultimamente vinha sentindo uma doentia curiosidade com relação ao passado de Olívia. Tinha escrito a várias pessoas da vila de São Martinho, perguntando se existiam parentes vivos da família de Orlando Miranda e pedindo informações sobre uma moça chamada Olívia Miranda, que estudara na capital, formando-se em medicina, etc. Semanas depois lhe chegaram duas cartas, quase ao mesmo tempo. O signatário da primeira dizia ser dos moradores mais antigos do lugar e afirmava não ter a menor ideia de quem fosse Orlando Miranda. Não seria um engano, não se trataria do cel. Orlandino Moreira? O signatário da outra dizia ter conhecido, sim, uma moça chamada Olívia que tinha ido estudar na capital e que havia morrido afogada por ocasião do Centenário Farroupilha. Eugênio rasgou as cartas, decepcionado. Não era crível que numa vila pequena como São Martinho a família de Olívia não fosse conhecida! Mas... — e se se tratasse de outra localidade? Não era possível. Lembrava-se perfeitamente de que Olívia lhe falava às vezes de São Martinho, contava-lhe histórias, descrevia-lhe aspectos da vila, a fonte histórica em que Giuseppe Garibaldi e seu cavalo beberam água, a casa em que Bento Gonçalves passara uma noite... Eugênio se lembrava até de que num dia de bom humor, ao saírem do Hospital do Sagrado Coração onde Olívia acabara de fazer uma pequena operação, ele lhe dissera numa reverência brincalhona: "Abram alas para passar o orgulho de São Martinho".

Fechou o álbum. Tinha a impressão de que morreria de velho sem conseguir desvendar de todo o mistério de Olívia. Não tinha ela parentes vivos. Pouco ou nunca falava no seu passado. Rasgara todos os papéis que pudessem guardar lembranças desse tempo. Só aquelas fotografias diziam alguma coisa dele... mas muito pouco.

No Hospital já não se falava mais no nome de Olívia. Dentro de alguns anos, o dr. Teixeira Torres, Irmã Isolda e as outras enfermeiras e empregados a esqueceriam por completo. Às pessoas que prestava socorro médico, Olívia nunca dizia o nome nem fazia confissões. Mesmo os Falk, que tanto a estimavam, haviam-na tido em sua companhia apenas durante três anos, com intervalos de ausência. Entre o casal e a pensionista jamais houvera a menor troca de confidências. Anamaria já quase não se lembrava da mãe, Eugênio e os padrinhos lhe falavam nela, contavam-lhe histórias do seu amor, da sua bondade, mostravam-lhe o lugar que ela ocupava à mesa, diziam que lá no céu ela estava sorrindo para a filha querida... Mas, na memória da criança, decerto a imagem da mãe ia ficando cada vez mais apagada.

Eugênio olhou em torno do quarto. Olívia estava presente — ele sentia — naqueles móveis, naqueles objetos, no perfume que andava no ar. Estava presente nas suas cartas, no próprio brilho das estrelas e também na alma e no sangue de Anamaria.

Mas dentro de algum tempo — pressentia ele dolorosamente — ela seria apenas um símbolo, um nome sem corpo, um rosto sem feições.

Foi deitar-se impressionado. E aquela noite sonhou que Olívia tinha sido apenas um sonho em sua vida.

21

No princípio daquele inverno, Eugênio verificou com surpresa que sua clientela aumentava de maneira notável. Divulgada principalmente nos círculos da classe média, a notícia de seu rompimento com Eunice lhe dera uma espécie de popularidade através do escândalo. Um homem que deixava a cômoda posição de marido duma moça rica para voltar a ser simples médico de cinco mil-réis a consulta era qualquer coisa de raro e quase milagroso. Criavam-se lendas em torno de seu nome. Os pobres o procuravam porque sabiam que o dr. Eugênio os atenderia gratuitamente. Os moços preferiam aquele médico de pouco mais de trinta anos para lhe confiar a solução de seus problemas sexuais ou a cura de moléstias vergonhosas, porque "vocês sabem, ele é moço e compreende essas coisas". Seixas ouvira de uma de suas clientes que certa vizinha lhe dissera que ia consultar com Eugênio "porque é um moço tão simpático, assim tão... tão não sei como... quero dizer... a gente fica logo com confiança nele, não é?". As ideias de Eugênio relativas à socialização da medicina lhe valeram uma vasta clientela de operários e de simpatizantes do socialismo, que o procuravam com um ar confiado e amigo de quem diz "o senhor é dos nossos". E, através dos primeiros amigos e admiradores que conquistara na nova vida, Eugênio encontrou os primeiros inimigos e detratores.

Um dia Seixas entrou intempestivo no consultório e foi logo dizendo:

— O doutor Eugênio Fontes está ficando importante. Já andam falando mal dele.

— Quem? — indagou Eugênio, que estava à mesa fazendo anotações numa ficha.

— Ora quem! Honrados e distintos colegas...

— Está claro que não podia ser de outro modo. De que é que me acusam?

Seixas sentou-se na beira da mesa e começou a brincar com o corta-papel.

— Dizem que você é comunista.

Eugênio sorriu, ergueu-se e foi colocar a ficha no fichário de aço.

— Sempre as palavras! Comunista, socialista, fascista... como se elas tivessem algum sentido separadas dos fatos. — Empurrou a gaveta do arquivo com força. — Que mais dizem?

— Que você quer a medicina socializada porque tem mentalidade de funcionário público.

Eugênio tornou a sentar-se, recostou-se na cadeira cruzando os braços.

— E que você foi posto pra fora da firma Cintra & Cia. porque deu um desfalque...

Eugênio não pôde evitar que o seu desagrado, a sua surpresa e uma sombra de cólera se lhe refletissem no rosto.

— Quem foi que disse isso?

O outro encolheu os ombros.

— Você sabe que nunca aparece quem disse... Vem uma pessoa com ar amigo e conta que alguém lhe falou que um certo fulano andava dizendo... No fim de contas ninguém disse nada, mas o boato fica.

Eugênio consultou o relógio, ergueu-se, tirou o avental e foi lavar as mãos na pia.

— Parece mentira... — começou a dizer.

— Não ligue importância a esses falatórios. É sinal de que você está subindo.

— Mas não se trata de subir, eu não quero subir no sentido que em geral se dá a essa palavra. Quero mais é fazer alguma coisa de útil. Só peço que me deixem em paz. Em paz!

Estava ferido. Mas de leve. E a dor dessas feridas lhe dava uma espécie de estranho gozo. Ele tinha de sofrer, precisava sofrer.

— Que é que você quer? — comentou Seixas. — Quem tem medo de se molhar não vai pra chuva.

Eugênio vestiu-se, apanhou o chapéu e convidou o amigo para saírem.

Na rua, depois de dar alguns passos em silêncio, Seixas perguntou:

— Como vai a minha neta?

— Ah! Vai muito bem. Ontem me perguntou por onde andava o "vovô barbudo".

Seixas sorriu, mas os bigodões lhe esconderam o sorriso.

— Que criança aquela, seu Genoca! Tem coisas que deixam a gente pensando... — Sacudiu a cabeça lentamente, ao passo que seus olhos exprimiam saudades e ternura. De repente, porém, mudou de tom. — Não fique muito orgulhoso. A Anamaria puxou mais foi pela Olívia.

Eugênio imaginou Olívia a caminhar a seu lado. E desejou ardentemente, dolorosamente a sua presença física. Era enervante senti-la daquela maneira impalpável, pois havia momentos em que ele se lembrava apenas de suas ideias e não da sua imagem, e isso no fim lhe dava a sensação de que Olívia nunca passara duma abstração.

Seixas apertou-lhe o braço. Pararam.

— Veja só esse bicho.

Estavam na frente do Megatério. Eugênio olhou. O edifício subia assustadoramente. Os dois amigos ficaram por alguns segundos em absoluto silêncio.

— Pra que essa bruta casa? — perguntou Seixas. — Pra quê? É a mania de imitar as coisas estrangeiras, sem nenhuma necessidade. Coisa mesmo de bugre. Com esse dinheiro, seu Genoca, quanta coisa útil se podia fazer...

— Um grande hospital, por exemplo...

— E a todas essas os aluguéis sobem...

Seixas fungava.

— Você tem visto o maluco? — perguntou.

— O Filipe? Faz mais de um mês que não falo com ele.

— E a Dora?

— Anda por aí, sempre às voltas com o namorado.

Seixas soltou um ronco em que exprimiu o seu descontentamento, a sua desconfiança e os seus maus presságios.

— Qualquer dia aparece grávida.

— Eu não acho que...

Seixas fez um gesto de impaciência:

— Mas que é que você quer mais que eles façam? São moços, se desejam e andam soltos. Casar não podem. O pai da menina não tem tempo para se preocupar com ela. A mãe é uma vaca. Vaca? Vaca ao menos cumpre a sua obrigação, tem a sua utilidade, amamenta os bezerros, dá leite pros filhos dos outros. Que é que você quer que eles façam? Desde que o mundo é mundo as coisas são assim.

— E será que nós, nós não podemos ajudar essas duas crianças?

Seixas contemplou Eugênio por um instante com olho hostil.

— Nós? — Cuspiu o cigarro na sarjeta. — Nós não podemos nem com as nossas calças.

Por aqueles dias Eugênio teve em mãos um caso impressionantemente pitoresco. Chamado à casa de antigo funcionário público, foi recebido à porta por sua esposa, que lhe disse aflita:

— Doutor, eu chamei o senhor pra ver o meu marido. Faça o favor de entrar, me dê o chapéu. Por aqui...

Introduziu Eugênio na modesta sala de visitas. Uma moça magra e sardenta estava sentada no sofá de mãos dadas com um rapaz pálido, duma magreza doentia. Eugênio os cumprimentou discretamente com um sinal de cabeça. A dona da casa fez apresentações sumárias.

— Minha filha e meu futuro genro.

— Muito prazer — murmurou Eugênio.

A moça sacudiu a cabeça oxigenada. O rapaz resmungou uma palavra curta.

— Sente, doutor, tem cadeira — convidou a mulher. Tinha um modo desagradavelmente áspero de falar e seus olhos, dum cinzento esverdeado, não inspiravam confiança.

Eugênio sentou-se. Noivo e noiva fitaram os olhos nele.

— O meu marido é funcionário do Tesouro, doutor. Foi sempre homem muito calmo, nunca teve doença séria. Pois diz que agora de repente dá uma coisa no pobre! Foi assim: há dias nós tínhamos notado uma mudança nele, não foi, Jandira? — A filha confirmou com um sinal de cabeça. — Pois é. O Trajano não anda bom, pensei cá comigo. Quando foi ontem, ele se fechou no quarto e ficou lá mais duma hora. O senhor sabe o que era que ele estava fazendo? Pois eu lhe conto. Estava arrumando as malas. Arrumou tudo, doutor. Pra que é que tu arrumaste a mala? — digo. Ele, nem água. Foi pra escrivaninha e começou a tomar notas. Depois se levantou e me mostrou o papel. Olha, Ernestina (Ernestina sou eu), devo tanto pro Almeida, tanto pro alfaiate, o Garcia da repartição me deve quarenta e cinco mil-réis e a apólice do meu seguro está na gaveta da direita. Mas que é isso, Trajano? Ele, nem água, sempre sério. A primeira coisa que me veio foi que ele ia se matar. Comecei a cuidar dele sem dizer nada. Até que finalmente hoje de manhã o Trajano mandou chamar a Jandira e o Ricardo, o meu filho, e quando nos viu todos aqui na sala disse assim: "Olhem, vocês tomem conta de tudo, que vou-me embora". Mas pra onde, Trajano? "Vou me apresentar ao diretor do hospício. Estou louco. Só quero que me botem na primeira classe, não se esqueçam de pagar todos os meses." Doutor, o senhor imagina como nós ficamos. O Ricardo nem ligou, o sem-vergonha. Mas a Jandira ficou tão nervosa... o senhor nem faz ideia. Felizmente veio o seu Licurgo, o noivo dela, e disse que a gente devia chamar um doutor.

Calou-se, botou a mão espalmada sobre o peito, ofegante.

— Onde está o seu marido? — perguntou Eugênio.

— Está no quarto, deitado. Diz que amanhã de manhã vai se apresentar no hospício. O senhor pode calcular o meu estado. O pobre do Trajano, sempre tão água-morna e de repente dá essa coisa nele. Por favor, doutor, vá ver o que é.

Eugênio encontrou um homem baixo e calvo, de fisionomia simpática e ar tranquilo.

— Boa noite, seu Trajano — disse ele como se cumprimentasse velho conhecido.

O outro se sentou na cama, firmou o pincenê no nariz, examinou o rosto do médico como para ver se o conhecia e depois respondeu:

— Boa noite. Faça o favor de sentar-se.

Mostrou-lhe uma cadeira ao pé da cama. Eugênio sentou-se.

— Que é que há com o senhor, seu Trajano?

— Comigo? Nada, absolutamente nada.

— Ouvi dizer que o senhor vai se internar no hospício...

O velhote sacudiu a cabeça de mansinho.

— Vou, sim senhor — confirmou, humilde e macio.

Eugênio assumiu uma atitude paternal.

— Mas não é possível. Como é que um homem são como o senhor pode se meter num lugar desses?

— Eu estou louco. O senhor é o médico que a Ernestina chamou, não é? Pois eu estou louco. Aliás não é de hoje. Sempre estive louco.

Eugênio sorriu, aproximou mais a cadeira da cama, bateu no joelho do interlocutor.

— Venha cá. Conte a sua história.

Um sorriso de mofa animou por um segundo o rosto do velho.

— Estou com sessenta anos, seu moço, e sempre procurei ser um homem decente. Só de funcionalismo público tenho trinta e cinco na cacunda, o senhor veja bem. Podia ser pelo menos chefe de seção. É. Mas não sou. Outros mais novos passaram por cima de mim, subiram e hoje estão ganhando o dobro do que ganho. Isso não é nada. Nunca perdi ponto, só falto ao trabalho por doença grave. Nunca aceitei gorjeta, acho que um funcionário tem obrigação de atender a todos com presteza. Que foi que arranjei com isso? Nada. Os espertos subiram. Eu fiquei. Vá vendo bem. Aqui em casa nunca tenho razão. Procuro ser bom marido, bom pai... mas quem foi que disse que me dão importância? Me censuram porque ganho pouco, porque não me aumentam o ordenado, porque não pego no bico dos chefes. Dizem que não me mexo, que sou um banana, um trouxa, não sei mais o quê... À hora do almoço e do jantar me azucrinam os ouvidos com conversinhas, indiretas, diz que diz ques. Porque a Fulana tem um refrigerador, porque o Sicrano comprou um auto, porque a filha não sei de quem tem um vestido assim ou assado. Um inferno! Metem-se em despesas. Inventam modas e no fim do mês me empurram pra cima do credor e eu é que tenho de inventar desculpas. Me desmoralizam na frente das visitas. Ninguém se lembra que eu ando com as calças lustrosas no traseiro, que trabalho como um burro, que não tenho vícios, que... que... sei lá!

Fez uma pausa, suspirou de mansinho e depois, mais calmo:

— Pois é. Agora temos o caso da Jandira. A Jandira é uma menina feia e pobre, o senhor decerto viu ela. Não havia jeito de arranjar noivo. Um dia apareceu esse magricela, o seu Licurgo, tuberculoso declarado. Eu fui contra o noivado. O senhor compreende, o rapaz está mal, é doente, ganha pouco. Casam e amanhã ele pega a doença na mulher, os filhos nascem uns chavecos e, adeus, tia Chica! A miséria bate na porta deles. Pois quase me deram bordoada quando eu falei que não queria o casamento. Bom. Isso não é nada. Converso com os meus amigos sobre coisas da vida. Eles pensam dum jeito e eu penso de outro. Eles acham que o mundo é dos espertos e dos velhacos. Eu acho que um sujeito precisa antes de tudo ser decente. As nossas opiniões nunca combinam. Me chamam de trouxa. E o pior é que me fazem de trouxa. Me pedem dinheiro emprestado e nunca mais pagam. Quando protesto contra alguma patifaria, eles dão risadas na minha cara e dizem que sou um tipo que não se usa mais. Um dia destes, lendo nos jornais a maluqueira do mundo, notícias de desfalques, roubos, indecências, et cetera, comecei a perguntar a mim mesmo se no fim de contas o maluco não era eu... Os ladrões andam soltos, sobem na vida. Os caloteiros sem-vergonhas levam vida de lorde, têm crédito em toda a parte. É... Eu estou louco. Louco varrido, seu moço. — Cruzou os braços, entortou a cabeça e olhou para Eugênio com ar interrogador. — Como é que só aos sessenta anos é que fui descobrir isso? Mais um sinal que a loucura é da braba, mesmo.

Trajano fez uma pausa e soltou um suspiro. — Pensei então num plano que estou executando tim-tim por tim-tim. Arrumei as minhas coisas, deixei em ordem os meus papéis e vou me meter num hospício. Tenho esperança de encontrar lá gente que me compreenda. Pode ser que na casa dos malucos um dia eu chegue a ser autoridade, encontre alguém que me ouça, me atenda, concorde comigo.

Eugênio sacudiu a cabeça, sorrindo. Bateu no joelho do homem e disse:

— Seu Trajano, me chamaram para atender o senhor. Mas não posso.

— E por quê? — perguntou o homem com infinita doçura na voz e no olhar.

— Porque eu também estou louco.

O funcionário pôs-se em pé de repente.

— O senhor está mais é brincando comigo! O que eu lhe disse é sério, muito sério, a coisa mais séria de toda a minha vida.

— Eu sei, eu sei...
— O senhor pensa que pode me impedir de fazer o que eu quero? Está muito enganado.

Exaltava-se, fazia gestos desordenados.

— Faço porque faço e porque faço, está ouvindo? — Bateu no peito. — Sou um pobre homem derrotado, sacrificado, desmoralizado. A mulher não me ouve, a filha não me ouve — fazia a enumeração batendo com o indicador da mão direita nos dedos da esquerda —, o chefe da seção não me ouve, ninguém me ouve. Sou um zero à esquerda. Mas neste corpo velho estragado, está ouvindo? Nesta carcaça desgraçada quem manda ainda sou eu! Faço dela o que bem entender. É a minha vingança. Vou pro hospício e vou pro hospício!

Estava agora todo trêmulo, seus olhos tinham uma luz estranha.

Eugênio já não sorria mais. Com a testa franzida ele lutava com a própria perplexidade, sem saber se aquele homem era um humorista, um ator, um louco ou as três coisas juntas.

Entrou no consultório pelo braço do marido. Estava quase cega de ambos os olhos. Era uma mulher baixa, de expressão humilde e tristonha. Via-se que tinha sido bela, mas que algum mal prolongado lhe devastara o corpo. O marido, homem de aspecto neutro, explicou o caso em poucas palavras e extremamente constrangido. Eugênio começou a fazer perguntas. Teria ela na família algum caso de cegueira? Desde quando começara a notar que perdia a visão? As respostas lhe vinham lentas e quebradas, ora da mulher ora do marido.

Eugênio voltou-se para o homem.

— O senhor vai me fazer o favor de passar para a sala de espera.

O outro quis protestar:

— Mas doutor...

Eugênio o empurrou com delicadeza na direção da porta.

— É indispensável. Só uns dez minutos...

Quando se viu a sós com a mulher, Eugênio voltou-se para ela e sem o menor preâmbulo soltou a pergunta brusca:

— Quando foi que fez o aborto?

Ela titubeou, gaguejou e respondeu atarantada:

— Faz... faz três meses.

Rápido, implacável, sem dar à interlocutora tempo para se refazer, Eugênio tornou a perguntar:

— Quantos abortos já fez? Responda com franqueza. Pense que pode ficar irremediavelmente cega.

Os lábios da mulher tremeram, suas mãos apertaram nervosamente o fecho niquelado da bolsa.

— Dez — balbuciou.

Eugênio soltou profundo suspiro. Tinha de entregar a paciente a um oculista. Mas para onde devia mandar o marido?

Era um homem alto, espigado, de maneiras distintas e devia ter pouco mais de quarenta anos. Vestia-se com muito apuro, as mulheres o admiravam, seu nome andava ligado a aventuras amorosas, a confusos rumores de adultério. Eugênio o conhecia de vista dos tempos em que frequentava as altas-rodas da cidade, onde o inesperado cliente passeava as suas roupas bem cortadas, as suas maneiras de *gentleman* e a sua auréola de Casanova.

Eugênio ficou surpreso ao vê-lo entrar aquela tarde no consultório. O homem sentou-se na cadeira que ele lhe ofereceu, cruzou as pernas e principiou dizendo que tinha relações com os maiores médicos da capital, mas que não os procurara justamente por isso. O seu caso era delicado, de ordem muito íntima e ele preferira procurar um médico fora do círculo de suas relações. Passara pelo edifício, vira a placa e entrara levado por um impulso... Traçou uma rápida autobiografia. Falava com palavras precisas e medidas. Seu rosto era triste. Disse o que sentia duns tempos àquela parte: debilidade geral, dor nas costas, falta de memória, tremor das mãos, vista fraca e uma quase permanente sensação de angústia. Por fim, ao cabo de breve relutância, confessou:

— Por mais absurdo que pareça, doutor, todas as noites tenho na minha cama em sonhos as mulheres mais bonitas da cidade. São dez, quinze, vinte... Amanheço esgotado, deprimido. Já tenho medo de dormir. Às vezes me levanto, fumo, caminho no quarto ou saio, faço tudo para espantar o sono.

Por alguns instantes Eugênio lutou com o próprio embaraço. Era um caso estranho.

— Com que frequência o senhor procura mulheres na realidade para o ato normal?

Antes de responder, o homem tirou do bolso traseiro das calças uma cigarreira de prata com monograma de ouro. Ofereceu um cigarro a Eugênio, que recusou com um gesto polido, acendeu outro e, inclinando-se para a frente, confessou:

— Aí é que está o pior, doutor. Já não posso mais procurar mulheres, com medo do fracasso.

— Mas trata-se apenas de medo, de desconfiança ou...?

O outro sacudiu a cabeça numa vagarosa negativa, fitando os olhos na janela com uma expressão vaga.

— Não. Na realidade já fracassei uma vez. Foi um caso embaraçoso que me deixou muito envergonhado. Depois disso...

Calou-se. Eugênio sentiu um drama, uma longa e complicada história por trás daquelas palavras.

— É horrível, doutor. Se isto continua... eu...

Tirou uma baforada de fumo, seus olhos tinham um brilho ansiado e o cigarro lhe ardia nos dedos trêmulos.

Numa manhã de domingo, Eugênio foi à casa de Seixas buscá-lo para um passeio a pé. Encontrou-o ainda na cama e, enquanto o outro se vestia, ficou a conversar com a mulher dele, que era uma senhora magra, alta, encurvada e tranquila.

— O pobre do Seixas — disse ela com sua voz branda, quase inaudível — passou uma noite horrorosa. Teve um chamado de madrugada e voltou tossindo. — Puxou a manga do casaco de Eugênio, como para lhe contar um segredo, e balbuciou um pedido. — Faça ele tomar uma colher de xarope, sim?

— O seu marido é pior que criança, dona Quinota. E, depois, não acredita em médicos nem em remédios.

A mulher franziu o nariz e, assim com um ar de quem tenta convencer uma criança, replicou:

— Mas, com jeitinho, o senhor arranja, não é?

Naquele momento a filha do Seixas, uma moça trintona e feia, entrou trazendo uma bandeja com duas xícaras de café e um prato de bolinhos.

— Coma esses bolinhos — recomendou d. Quinota — que fui eu mesma que fiz.

Seixas fazia barulho no quarto de banho: tinidos de vidros, batidas de madeira, bufidos, pigarros, roncos, rangidos, gluglus — era como se um macaco estivesse solto lá dentro.

Tomando o café em goles miúdos e mastigando os bolos, Eugênio examinava a sala. Num vaso, em cima da mesinha de centro, via-se um ramalhete de flores, de cores vivas, num contraste com a tristeza daquela sala antiga e fosca.

— Aposto como você está estranhando essas flores — disse-lhe Seixas ao entrar, enfiando ainda uma das mangas do paletó. — Não sou homem dessas besteiras. A Quinota também não morre de amores por flor. Mas eu já lhe conto a história toda...

Tomou de pé e às pressas o café que a mulher lhe deu e empurrou Eugênio para a porta. Saíram. A manhã estava fria e nublada.

— Aquelas flores estão ali em cima da mesa da sala porque existe nesta cidade um homem que não quer ficar esquecido depois de morrer.

Eugênio olhou para o amigo sem compreender.

— Todos os sábados vem um guri trazer um ramo de flores muito bonitas pra minha mulher, da parte do doutor Ilya Dubov.

— Aquele médico judeu russo que foi operado pelo Teixeira Torres a semana passada?

— Esse mesmo. Eu até faço troça com a Quinota, digo que o russo quer conquistar ela. — Soltou uma risada. — Um dia destes levei minha mulher ao hospital e o Dubov disse pra ela: "Olhe, dona Quinota..." (Ele tem um jeito engraçado de falar, pronuncia as palavras com cuidado, assim como se tivesse medo de morder as sílabas...) "Olhe, dona Quinota, as flores que eu lhe mando não são dadas, são emprestadas, ouviu? Quando eu morrer a senhora tem de levar todos os sábados um buquê bem bonito à minha sepultura, sim? É uma dívida sagrada". — Seixas calou-se, coçou a barba, rosnou a sua risada baixa e rouca. — Veja, Genoca. O pobre homem não se conforma com o esquecimento depois da morte. Está sozinho no mundo. Não tem mulher, nem filhos, nem amigos... Morre... e adeus! Ninguém nunca mais se lembra dele, é como se o miserável nunca tivesse nascido. Gosta da vida apesar da vida ter sido tão cruel pra ele. Ah! Se você soubesse a história desse homem! Uma noite destas estive até tarde aos pés da cama dele. Meti-lhe uma boa dose de morfina, o Dubov ficou calmo e desatou a língua.

Acendeu o cigarro e começou a contar:

— Pois o doutor Ilya Dubov nasceu em Odessa, formou-se muito moço, herdou uma pequena fortuna e foi feliz na clínica. Casou com uma moça lindíssima, dessas que chamam a atenção quando passam na rua, ou quando entram num salão. O pobre do Dubov é um bicho de feio. Você já viu? Pois vale a pena. Imagine um macaco cinzento e inchado com bigode de piaçaba... Não acredito que o Dubov aos vinte e poucos fosse menos feio do que hoje aos cinquenta e dois. Que foi que a mulher viu nele? Não sei. As mulheres às vezes têm cada ideia...

— Decerto era uma moça pobre, o doutor Dubov tinha dinheiro, uma bonita posição...

— Bom. O fato é que casaram. O Dubov me mostrou o retrato dela. Que pedaço, seu Genoca! É uma dessas belezas de deixar um cristão tonto.

— É ou era?

Seixas encolheu os ombros.

— Era... Hoje deve estar escangalhada, se é que os vermes já não jantaram aquelas carnes. Mas vamos ao que interessa. Casaram e o Dubov viveu um ano no paraíso. Eu queria que você visse a cara dele quando me contou isso... Ficou todo derretido, os olhos se encheram de lágrimas e ele mexeu tanto com a boca desdentada que acabou quase engolindo o bigode.

Calou-se para atravessar a rua. Ao chegarem na calçada fronteira, continuou:

— Depois veio a guerra. Dubov foi para o *front* como capitão-médico e comeu o pão que o diabo amassou. — Riu para dentro. Seus olhos se apertaram, gaiatos. — Ele me descreveu os combates, sacudia os braços dum lado pra outro, enchia as bochechas de vento e depois, muito sério, fazia pum! pum! Pois muito bem. Quando rebentou a revolução, Dubov estava de licença em São Petersburgo. Conseguiu fugir milagrosamente com a mulher. Levaram duas maletas de mão, as joias dela e algum dinheiro. Passaram para a Áustria, foram morar em Viena. Dubov fez boas relações com alguns médicos de fama, andou pelos hospitais e não sei mais o quê. O tempo se passou e o diabo do homem se firmou, fez nome, fez clínica e fez dinheiro. A mulher, essa então fazia sucesso nos lugares onde aparecia. A gente pode imaginar... Uma moça bonita pelo braço dum orangotango... Mas a vida em Viena estava dura depois da guerra. Muita pobreza, muita tristeza, muito nervosismo. A mulher do Dubov duma hora pra outra deu pra ficar triste, triste, triste e pra emagrecer... O coitado do marido, desesperado, chamou os melhores médicos de Viena pra tratarem dela. Ninguém acertava com a doença. Acho que até o Freud entrou na dança.

Seixas fez uma pausa. Dobraram a primeira esquina, na direção do rio.

— Aonde é que vamos?

— Que tal um passeio pela beira do cais? — sugeriu Eugênio.

Seixas sacudiu a cabeça, concordando, e retomou a história:

— As coisas estavam nesse pé quando um dia madame Dubov, folheando uma revista francesa, viu a figura dum oficial da Legião Estrangeira encostado numa palmeira ou coisa que o valha. Foi a conta. Desatou o choro. Mas que é que tu tens, minha joia? — perguntou o Dubov. A mulher disse em soluços que estava com saudades do deserto. Mas tu nunca foste no deserto, joiazinha! (Eu queria que você visse como o Dubov me contou esta passagem...) E a joiazinha confessou que desde menina tinha desejos de ver um legionário em carne e osso. Queria ir pra Marrocos! Quero porque quero e porque quero! O pobre do Dubov ficou atordoado e disse que sim, esperando que aquele desejo esquisito passasse com o tempo. Qual nada! Dali por diante não houve jeito de tirar aquela mania da cabeça da moça. Resultado: fazem as malas e embarcam pra Marrocos.

— E Madame Dubov consegue realizar o seu sonho — completou Eugênio. — Vê um legionário, verifica que é um sujeito barbudo, suado, rude e malcheirante...

— Espere. Madame Dubov ganha vida nova em Marrocos. Faz sucesso no hotel, nos cafés, nos teatros... O pobre Dubov lhe satisfaz todas as vontades. E um dia, ao se erguerem da mesa dum café, madame Dubov deixa cair as luvas. O marido, pesadão e desajeitado, se abaixa gemendo pra apanhá-las. Muito tarde! Um oficial da Legião Estrangeira, ligeiro como um serelepe, salta da sua cadeira, apanha as luvas, entrega-as a madame Dubov, bate os calcanhares, faz uma continência e sorri.

— Romance!

— Não me estrague a história. Madame Dubov agradece, sorri e sai pelo braço do marido. Dois dias depois, voltando dum hospital ou coisa que o valha, Dubov encontra a mulher e o tal oficial tomando chá na mesma mesa, no terraço do hotel. Fica todo atrapalhado, a mulher se levanta e faz as apresentações. Tenente Fulano, doutor Dubov, et cetera, muito prazer. Bom. Deixe ver. Não me lembro bem do que aconteceu depois. Estou com uma memória cachorra. Ah! O Dubov passa uns dias distraído nos hospitais e em conferências e uma tarde recebe a visita do tenente da Legião, que parece muito nervoso. Pra você avaliar melhor o que foi essa cena precisa saber que o Dubov é o sujeito mais delicado do mundo, todo cheio de beija-mãos, mesuras, curvaturas e essas bobagens todas. O tenente chega, bate os calcanhares e diz à queima-roupa: "Doutor Dubov, tenho a honra de comunicar-lhe que estou apaixonado pela sua esposa". Dubov perde a fala, depois faz uma força danada e consegue dizer: "Mas meu caro tenente, meu caro tenente...". E não saía mais nada. O tenente estava na frente dele, muito pálido, todo perfilado; aquilo parecia desafio pra duelo. Dubov caiu numa cadeira e disse: *"C'est dommage! C'est dommage! Je... je..."* — nem me lembro que foi mais que o coitado disse. Pra encurtar o caso. O oficial ia para Paris gozar licença. Foi e levou a mulher do Dubov, que deixou uma carta ao marido, pedindo perdão e dizendo que ia seguir o único homem que tinha amado em toda a sua vida. Veja você!

— Folhetim, puro folhetim — murmurou Eugênio.

— Pois é pra você ver. Dubov ficou como um maluco. Seguiu também para Paris, bateu cabeça e por fim conseguiu saber que os fujões estavam parando num hotel da Place de la Concorde. Devia procurá-los? Hesitou. Teve medo. Passaram-se os dias. Dubov ficara sabendo que sua mulher e o amante levavam uma vida de farra desbragada, embriagavam-se de champanha, viviam em cabarés e teatros. — Seixas fez uma pausa curta, cuspiu longe o toco de cigarro e prosseguiu: — Sabe em que deu essa coisa toda? Prepare-se pro choque e não me chame de mentiroso. Pois o tenente meteu uma bala na cabeça porque madame Dubov fugiu pra América do Sul com um fabricante de perfumes, riquíssimo.

Olhou para Eugênio para ver o efeito que o lance dramático produzira nele.

— Incrível.

— Não é mesmo uma coisa maluca? Imagine o estado do Dubov. Ficou atirado em Paris sem coragem pra nada. Caiu de cama, passou semanas assim, meio inconsciente, com febre alta, variando. Logo que se pilhou de novo de pé e com forças, tratou de procurar a mulher. Não podia viver longe dela. Conseguiu saber que o perfumista estava no Brasil. Juntou os últimos dinheirinhos e embarcou pro Rio. Chegou e ficou abafado pela paisagem, nunca tinha visto tanto céu, tanto sol, tanto verde. Mas já o perfumista e madame Dubov haviam seguido pra Argentina. Dubov não tinha mais um níquel no bolso. Passou a levar uma vida miserável. Tentou clinicar: não fez nem pro cigarro. Acabou médico de bordo num desses vapores do Lloyd. O vapor ia até Porto Alegre. Porto Alegre era mais ou menos perto de Buenos Aires. O pobre homem tinha a vaga esperança de um dia encontrar a mulher...

Seixas tornou a calar-se. Achavam-se já à beira do cais. O rio estava tranquilo. Pararam os dois e ficaram olhando para o casco negro dum navio.

— Durante dois anos o Dubov andou de lá pra cá num desses barcos. Por fim cansou. Veio pra terra. Meteu-se no interior. Passou miséria. Envelheceu. Se não tivesse encontrado amigos, morria de fome. Mas a coisa melhorou, no fim de contas o Dubov era um bom médico e a clientela foi aparecendo. O homem ganhou algum dinheirinho e se mudou pra cá. Foi prosperando, prosperando, o tempo se passou e hoje ele tem o seu pé-de-meia.

Continuaram a andar.

— Quantos anos faz que a mulher fugiu?

— Quase vinte.

— E Dubov ainda se lembra dela?

Seixas sacudiu a cabeça afirmativamente.

— E lá está ele no hospital. Fez a quarta operação na bexiga. Desta vez não escapa. Veja o que é o mundo. O doutor Ilya Dubov nasceu em Odessa, aquela viagem a Marrocos foi a desgraça dele, e o infeliz vai deixar a carcaça em Porto Alegre.

Houve um curto silêncio ao cabo do qual os dois amigos começaram a falar impessoalmente em viagens.

Quatorze dias depois, o dr. Dubov morreu. Deixou o dinheiro que possuía — cento e vinte contos de réis — para o Colégio Israelita, sob a condição de construírem com ele um novo pavilhão em cujo pórtico aparecesse bem visível e por extenso o nome do doador.

Seixas e Eugênio foram ao enterro. Na pequena casa do cemitério dos judeus deparou-se-lhes uma cena dum grotesco horrendo. No momento em que eles entraram, o cadáver, sustido por dois homens, achava-se de pé, completamente nu, com um tarbuche branco na cabeça, pois, segundo o rito israelita, ele não podia comparecer à presença de Deus com a cabeça descoberta, por causa dos pensamentos impuros.

Era uma visão imprevista e chocante. As feições intumescidas tocadas duma palidez cinzenta, os bigodões grossos e hirsutos, com aquela espécie de turbante branco à cabeça, o dr. Dubov lembrava o Rembrandt dos anos de velhice e decadência. Ali estava ele na sua ridícula nudez, inerme e desamparado, enquanto dois homens tristes lhe lavavam o corpo, contando anedotas em iídiche.

— Veja a que fica sujeito um pobre homem depois que morre...

— murmurou Seixas. E em seguida, num sarcasmo a que a piedade se misturava, exclamou: — Eta índio feio, meu Deus!

Naquele dia Eugênio voltou do cemitério com sua experiência enriquecida. No fim de contas ele não era ninguém e sua vida lhe parecia insignificante em sua falta de episódio e de aventura. O caso de Ilya Dubov o deixara impressionado. Apesar da miséria física e moral, aquele homem amava a vida. Era-lhe doloroso, insuportável, desesperante pensar no esquecimento absoluto. Já que não lhe era possível vencer a morte física, queria pelo menos uma garantia, por pálida que fosse, de que seu nome não se apagaria de todo da vida e da memória dos homens. D. Quinota lhe levaria flores à sepultura por algum tempo. Seu nome no pórtico do novo pavilhão do Colégio Israelita seria para os homens indiferentes o lembrete de que existira no mundo um certo dr. Ilya Dubov, natural de Odessa.

Eugênio levou dias para esquecer aquela visão. O morto nu, de pé, a cabeça enrolada no turbante improvisado, a barriga flacidamente caída, os braços e as pernas muito finos.

E a lembrança dessa visão lhe vinha de mistura com as palavras duma carta de Olívia em que ela lhe dizia: *Pensemos apenas nisto: não fomos consultados para vir para este mundo e não seremos consultados quando tivermos de partir. Isto dá bem a medida da nossa importância material na terra,* mas *deve ser um elemento de consolo e não de desespero.*

Uma tarde de sábado em que o consultório estava fechado, Eugênio examinava o fichário. Cada ficha, longe de ser apenas um amontoado de nomes, sinais característicos, sintomas, etc., era também um drama, uma vida humana. E, relendo as fichas que tinha sob os olhos, ele relembrava as histórias ligadas a cada uma daquelas pessoas. Eram casos quase incríveis que pareciam mais invenção descabelada de escritor de ficção do que realidade palpável, visível, audível. Agora que tantas criaturas haviam passado diante de seus olhos numa nudez ou seminudez que às vezes era física outras apenas moral e não raro física e moral ao mesmo tempo — ele ficava com a impressão estonteadora de que um invisível e caprichoso empresário estava empenhado, ninguém sabia por que misteriosa razão, em fazer desfilar diante dele toda a numerosa comparsaria da vida. Nos seus tempos de médico da

Assistência Pública e de auxiliar do dr. Teixeira Torres no Hospital do Sagrado Coração, tinha visto misérias, casos dolorosos, feridas do corpo e do espírito. Mas desviava os olhos desses aspectos indesejáveis da vida e fazia por esquecê-los, tão logo isso lhe fosse possível. Atendia os pacientes como quem cumpre uma obrigação repugnante. Não lhes penetrava na intimidade. De resto, como médico da Assistência, só prestava primeiros socorros, apoiando-se o mais possível nos enfermeiros; como assistente do dr. Teixeira Torres nunca sentira o peso de nenhuma responsabilidade, muito poucas vezes se vira na conjuntura de resolver por si mesmo. Durante quase dois anos exercera a medicina sem nenhum interesse humano, sem o menor espírito profissional, e atormentado sempre pela consciência permanente de sua inadaptação, da sua aparentemente absoluta falta de qualidades médicas. Os três anos que passara na casa dos Cintras foram como uma esponja embebida em perfume com que ele apagara da memória aquelas imagens desagradáveis. Montara um consultório — muito branco, limpo e inútil — para apaziguar a própria consciência, na tentativa de se convencer a si mesmo e aos outros de que continuava a ter uma profissão liberal, de que ainda era o dr. Eugênio Fontes, médico e não simplesmente "aquele moço que casou com a filha do Cintra". Aparecia-lhe uma clientela limpa, elegante e vaga, que tinha o cuidado de não sofrer de males vergonhosos e indiscretos. Os doutores de fama convidavam-no para ajudá-los em suas operações. E esses convites — compreendia Eugênio — ele ainda devia ao prestígio social do sogro.

Agora, porém, tudo era diferente. Ele principiava a ser um médico de verdade, estava diante da vida, atendia os seus clientes com toda a solicitude e às vezes tinha de esforçar-se para ser delicado e não se encolher diante de criaturas que pelo aspecto físico ou pela natureza de seus males lhe inspiravam repugnância ou mal-estar. Fazia-lhes perguntas, interessava-se pela vida deles. Aos poucos ia perdendo os velhos temores de fracasso e aquela sensação de que os outros não tinham confiança nele. Atirava-se à clínica cheio de coragem e isso já era a metade da vitória. Através da confiança abandonada dos que o procuravam, ele ia dia a dia adquirindo confiança em si mesmo.

Vivia em contato com a miséria humana, entrava na intimidade de seus clientes, era convidado a dar opiniões e conselhos em torno de assuntos que muitas vezes escapavam às atribuições e mesmo aos conhecimentos dum simples médico. Caía de surpresa em surpresa. Cada dia que passava trazia-lhe novas relações, aspectos desconhecidos e até mesmo insuspeitados da vida. E Eugênio, que, através de suas angústias, dum modo confuso achava que tinha esgotado quase todas as possibilidades dramáticas da vida, surpreendia-se a descobrir novas formas de sofrimentos, desconhecidas fontes de aflição e inquietude, complicações desnorteantes, males sem cura, vidas irremediavelmente fracassadas, espíritos perdidos na loucura, almas submersas... Para ele aquilo valia como um redescobrimento da vida. Seus horizontes humanos se alargavam. Às vezes, diante duma simples criatura de aparência prosaica e pouco sugestiva, ele se detinha, um pouco temeroso, como o mergulhador que, antes de armar o salto para o mergulho, pergunta a si mesmo que grandes profundidades se esconderão debaixo da superfície aparentemente inocente do lago.

Vinham até ele pessoas aparentemente normais que lhe confessavam apetites sexuais depravados. Maridos e mulheres — uns com cinismo ou ingenuidade, outros com constrangida relutância — lhe contavam segredos de alcova. Moços cheios de vergonha e de miséria vinham mostrar-lhe as marcas que lhes deixara no corpo o amor comprado. As psicoses mais estranhas se lhe deparavam através dos casos mais variados e complexos. Eugênio se sentia pequeno diante do drama numeroso da vida. Tomava por ele interesse médico e ao mesmo tempo humano. Como homem sentia desejos de compreender, de ser útil ao próximo, de confortar, de ajudar. Como médico queria dar o remédio que cura ou pelo menos alivia. Na maioria das vezes, porém, ficava impotente, de braços cruzados diante duma encruzilhada de onde partiam mil caminhos. Qual deles tomar?

O trabalho era intenso, os momentos de folga se faziam cada vez mais raros e curtos e ele mal tinha tempo de passar os olhos às pressas pelos livros de medicina. Como seria interessante, diante dos casos que surgiam, fazer clínica psicanalítica! As suas leituras nesse setor da medicina eram superficiais e fracas e ele se sentia desencorajado para se embrenhar em estudos mais sérios.

"Médico de gente pobre é como mulher de beco: faz tudo." Era o que o dr. Seixas costumava dizer-lhe com seu humor amargo, sempre que Eugênio lhe manifestava o desejo de se dedicar a uma especialidade.

Os dias passavam, e a comparsaria continuava a desfilar.

— Mande entrar o seguinte, dona Amélia. — Era assim que ele dizia à sua auxiliar, toda vez que um cliente lhe saía do consultório.

Havia homens que sofriam dores atrozes provindas de males sem remédio. Arrastavam uma existência miserável de sofrimento e deformação. Alguns estavam de tal maneira desfigurados pela doença, que já começavam quase a perder a aparência humana. Não se podia dizer que vivessem. Aquilo era uma baça e sórdida imitação de vida. Mas, apesar de tudo, eles temiam histericamente a morte, apegavam-se ao mundo, queriam viver.

Entravam naquela sala branca de aspecto frio, cavalheiros ou senhoras perfumados e bem vestidos, de postura digna e às vezes até orgulhosa. Mal, porém, a porta se fechava e eles se viam a sós com o médico, qualquer coisa neles se quebrava, se dobrava, amolecia. Suas feições se relaxavam, havia súbitas ou lentas mutações de máscaras e as confissões surgiam espontâneas ou arrancadas dolorosamente pedaço a pedaço pelo médico. Revelavam-se misérias. Esboçavam-se dramas em que o doloroso e o risível andavam de par. Eugênio pensava nos sermões do rev. Parker na capela do Columbia College. O bom homem berrava, batendo no púlpito: "Eu bem vos conheço! Sois como sepulcros caiados por fora, mas por dentro cheios de sujeiras e podridão".

Sua primeira reação diante daquela parada de dor e de miséria física e moral tinha sido uma mistura de asco e de pavor. A vida era ignóbil e assustadora e ele sentira ímpetos de fugir daquele espetáculo desagradável. Chegara a lembrar-se com uma sombra de saudades de outros tempos mais tranquilos. Desejara que passassem o mais depressa possível as horas do consultório. Mas depois, à medida que se escoavam os minutos e os homens, ele ia aceitando aquelas feridas e aqueles dramas e através deles ia vencendo o medo e a repugnância. Tudo era uma questão de hábito. Lembrava-se constantemente das palavras de Olívia. Ela as pronunciara depois duma operação em que ambos tinham ajudado o dr. Teixeira Torres no Hospital do Sagrado Coração: "Só a vida ensina a viver, Genoca. É preciso a gente ver primeiro tudo que a vida tem de mau e de sórdido para depois podermos descobrir o que ela tem de belo e de bom, de profundamente bom". Era verdade — achava Eugênio agora. Ele se sentia cada dia mais forte, mais rico em experiência.

Aquela repugnante dança do consultório em torno do amor, da cobiça, da inveja, do ciúme, do ódio, da sensualidade, dos apetites mais baixos; aquele horripilante balé que lhe parecia sem plano nem regente e em que os dançarinos eram gente de carnes e vísceras carcomidas — lhe levavam a conclusões desoladoramente materialistas. Aquilo positivamente não tinha sentido. E a morte era o apodrecimento total e absoluto. O fim.

Mas atentando mais nas pessoas e nos fatos ele chegava à conclusão de que o que via, o que podia palpar, cheirar e ouvir não era tudo. Havia algo de indefinível para além da matéria. Ele não sabia bem o que fosse, tinha apenas uma ideia imprecisa, nevoenta. Ou seria apenas o seu desejo de acreditar que, em alguma parte do universo, Olívia continuava ainda a existir? Ou seria a sua relutância em aceitar a destruição irremediável da morte?

Encontrava homens e mulheres resignados, cheios de fé, de bondade, de compreensão, de desprendimento. E no meio das histórias sórdidas e dolorosas havia atos de beleza e de coragem. E depois, o mistério. O mistério estava em tudo, até nas coisas mais óbvias e aparentemente simples.

Pensava longamente em Olívia. Ela estava morta. Era concebível que sua gentileza, sua bondade, seu espírito de tolerância, sua coragem e sua incomensurável fé também tivessem apodrecido com a carne?

Não. Havia no mundo uma imensa harmonia. Ele tendia a crer que todas aquelas misérias e conflitos desaparecessem dentro da grande harmonia universal. Tudo estava bem.

Ele, como os outros, tinha um corpo mortal, uma carne sensível. Era-lhe duro resignar-se ao sofrimento e à infelicidade. No entanto, havia fatos irremediáveis, inevitáveis... Mas seriam mesmo inevitáveis e irremediáveis? E se um dia os homens de gênio e de boa vontade descobrissem um meio de empregar todas as conquistas do engenho humano no sentido de minorar os males da humanidade? Talvez conseguissem achar trabalho para todos, pão para todos, saúde para todos ou pelo menos para a grande maioria...

Ou não valia a pena reagir? E, se valesse, qual seria o meio de reação, no caso em que o nosso corpo se consumisse sob a ação de mal incurável? A reação pelo espírito, pela fé? Lá vinha de novo alguma coisa que lhe parecia separada da matéria. Tinha visto a fé obrar milagres. Conhecia a história dum homem cego e mudo de nascença que aprendera a ler e escrever, dando uma finalidade útil à vida. Havia lido a respeito dum paralítico que a fé conseguira transformar num homem cheio de surpreendente vitalidade.

Esses pensamentos lhe davam uma espécie de tontura. Ele sabia que nunca havia de chegar à Verdade. Quando muito conseguiria vislumbrar pequenas verdades.

Havia dias em que o serviço era tanto que Eugênio não tinha tempo nem para concertar as ideias. Os resultados financeiros de seu trabalho em geral eram magros, mas isso, longe de ser para ele motivo de descoroçoamento, era um estímulo. Já pagara um tributo pesado demais à cobiça e à vaidade. Era preciso limpar-se dos velhos erros.

Era com frequência chamado no meio da noite. Certa madrugada, um homem veio buscá-lo para ver a filhinha que estava passando muito mal. Eugênio saiu com ele. Chovia e o vento era gelado. No caminho o homem se desfez em desculpas por tê-lo tirado da cama àquela hora, mas o caso era grave. Um automóvel os deixou numa rua de subúrbio, diante duma casa de tábua, perdida no fundo de terreno alagadiço. Eugênio sentia nos pés a umidade do chão, a chuva lhe batia no rosto, miúda e fria. Sair à rua numa noite assim era desagradável — pensou ele —, mas morar permanentemente num lugar úmido e insalubre como aquele era mil vezes mais horrível. Essa reflexão levou-o instantaneamente a outros pensamentos que ele ia formulando enquanto a seu lado o homenzinho caminhava a murmurar palavras a que ele não dava atenção. Havia muita coisa a fazer no mundo: proporcionar uma vida melhor àquela gente, por exemplo. Não se devia fazer isso com revoluções, porque a violência gera a violência e seus frutos sempre são perigosos. Os homens viviam demasiadamente preocupados com palavras, pulavam ao redor delas e se esqueciam dos fatos. E os fatos continuavam a bater-lhes na cara.

À cabeceira da pequena doente lutou com a morte até o amanhecer. Quando o dia clareou a chuva tinha parado, o céu estava limpo e a criança fora de perigo.

Eugênio voltou para casa a pé. Tomaria o bonde dali a duas quadras. Seus pés chapinhavam nas poças de água. Sapos coaxavam num banhado vizinho. Um passarito arrepiado piava tristemente, pousado no galho duma árvore. Eugênio ia assobiando. Lembrava-se dos tempos de menino quando nas manhãs de inverno ia a caminho da escola. A mão de Ernesto apertava a sua, mão mais moça, mais frágil que se entregava como a pedir proteção.

Eugênio assobiava com força. Estava contente porque tinha salvo a vida duma criança. Dera mais um passo para a sua própria salvação.

22

— Mande entrar o seguinte, dona Amélia — disse Eugênio, sentando-se à mesa para rabiscar um apontamento. Ouviu a batida da porta e um ruído macio de passos. Ergueu a cabeça e surpreendeu-se ao ver na sua frente, imóveis e silenciosos como condenados que esperam uma sentença do juiz, Dora e Simão. Ela muito pálida e com ar abatido. Ele, mal disfarçando a sua agitação. Eugênio teve um mau pressentimento. Ergueu-se e, esforçando-se para falar com naturalidade, perguntou:

— Mas que milagre é esse? Então, que é que há?

Estendeu ambos os braços para a frente por um breve instante e reteve, nas suas, duas mãos flácidas e frias.

— Vamos sentar... — convidou.

Dora sentou-se. Era visível o tremor de suas mãos. Pelo irregular subir e descer dos seios podia-se-lhe adivinhar o ritmo do coração.

Simão ficou de pé, segurando o chapéu de feltro com ambas as mãos. Olhou Eugênio bem nos olhos, numa quase-expressão de desafio e depois, com voz apertada, disse:

— É melhor... melhor dizer logo tudo... — Fez uma pausa breve em que respirou três vezes. — A Dora está grávida.

Eugênio abriu a boca para dizer alguma coisa e por alguns segundos ficou com a respiração suspensa. Dora cobriu o rosto com as mãos e desatou num choro convulso.

— Tem certeza?

— Quase absoluta.

Fez-se um silêncio de nervosa indecisão. Simão olhava para Eugênio. Eugênio olhava para Dora.

— Saia um instante.

Simão hesitou, como se não tivesse compreendido a ordem.

— Saia — repetiu Eugênio, impaciente. Controlou-se e acrescentou com brandura: — Quero fazer um exame nela.

Simão retirou-se. Quando voltou, alguns minutos depois, encontrou Dora ainda mais pálida, ao pé da janela, e Eugênio a esperá-lo no centro da sala.

— Então?

O outro sacudiu a cabeça devagarinho.

— Não há a menor dúvida. Gravidez de três meses.

Tirou com raiva as luvas de borracha. Foi até a pia lavar as mãos enquanto Simão e Dora se entreolhavam em atônito silêncio.

Eugênio não podia afastar do pensamento a Dora de treze anos que entrara na igreja toda vestida de cor-de-rosa, com uma grinalda de flores de seda a circundar-lhe os cabelos. O que se passava agora era brutal, duma crueldade gratuita.

Voltou-se para eles, enxugando as mãos.

— Só o senhor nos pode ajudar... — balbuciou Simão. — Por favor, seja nosso amigo.

Eugênio largou a toalha e caminhou até a mesa. Sentou-se na cadeira giratória, pegou o corta-papel e começou a bater a lâmina de osso na palma da mão esquerda. Era preciso recuperar a calma, pôr em ordem as ideias, achar uma saída. O grande obstáculo imediato seriam os pais da menina. Filipe ficaria furioso quando soubesse de tudo; seria capaz duma violência. Havia depois a sociedade, a famosa sociedade a que os Lobos pertenciam. Era bem uma sociedade de lobos que se entredevoravam. Se a notícia da gravidez de Dora se divulgasse, eles teriam um pratinho extraordinário dum raro e esquisito sabor.

— Então? — perguntou Eugênio, olhando para o rapaz.

Simão aproximou-se da mesa, segurou-lhe as bordas com ambas as mãos, encurvou o busto e disse baixinho:

— Tudo depende do senhor.

Os olhos de Eugênio refletiam a sua dúvida, a sua quase-incompreensão diante daquelas palavras. Ele "não queria" compreender. A ideia que lhe vinha agora era em si mesma tão brutal, tão repugnante que ele se recusava a pensar em que Simão estivesse insinuando que... Não, não era possível.

— O senhor já pensou no que pode acontecer se essa criança nascer? — perguntou Simão. — O pai de Dora tem raiva de mim... Ela vive numa sociedade que não compreende certas coisas... Eu... eu... sou um judeu. Entregar-se, antes do casamento, a um cristão, para eles já é uma vergonha... mas entregar-se a um judeu é... é monstruoso. — O rapaz tremia todo e sua voz a espaços ficava rouca, quase inaudível. — Pense bem, doutor. O pai da Dora é capaz duma brutalidade... Não é que eu tenha medo, só penso nela... O culpado de tudo fui eu... Ela é uma menina que não sabe nada, mas eu tinha obrigação de enxergar claro, de evitar o que aconteceu. Sou um porco, uma besta! — Bateu no peito com força. — E por causa da minha fraqueza ela vai sofrer.

Eugênio fazia um esforço desesperado para conservar a calma. Batia cada vez com mais força e rapidez com o corta-papel na palma da mão.

Houve um silêncio curto. Dora, mordendo o lábio, olhava para a rua. Dir-se-ia que lá fora, sob seu olhar, se estivesse desenrolando uma cena dolorosa mas dum fascínio tão perverso e tão grande que não lhe permitia afastar os olhos dela. E ela continuava a ver e a sofrer. O sofrimento lhe desfigurava o rosto, matava-lhe a frescura juvenil.

Eugênio ergueu-se. Fez Dora sentar-se no sofá, aproximou-se de Simão, bateu-lhe no ombro:

— Tenha calma — disse. — Sente-se ali junto de Dora.

Simão obedeceu sem dizer palavra. Eugênio recostou-se à mesa e falou:

— Não há duas soluções para o caso. O remédio é contar tudo ao Filipe... — Simão esboçou um gesto de protesto. Eugênio interveio logo. — Calma, Simão, escute primeiro o que vou dizer. No fim de contas o pai de Dora é um ente humano, que saberá compreender. Dentro de um mês ou dois já não será possível para Dora esconder o seu estado. Todos vão notar... Eu me encarrego de falar com o Filipe. Vou sugerir que mande a Dora pra fora, para uma estância, para um sanatório numa cidade do interior...

Simão ergueu-se agressivo.

— Essa solução pode ser muito cômoda pro senhor... Pense no que pode acontecer a ela, pense no que vai ser a vida dessa criança. Além de filho de judeu será um filho... um filho...

Ofegava, estava prestes a pronunciar um palavrão quando Eugênio explodiu:

— Cale a boca! Você não sabe o que está dizendo...

Simão deixou-se cair no sofá e cobriu o rosto com ambas as mãos. Dora ensaiou um tímido gesto de carinho, passou os dedos de leve pelos cabelos escuros e ondulados do rapaz, depois olhou para Eugênio e no seu olhar havia uma súplica e um pedido de desculpa.

Fez-se longo silêncio. Eugênio acendeu um cigarro, enfiou as mãos nos bolsos das calças e começou a caminhar à toa pela sala. Pensou no dr. Seixas. Se ao menos ele estivesse ali, podia dar-lhes uma sugestão. Era um homem de experiência, conhecia o mundo.

Simão ergueu a cabeça, empertigou o corpo.

— Desculpe, doutor. O senhor compreende a minha situação. Faz duas noites que não durmo. — Estava mais calmo. Agora todo o seu desalento se denunciava no arrastado da voz, na expressão de cansaço dos olhos, nas rugas da testa.

Recostou a cabeça no respaldo do sofá e ficou num silêncio de prostração. Eugênio olhou para Dora.

— Pense bem, minha filha. Sua mãe não poderá deixar de compreender. Você verá como tudo vai ser fácil.

Os lábios da menina tremeram antes que ela conseguisse pronunciar a primeira palavra.

— M... mamãe nunca se importou comigo... Eu sei que ela não vai compreender, eu sei, eu sei! Nunca me deu um conselho, nunca me explicou nada... — As lágrimas de novo lhe vieram aos olhos. — Mamãe não me quer bem. O senhor vai ver. Eles só sabem brigar, repreender quando a gente procede mal...

— Mas não é possível... — começou a protestar Eugênio.

Como se cobrasse ânimo novo, Simão ergueu-se. Parecia ter tomado uma grande resolução. Aproximou-se de Eugênio e disse com firmeza:

— Eu já ia enfraquecendo... — Sacudiu a cabeça lentamente. — Mas nestas últimas horas tenho pensado muito e muito em toda esta história. Só há uma saída.

Eugênio esperava. Simão murmurou:

— O aborto.

O médico sacudiu a cabeça.

— Não conte comigo.

— Mas o senhor é o único amigo que temos.

— É inútil. Eu não faria isso em nenhuma mulher nestas circunstâncias e muito menos em Dora.

Simão cruzou os braços. Passara da indecisão para o desespero, do desespero para o desânimo, do desânimo de novo para a resolução.

Avançou, agressivo, e, sorrindo um meio sorriso de desdém, murmurou:

— A honra profissional, não? O sacerdócio sagrado da medicina... Eu fazer um aborto? Oh! Nunca. — Descruzou os braços, brusco, seus olhos fuzilavam e Eugênio teve a impressão de que ele ia agredi-lo fisicamente. — Se é questão de dinheiro, diga logo! — gritou Simão. — Vou roubar, vou matar, vou vender a minha alma, mas consigo o dinheiro para comprar a sua consciência.

Eugênio disse simplesmente:

— Não seja teatral.

Simão segurou-o pelos ombros e sacudiu-o repetidamente como se o quisesse despertar.

— Mas eu estou lhe pedindo o que muitos médicos fazem! Eu sei que é simples. Examine bem o caso. É questão de alguns minutos e tudo está acabado. Dora fica livre da vergonha. — Sacudia sempre Eugênio. — Por amor de Deus, do seu Deus! Essa criança vai ser uma infeliz, não temos o direito de botar no mundo uma criatura que nós sabemos que vai sofrer. A culpa é minha, eu sei, estou disposto a ir pra cadeia, a me humilhar, a ir pro inferno! Mas faça o que eu lhe peço.

Eugênio sacudia a cabeça negativamente. Simão largou-o, enxugou o suor que lhe escorria pelo rosto e depois exclamou:
— Covarde!
Eugênio teve um estremecimento, como se lhe houvessem golpeado uma ferida mal curada. Mas dominou-se. Aproximou-se de Dora, tomou-lhe da mão e perguntou:
— Pense bem. Não acha melhor resignar-se, deixar que a criança nasça? Pense bem. Um filho, Dora. Estou certo de que agora seu pai concordará com o casamento. Imagine o seu filho, qual é a mulher que não deseja ter um filho? (Passou-lhe pela mente a imagem de Eunice: "Esses mamíferos que nos deformam o corpo"...) Você conhece a Anamaria?... Não gostaria de ter uma filhinha como ela?
Simão soltou uma risada. Estava parado atrás de Eugênio.
— Ele tem coragem de falar na filha! Chega a ser engraçado... A filha que ele conheceu só quando ela tinha quase três anos... A filha que ele fez num momento de egoísmo e de animalidade como eu... — Eugênio tinha a impressão de que o apunhalavam pelas costas. — A filha que a outra teve, que a outra criou em silêncio enquanto ele, o moralista...
Eugênio inteiriçou o corpo, voltou-se e, com voz surda, gritou:
— Cale a boca!
Caminhou para Simão com ar agressivo. O outro ficou imóvel. Dora deixou escapar um grito débil e fino. Eugênio estacou. Sentiu que alguma coisa, um pensamento ou uma mão invisível, o retinha. Soltou um fundo suspiro, como se ao expirar quisesse botar para fora de mistura com o ar toda a sua cólera inesperada e indesejável. Passou a mão pelos cabelos e foi de novo sentar-se à mesa. Ficou olhando inexpressivamente primeiro para Dora, depois para Simão e por fim com voz alterada pela comoção disse:
— Não adiantamos nada com violências. Precisamos olhar os fatos com calma. Eu não lhe tenho rancor, Simão, por dois motivos. Primeiro, porque você disse uma verdade a meu respeito. Segundo, porque no estado em que você se encontra, tudo se desculpa.
E de novo Dora e Simão estavam de pé na sua frente, ansiosos, expectantes.
— Vou telefonar para o Filipe, contar tudo e pedir-lhe que venha buscar a Dora. — Eugênio falava com resoluta calma. Tomou do fone.
— Alô! Dona Amélia, consiga uma ligação urgente com o escritório do doutor Filipe Lobo. Urgente, está ouvindo?
Por alguns segundos Simão ficou imobilizado pela indecisão.

— Não faça isso, doutor, pelo amor de Deus! — exclamou após breves instantes.

Dora tremia, agarrada ao braço do rapaz.

— Alô! Aqui é o doutor Eugênio. Preciso falar imediatamente com o doutor Filipe. — Pausa. Eugênio franziu a testa. — Não pode? Mas é um assunto urgente. — Nova pausa. — Daqui a quinze minutos? Mas é muito tarde... Alô... Alô!

Simão deu dois passos, estendeu o braço e cortou a ligação.

— Pense no que está fazendo, doutor. Nos dê mais uma oportunidade.

Eugênio pôs o fone no lugar. A cabeça começava a doer-lhe. Sentia sede. O suor que lhe pingava da testa era frio e desagradável.

— O Filipe não pode atender. Está numa conferência muito importante.

Os lábios de Simão se crisparam.

— Vê? Não tem tempo pra cuidar da filha. Negócios, negócios e negócios. Ele com o seu arranha-céu... O senhor com a sua consciência profissional... Contanto que o Megatério cresça e que a sua consciência esteja em paz, pouco importa o sofrimento dos outros, a vergonha e a tranquilidade dos outros... É... Eu sei...

Silêncio. Eugênio olhava perdidamente para uma folha de papel em branco que estava sobre a mesa.

— Então? — tornou a falar Simão. — O nosso problema pode ficar resolvido hoje mesmo. Depende do senhor. Um pouco de boa vontade... Veja quanta coisa se pode evitar...

Eugênio sacudiu a cabeça numa negação obstinada.

— Não contem comigo...

Simão pôs o chapéu na cabeça e, tomando do braço de Dora, disse:

— Está bem. Procuramos um amigo numa hora de aperto. Ele não nos quis ajudar. Vamos procurar então qualquer desconhecido...

Eugênio fitou os olhos no rapaz, numa interrogação.

— Não há de faltar uma parteira ou um médico que faça o que o senhor não quis fazer. — Puxou Dora e caminhou para a porta.

Foi um momento decisivo para Eugênio. Deixá-los ir, livrar-se daquela responsabilidade? Mas Dora correria perigo de vida, nas mãos de alguma parteira inescrupulosa, dalgum charlatão irresponsável. Ele não podia permitir...

Ergueu-se dum salto e em largas passadas tomou a dianteira do casal, postando-se entre ele e a porta.

— Você pode ir — disse a Simão —, mas a Dora fica.
A moça olhou para o companheiro, indecisa.
— Ela vai — afirmou Simão.
— Não permito. Vou entregá-la ao pai.
Fez-se um silêncio hesitante e tenso. Os três ofegavam.
— Vamos, Dora — disse Simão. E estendeu a mão segurando a maçaneta da porta.
Eugênio viu que tinha de cometer um ato de violência. Teria direito a isso? Valeria a pena opor-se pela força a que eles fossem? Talvez Simão não levasse a cabo a ameaça. Teria tempo de avisar Filipe, para que ele interviesse.
Simão abriu a porta e empurrou Dora para fora.
Eugênio desviou os olhos e deixou-os ir.
— Mande entrar o seguinte.
Os minutos passavam. Os clientes se sucediam. Eugênio atendia-os com a atenção por vezes ausente. Estava preocupado. Aonde teriam ido Simão e Dora? Não devia tê-los deixado sair... Se tivesse sido mais enérgico... Era forte, dominaria Simão, com relativa facilidade, se ele reagisse fisicamente. A sua obrigação como amigo de Filipe... Obrigação... Amigo... Sempre as palavras. Diabo... Por que lhe aconteciam aquelas coisas desagradáveis?
Passou-se meia hora. A custo Eugênio concentrava o espírito no que lhe diziam os clientes. Imaginava Dora de mil maneiras... Nas mãos duma parteira que ele conhecia... No consultório de certo médico de cujos escrúpulos ele desconfiava... Via-a tomando drogas... Agonizando... Morta. Oh! Devia ter tido mais coragem. Mas odiava a violência, antes de cometê-la teria que violentar-se a si mesmo. Ou tudo tinha sido apenas covardia? Talvez... Mas não, a indecisão nem sempre tem raízes no medo... A verdade era que, fosse como fosse, precisava avisar Filipe...
Vestiu-se, apanhou o chapéu, desculpou-se com os clientes que estavam na sala de espera e precipitou-se para a rua. Entrou num automóvel e deu o endereço do escritório de Filipe.
— Está ainda ocupado — informou um dos empregados.
— Mas o meu caso é urgente.
O homem olhou o relógio de pulso.
— Tenha paciência. Cinco minutos no máximo.
Três minutos depois abria-se a porta do gabinete de Filipe. Saíram dele dois homens de meia-idade, seguidos de Filipe, que dizia:

— Estamos combinados, não?

Houve uma troca confusa de palavras, de amabilidades, acordo e despedida.

Filipe avistou Eugênio e fez-lhe um sinal amistoso:

— Alô, bichão! Espera lá dentro, que eu já volto.

Acompanhou os dois homens até o elevador. Eugênio entrou no gabinete. Estava perturbado, o coração lhe batia descompassado, sentia a boca ressequida e amarga. Como iria contar a Filipe o fato desagradável? Qual seria a reação dele? Desejou mil vezes não estar envolvido naquilo.

Filipe entrou radiante, fechou a porta, abraçou Eugênio.

— Menino, acabo de dar um golpe de mestre! Venci uma dificuldade formidável. Estou com o dia ganho. Mas que cara é essa? Morreu alguém?

Eugênio não sabia como começar. Filipe ofereceu-lhe um cigarro, que ele recusou.

— Desembuche, homem!

Era melhor dizer logo tudo sem rodeios.

— Está se passando uma coisa muito séria, Filipe... Com a Dora — acrescentou, ainda sem coragem de dizer toda a verdade.

Filipe suspendeu a respiração, franziu a testa.

— O automóvel...? — murmurou. — Diga logo, homem!

Eugênio sacudiu a cabeça negativamente.

— A Dora está grávida.

Filipe olhou estupefato para o amigo.

— O quê? A Dora... a mi... Não é possível...

— Infelizmente é verdade. Eu... eu mesmo a examinei — acrescentou o outro com relutância, corando.

Contou-lhe tudo. Filipe deixou-se cair na sua cadeira. Seu estonteamento, porém, foi de curta duração.

— Aquele judeu patife... — murmurou, quebrando um lápis nas mãos. — E você... por que não impediu que eles saíssem de seu consultório?...

— Eu telefonei-te, Filipe, disseram que não podias atender...

— Devia ter usado de força... devia ter dado bordoada naquele judeu canalha... E agora? Onde andarão eles?

Pegou o telefone, pediu ligação com sua casa.

— Alô!... Alô! Que diabo! Alô! É o Filipe. A Dora já apareceu? — Pausa. — Não? Desde manhã?

Pôs o fone no gancho num gesto furioso. Olhou para Eugênio e lhe disse por entre dentes:

— Como médico e como homem você é responsável pelo que acontecer... à minha filha. — Cresceu para ele, trêmulo de raiva. — Mas se ao menos você tivesse sido homem para impedir que aquele tipo levasse a Dora... — Calou-se. E depois cuspiu a palavra que o outro temia. — Covarde!

Eugênio sentiu o sangue afluir-lhe à cabeça. Contraiu-se-lhe o rosto numa máscara de raiva e ele vociferou:

— Patife!

Surpreendido diante daquela reação, Filipe arrefeceu um pouco. Mas já Eugênio rompera todas as barreiras da timidez, da conveniência, e suas palavras jorraram:

— Pois como médico e como homem, ouviu? Eu responsabilizo você e só você pelo que aconteceu, pelo que está acontecendo e pelo que... pelo que ainda vai acontecer... — Ofegava, estava vermelho e suas mãos tremiam. — Dora tem razão. Você quer mais bem ao Megatério do que a ela. Abandonou-a para cuidar do seu arranha-céu. Porque é um vaidoso, um exibicionista, um sujeito desumano. Vá! Veja se agora o seu arranha-céu, o seu dinheiro e o seu renome podem remediar o mal que está feito, veja se...

A comoção cortou-lhe a voz.

Filipe tinha desviado os olhos e no seu rosto, pela primeira vez, Eugênio via vestígios de sofrimento, de acovardamento e de miséria.

Calou-se, admirado do que dissera e de ter tido força e ímpeto para dizer. Veio-lhe um repentino amolecimento interior e, sem que nenhum dos dois pronunciasse mais uma palavra, ele saiu do gabinete, atravessou a sala de espera, ganhou o corredor e precipitou-se escadas abaixo sem esperar o elevador.

Passaram o resto da tarde à procura de Dora. Filipe pediu o auxílio do chefe de polícia, de quem era amigo particular. Eugênio foi buscar Seixas, contou-lhe o que se passava e rogou-lhe o ajudasse a descobrir Dora. Tomaram um automóvel, apanharam um guia telefônico e visitaram todas as parteiras, todos os médicos suspeitos da cidade. A noite encontrou-os cansados e aflitos. Não tinham achado o menor vestígio. Foram à casa de Simão. O casal Kantermann estava também apreensivo porque o rapaz passara a noite em claro, saíra de manhã e ainda não dera sinal de vida. Seixas entrou na primeira farmácia e telefonou para a casa de Filipe. Comunicou-se com Isabel, que lhe declarou que até aquela hora não haviam descoberto nada.

Seixas voltou para o automóvel. Encontrou Eugênio num deplorável estado de ânimo.

— Coragem, rapaz! Parece que é você que está grávido...

Eugênio não respondeu. Debatia-se num mundo escuro. Lembrava-se apenas de que podia ter evitado aquele drama. Tinha sido um covarde.

— Eu podia ter evitado isso...

Seixas olhou-o de soslaio:

— Eu não sabia que você era Deus...

— Bastava que eu tivesse tido a coragem de dar um par de socos no rapaz... Prendia a menina, chamava o pai...

Seixas encolheu os ombros.

— O pai vinha — retrucou — e dava um par de socos na menina e provavelmente um par de tiros no rapaz. Cobria a rapariga de nomes, de vergonha, falava na sua honra, na sua posição social, e com toda a certeza, empregando o seu prestígio e os seus recursos, conseguiria que outro médico fizesse com toda a naturalidade e bem pago o aborto que você muito honestamente não quis fazer... Deixe de ser besta. Sossegue o peito. E por falar nisso para onde é que vamos agora?

— Sei lá...

— Vamos pra casa. O remédio agora é esperar. Por que não janta comigo? Bota-se mais água no feijão.

— Estou sem fome.

Seixas deu ao chofer o endereço do amigo. O auto se pôs em movimento.

— Parece incrível — murmurou Eugênio — que não seja possível viver sem empregar a violência. Se eu tivesse outro temperamento, fosse um impulsivo, por exemplo, Dora agora estaria a salvo em sua casa...

— A salvo? Quem sabe? Olhe. Examine a questão por todos os lados. Dora pode fazer o aborto e ser bem-sucedida. Admitamos que não o tenha feito e que Filipe encontre ela, aceite a situação e espere a passagem do período normal da gravidez. Quem nos garante que Dora não morra do parto? Já lhe disse: sossegue esse coração. Não mexa na ferida, porque ela começa a doer e a sangrar. Pense noutra coisa. Espere, tenha paciência.

Deixou Eugênio à porta da casa e prometeu levar-lhe pessoalmente ou dar-lhe por telefone as notícias que obtivesse no decorrer da noite.

Eugênio encontrou em casa algum alívio. Anamaria agarrou-se-lhe às pernas, fazendo as perguntas de costume:

— Que que tu me trouxe? E o meu presente?

Eugênio tomou-a nos braços. Cada vez se identificava mais com aquela criaturinha. Beijou-lhe a testa, os cabelos e seus pensamentos foram imediatamente para Dora. Anamaria ia crescer: fazer-se moça como a filha de Filipe... O mundo era mau e tudo o levava a crer que fosse piorando à medida que os anos passassem. Ele precisava ser forte e ter olhos limpos a fim de saber guiar a filha nos caminhos da vida. Sentou-se, pôs Anamaria sobre os joelhos e apanhou o retrato de Olívia.

— Quem é essa, minha filha?
— A mamãe.
— Onde é que ela está?
— Tá no céu.
— Quem foi que te disse?
— A madrinha Frida.
— E quem é que mora mais lá no céu?
— Deus — respondeu a menina, muito séria.

Deus... Se ao menos ele pudesse acreditar como Olívia acreditava, tudo estaria bem.

À hora do jantar verificou que os Falk estavam alegres. Hans tinha feito àquela tarde um bom negócio. D. Frida cantarolava. Anamaria batia a colher no prato. O velho Falk contou uma história de seus tempos de moço, em Hamburgo. Eugênio beliscou os alimentos. Não se haviam erguido da mesa quando o telefone tilintou. Eugênio teve um estremecimento, levantou-se bruscamente e correu para o aparelho.

— Alô!... Quem?... Ah! — Mudando de tom: — É com o senhor, seu Falk.

Passou o fone para o outro. Tinha-se-lhe alterado o ritmo da respiração.

Depois que Anamaria adormeceu, Eugênio ficou a ler os jornais da tarde. Não conseguia prestar atenção no que lia. Ruminava as cenas desagradáveis da tarde. Vistas de longe no tempo e no espaço, elas tinham um sabor levemente melodramático. Agora ele se lembrava de detalhes...

Eram quase dez horas quando Seixas irrompeu na sala, de chapéu na cabeça. Sentou-se no sofá, respirando fundo, olhou para Eugênio, que estava em ansiosa expectativa, e disse em voz baixa e cansada:

— Esta vida é mesmo uma... uma... — Soltou um palavrão. Eugênio viu que os olhos do amigo estavam úmidos. — Pois você não há de ver?

Eugênio esperava, incapaz duma palavra, abafado por um mau pressentimento.

— Sempre acontece o pior... — continuou Seixas. — A Anunciata, aquela cachorra, fez o aborto... veio uma hemorragia... quando ela viu a coisa preta pediu socorro pro Rezende... O Rezende não quis ficar com a responsabilidade... Chamou o pai de Dora...

Calou-se. Ergueu-se, atirou o chapéu para cima da mesa, passou os dedos pela cabeleira hirsuta e grisalha.

— Não foi possível fazer mais nada. A menina morreu ao escurecer. Me dá um cigarro.

Estendeu para Eugênio a mão cabeluda, que tremia.

Eugênio não teve ânimo para ir ver o corpo de Dora. Passou a noite em claro, lutando com os próprios pensamentos e numa sensação de febre. No outro dia, à tarde, Seixas lhe contou que o enterro tinha sido muito concorrido. Filipe e a mulher estavam desesperados. Isabel tivera um desmaio na hora de sair o féretro.

— E Simão? — indagou Eugênio.

Seixas fez um gesto vago.

— Estive hoje na casa dele. Os velhos estão alarmados. O rapaz ainda não apareceu.

Fez-se um curto silêncio, ao cabo do qual, amaciando a voz, Seixas murmurou:

— A Dora estava tão linda no caixão, parecia adormecida. E era uma criança ainda... — Suspirou. Começou a enrolar um cigarro melancolicamente. — A Quinota mandou um buquê bem bonito. As flores que ela tinha comprado pro doutor Dubov... — Sorriu. Umedeceu as bordas do papel com a ponta da língua. — O russo esta semana foi logrado.

23

Aquele fim de inverno foi particularmente escuro e triste para Eugênio. A morte de Dora lhe abrira as velhas feridas, que recomeçaram a sangrar. Já não o atormentava mais a sensação de culpa, a lembrança de que um gesto seu poderia ter evitado o desastre. O que ele sentia com dolorosa agudeza era a inutilidade de todos os gestos. Ninguém podia com o destino — sua mãe era quem tinha razão. A vida rolava à revelia de nossos desejos e os homens eram por ela arrastados inapelavelmente. Eugênio lembrava-se de ter ouvido da boca de um de seus clientes: "Eu não sou trouxa, doutor, aproveito o mais que posso. Consciência? Conversa fiada. O mundo é dos ladinos". Havia dias em que para ele a face das criaturas e das coisas se apresentava fria e hostil.

O estímulo e a alegria haviam desaparecido do mundo e, pior que tudo, Olívia mesmo parecia ter desertado de sua vida.

Eugênio procurava reagir contra esses pensamentos, esforçava-se por afugentar o pessimismo e a dúvida, pois sentia que entregar-se a eles seria trair a memória de Olívia.

Uma tarde, saiu do consultório particularmente deprimido. Chovia e a umidade fria das ruas lhe dava uma sensação de desconforto sem remédio. O céu era cinzento. Os homens passavam encolhidos. Não se tinha a impressão dum fim de dia, e sim dum fim de mundo. Eugênio fazia reflexões amargas. Naquela manhã assistira a uma cena desoladora. Morrera-lhe um velho cliente. O padre ainda estava ao pé da cama a lhe dar a extrema-unção e já os três filhos do moribundo discutiam em alta voz, na varanda, a partilha dos bens, pois se sabia que o homem não deixava testamento. Não pareciam irmãos: naquele momento eram apenas inimigos. A cobiça lhes desfigurava os rostos, dava-lhes uma aparência de demônios, quase de feras esfaimadas.

Por toda parte — pensava Eugênio — ele via a ganância e a inveja, a avareza e o ódio, a mesquinhez e a malícia. Como seria possível salvar os homens?

Pensou em Olívia. Sentiu que ela estava morta. Devia ser o frio, a cinza do céu, a chuva gelada, a tristeza das pedras e das criaturas. Porque ele sabia que Olívia não podia morrer...

Continuou a caminhar com as mãos metidas nos bolsos do impermeável. Pensou em Seixas. O velho amigo vivia ultimamente atormentado pelos credores e pela bronquite crônica. Arrastava o corpanzil doente e cansado pelo consultório, pelas casas dos clientes, pelas ruas, resmungando, tossindo, blasfemando e dizendo que não sobreviveria àquele inverno.

Chegou a casa sentindo necessidade de calor humano. Doía-lhe aquela solidão glacial. Na sala de jantar Hans Falk fumava cachimbo e lia o jornal alemão. D. Frida tricotava ao pé da mesa. Anamaria veio correndo ao encontro do pai. Eugênio tomou-a nos braços e apertou-a contra o peito. A menina segurou-lhe o rosto com ambas as mãos.

— Papai, eu quero dormir no teu quarto. Já estou mocinha.

— No meu quarto? — admirou-se Eugênio. — Mas tu vais deixar dona Frida sozinha, minha filha?

— A madrinha dorme com o padrinho.

Os Falk desataram a rir.

— Então tu queres mesmo dormir no quarto do pai?

Anamaria encolheu os ombros, enrugou o nariz e entortou a cabeça numa espantada interrogação:

— Pois eu não sou tua filha?

E, como acontecia sempre que não tinha argumentos, Eugênio deu-lhe o sonoro beijo da capitulação.

Naquela noite a cama de Anamaria foi posta ao lado da do pai. Às sete horas Eugênio teve de se deitar ao lado da filha a fim de que ela lhe segurasse a orelha.

Olhando para a filha ali a seu lado, Eugênio lembrava-se das palavras de Olívia: *É como se agora te fosse dado modelar, com o barro de que foste feito, um novo Eugênio. E pensar que vais continuar nela.* Sim. Ele precisava ter coragem. Fraquejar agora seria decepcionar Olívia, que tanto esperava dele...

Quando Anamaria caiu no sono, Eugênio se levantou de mansinho e deixou o quarto. A sala que fora de Olívia lhe deu uma angústia enorme. Ele teve vontade de sair, meter-se num cinema ou num café. Precisava de ruído para ter a certeza de que o resto das criaturas do mundo não havia perecido. Tornou a vestir o impermeável e a calçar as galochas.

— Vou sair, dona Frida — disse em voz alta. — Se telefonarem, faça o favor de dizer que volto às dez.

Pôs o chapéu e saiu. A chuva continuava a cair, fina e fria.

No Theatro São Pedro os cartazes anunciavam uma comédia. Quase irrefletidamente, Eugênio comprou um bilhete e entrou. O ambiente era morno e tenuemente perfumado. O excesso de luzes e de olhos lhe deu uma vaga sensação de mal-estar. Felizmente a sua cadeira ficava numa extremidade de fila, não era preciso incomodar ninguém para chegar até ela. Sentou-se, passou os olhos pela plateia, pela fila das frisas... Sobressalto. Numa das frisas mais próximas do palco se achava Eunice, ao lado do pai. Vestida de preto, muito branca e loura, um louro quase de platina. Eugênio desviou os olhos, conturbado. O seu primeiro ímpeto foi de erguer-se e ir embora. Uma rápida reflexão convenceu-o de que o mais aconselhável era ficar. Sim — refletiu ele com o coração ainda em marcha um pouco descompassada —, por que não ficar? Não tinha mais nada com Eunice. Eram dois estranhos. Mas apesar de tudo — pensava ele — devo estar vermelho. Remexeu-se na cadeira. Mal ousava olhar para os lados. Devia haver ali, no teatro, outros conhecidos. Fatalmente o enxergariam na plateia, fariam comentários... Que me importa? Cometi algum crime? Lembrou-se dos boatos maliciosos, perversos mesmo, que haviam corrido quando se divulgara a notícia do desquite. Eugênio sacudia nervosamente a perna. Se as luzes se apagassem e a cortina se abrisse, estaria salva a situação. Alguns segundos depois a intensidade das luzes diminuiu de maneira sensível e a orquestra começou a tocar. Eugênio olhou disfarçadamente para a frisa de Eunice. Cintra se inclinava para a filha, ao passo que um homem se erguia no fundo da frisa. Castanho. O rosto comprido e pálido, os olhos brilhando. *Ensaio sobre a tragédia grega*. Castanho inclinou-se para Eunice. Disse-lhe alguma coisa. Ela sorriu. Eugênio continuava a observá-los dissimuladamente. *Pour enfanter de belles pensées*. Cintra sacudia a cabeça, sempre de dentes à mostra. Monopólio do leite. "Você tem jeito para essas coisas." Eugênio sentia-se calmo agora. Era a calma orgulhosa do homem que acaba de se certificar de que não errou o caminho. Sim, ele tinha orgulho da sua solidão. Não pertencia ao mundo dos Cintras, dos Castanhos. Sentia-se forte, senhor de si mesmo e da sua vida. Ficou olhando para o palco. A música cessou. Ouviram-se várias pancadas repetidas, depois mais três batidas espaçadas. A cortina correu. A "outra" representação começou — pensou Eugênio. Qual seria a mais falsa? — perguntou-se a si mesmo dez minutos depois, quando já se esboçava o enredo da comédia, quando suas personagens começavam a se definir nos diálogos, nos gestos... Qual seria a peça mais convencional? A do palco? Ou aquela em que Eunice era a figura central? Imaginou-a em cena, de pijama de seda, sentada à maneira oriental em cima dum divã, lendo um livro, o cigarro ardendo metido na piteira de âmbar que seus dedos seguravam em refinada atitude.

Uma enorme gargalhada coletiva chamou Eugênio à realidade. Ele passou a concentrar a atenção no que acontecia no palco. Era uma história vulgar com maus diálogos, cheia de trocadilhos e anedotas.

De repente uma estranha sensação tomou-lhe conta do corpo. É que ele queria integrar-se na alegria geral, rir com os outros, esquecer a presença de Eunice, de Cintra, de Castanho e de seu passado, esquecer a chuva e o frio lá de fora, esquecer a morte de Dora, a maldade dos homens, a incongruência da vida. Não podia. Isso lhe dava uma angústia — a angústia da separação, do isolamento, do abandono. Queria ser simples, por exemplo, como aquele velho gordo ali a seu lado. Ele ria em gargalhadas sonoras, seu rosto se pregueava todo, sua papada tremia, seus ombros redondos subiam e desciam. Ser simples, aceitar tudo, não ter memória...

Quando a cortina tornou a se fechar e as luzes se acenderam, Eugênio se ergueu e saiu. No saguão parou um instante, lembrando-se do dia da festa de formatura. Bem ali, ao lado daquela coluna, encontrara Olívia sozinha, com uma braçada de rosas vermelhas.

Acendeu um cigarro. Ficava ou não para ver o resto da peça? Hesitou um instante. Não fico — resolveu.

Saiu do teatro, atravessou a rua na direção da praça. Caía uma garoa rala. Eugênio parou um instante para contemplar o monumento junto do qual ele e Olívia se haviam sentado aquela noite, abatidos sob o peso dos diplomas. O dragão continuava na mesma postura, subindo pela escada, a pata erguida, os dentes arreganhados; seu dorso de bronze reluzia.

Eugênio continuou a andar. Pensava agora em Eunice. Parecia-lhe impossível que por três anos vivera com ela, na mesma casa, como marido e mulher. No entanto agora ela lhe parecia uma estranha. Era como se jamais lhe tivesse dirigido a menor palavra...

Desceu a rua. Surpreendeu-se, instantes depois, a assobiar uma música alegre. Era bom sentir-se forte. Havia um secreto encanto na sua solidão.

Ao passar pelo Megatério, parou. Ficou perturbado como se defrontasse uma pessoa que lhe conhecesse os dramas íntimos. Olhou para o banco em que naquela noite ficara sentado a conversar com Dora e Simão. Lá estava ele, vazio, desolado, batido pela chuva.

Retomou a marcha. Ao entrar em casa encontrou no corredor d. Frida, que lhe disse:

— Olha, Genoca, telefonaram da casa do seu Travis. O menino está com muita febre.

— Faz muito tempo?

— Neste instantinho.

Eugênio sacudiu a cabeça, voltou-se e tornou a sair. A chuva estava mais forte. Mas nada agora importava. Ele sentia que em breve lhe voltaria a calma, a aceitação, a grande paz.

* * *

Setembro entrou com ventanias e fortes aguaceiros. Mas numa manhã de princípios de outubro, Anamaria e o velho Falk encheram a casa com o seu alvoroço. Eugênio acordou com os gritos da filha, que pulava na cama, gritando:

— Oia o sol! Oia o sol, papai!

Eugênio saltou da cama e ouviu em seguida a voz comovida de Hans Falk, que bradava no quintal:

— Venha ver, Frida! Que beleza!

Eugênio abriu a janela e se inclinou para fora.

Falk apontava para o fundo do quintal onde se erguia um pessegueiro todo coberto de flores. Era a árvore de que ele cuidava com carinhos de pai.

— Veja, Genoca — dizia ele, olhando para cima, muito vermelho. — Que beleza!

O céu era dum azul limpo e luminoso. O vento cheirava a seiva e a flor.

Aquela manhã Engênio saiu para a rua em lua de mel com o mundo. À tarde, o consultório teve um movimento maior que o de costume.

Ao anoitecer Seixas entrou e encontrou o amigo à mesa, sorrindo e a ler alguma coisa.

— Que é que você tem? — perguntou. — Viu passarinho verde?

— Mas é uma maravilha! — exclamou Eugênio, erguendo a cabeça. — Cada dia que passa é uma revelação, uma surpresa.

Seixas sentou-se, limpando a cinza do colete.

— Quando você chegar à minha idade não achará mais maravilhas nem encontrará surpresas ou revelações...

Eugênio examinava as fichas.

— Sabe da última? Estou encontrando na vida, em carne e osso, velhos conhecidos de livros...

— É?

Seixas parecia pouco entusiasmado. Enrolava um cigarro com pachorra.

— Fausto... por exemplo. — Tomou uma das fichas. — Cá está ele. Sei que não volta mais. Desenganei-o. Mas tomei o nome verdadeiro do homem, a idade e duas notas sobre o caso. — Largou a ficha. Apanhou outra. — Este aqui é Hamlet. E ontem falei com Pigmalião.

Atirou-se para trás na cadeira e olhou para o amigo. Seixas umedecia com a língua a borda do papel do cigarro. Seus olhos azuis estavam fitos em Eugênio, parados, vazios, alheios.

— Conhece a lenda de Pigmalião?

Seixas apalpou os bolsos à procura da caixa de fósforos.

— Não me interesso por contos da carochinha.

— Mas é impossível que não tenha ouvido falar em Fausto.

— Aquele velho gaiteiro que não podia com as calças e que se engraçou pela Margarida? Esse é meu conhecido.

— Grau dez. Pois tenho lidado com essa gente toda. É claro que eles aparecem vestidos como nós, dão outros nomes, mas no fundo seus casos são semelhantes aos daquelas personagens clássicas.

Seixas chupou o cigarro, tirou uma baforada, desinteressado. Mas Eugênio estava resolvido a vencer-lhe a indiferença. E começou a contar.

Fausto entrou-lhe no consultório na pessoa dum velho, baixo, calvo e de pernas tortas. Chegou cheio de mesuras, disse o nome e pediu segredo para o que ia dizer. Tinha sessenta e oito anos e era viúvo. Ia casar outra vez dentro de alguns meses e queria... queria... — piscou o olho — o senhor sabe... não sou propriamente um moço...

Eugênio examinava-lhe os traços fisionômicos. A cara do velho lembrava-lhe a máscara dum fauno.

— Que idade tem a sua noiva?

— Dezoito. É caixeirinha da Sloper. Um mimo. — Beijou a ponta dos dedos. — O senhor não imagina.

Eugênio ficou um instante pensativo e depois, com infinito cuidado, perguntou:

— E o senhor não tem medo?

— Medo de quê?

— Medo da diferença de idades.

O velho inclinou-se para a frente, deu uma palmadinha no joelho de Eugênio e disse:

— A vida é curta, doutor, cada um aproveita como pode. A moça quer... Eu é que não vou botar fora esse biscate, não sou bobo.

Seus olhinhos diluídos se animaram.

— E o senhor quer rejuvenescer...

— Isso, doutor. Nem que seja por dois anos. Um ano mesmo... Olhe, para falar a verdade, já me contentava com seis meses. Me receite alguma coisa, me dê um regime. Não faço questão de dinheiro.

— Calou-se um instante. Seu rosto escureceu. — Pra conseguir isso eu era capaz de vender até a minha alma.

Hamlet apareceu a Eugênio na pessoa dum guarda-livros alto, magro e tristonho. Não tinha ainda trinta anos e vivia num estado de profunda melancolia. Comia pouco e dormia mal. Achava a vida negra. Não suportava o convívio social, não sabia conquistar amigos e desconfiava de tudo e de todos. Contou que se prejudicava na vida por causa da indecisão, da dúvida. Andava ultimamente atormentado pela ideia fixa do suicídio. Não a levara ainda a cabo porque continuava a hesitar, a duvidar. Eugênio o escutava de braços cruzados, com toda a paciência e interesse. O guarda-livros falava sem olhar para o interlocutor. E, com os olhos escuros e graúdos fixos no linóleo, ele continuou a falar com uma voz monótona e branca, como a recitar um monólogo.

— Que é a vida, doutor? A vida... a vida... o senhor sabe... Não vale a pena viver... Eu às vezes penso: Ora, a gente nasce, vive sofrendo, mas pra quê? Ninguém é sincero, os homens são egoístas. As mulheres também. A gente às vezes se apaixona, se faz de bobo, e por quem, doutor? Por uma dessas diabas pintadas e falsas que amanhã a terra come as carnes e elas ficam esqueleto, como qualquer cozinheira. O senhor decerto leu aquele versinho dos dois esqueletos, o do nobre e o do pobre, conversando debaixo da terra. O pobre se ergueu e perguntou pro nobre: Onde estão os teus avós nessa ossada branca? O outro não sabia. Todos na morte somos iguais. Mas o que é a morte? A morte, doutor, pode ser um sono sem sonhos. Ou então a vida é o sonho da morte...

Suas mãos impressionantes, longuíssimas, magras, brancas e peludas, apertavam nervosamente um livro de capa de pano pardo. Eugênio com algum esforço leu-lhe o título: *Problemas de contabilidade*.

O Pigmalião de Eugênio se chamava Ramão Rosa, era um sujeito de cinquenta e poucos anos que vivia de agiotagem e morava numa casa cor-de-rosa e triste, perto da ponte do Riacho. A mulher fugira com um sargento da Brigada Militar e o homem, desesperado, tomara o creosoto que a esposa infiel comprara alguns dias antes para botar num dente que lhe doía. Ramão Rosa deixou uma carta à polícia, pedindo que não culpasse ninguém de sua morte (era leitor do folhetim do *Correio do Povo*) e legando tudo que tinha às obras do Sanatório Belém. Chamado a tempo, Eugênio pô-lo em poucos instantes fora de perigo. No dia seguinte, abatido e triste, estendido na cama de casal, boca e lábios queimados, Ramão Rosa contou a Eugênio o seu drama.

— Veja, doutor, que ingratidão. Achei a Mimi num beco, era mulher à toa, doutor, mulher de soldado. Simpatizei com ela, o senhor vê, tão menina e já perdida... Tinha quatorze anos, imagine... — Suspirou. Fez uma pausa curta. — Trouxe a desgraçada pra minha casa, mandei dar um banho nela, aí está a vizinha que não me deixa mentir. Mandei comprar vestidos bons, roupa de baixo, meia de seda, sapato e tudo. A Mimi era analfabeta, doutor, não sabia nem que letra era o A. Pois eu ensinei ela a ler com toda a paciência. Eduquei ela. Mimi não come com a faca, Mimi tira a mão do nariz, Mimi não te ri desse jeito que é feio, Mimi não faz isto, Mimi não faz aquilo. Pois, doutor, não é pra me gabar, mas transformei a criaturinha numa dama igual a essas da alta. Se o senhor visse ela depois dum ano, nem conhecia. Parecia uma moça dessas direitas, de família. — Mudou de tom. — Aceita uma cachacinha com mel, doutor? É da boa. Não? Bom. Pois é. Eduquei a menina e depois me apaixonei por ela e dei a maior prova de estimação que um homem pode dar a uma mulher. Casei com ela. Mas casei no duro, doutor, casamento com papel, padre, juiz e tudo. Enfim, tirei a Mimi da sujeira, a gente levava uma vida decente; aí está a comadre Mariana, que não me deixa mentir. — Tornou a suspirar, apertou as cobertas nos dedos crispados. — Pois essa infeliz me foge com um sargento da Brigada. — Olhou para Eugênio como quem pede uma explicação, um auxílio. Depois, com expressão filosófica, acrescentou: — Foi feita de barro ruim, doutor, o barro é que é ruim.

Eugênio se ergueu. Seixas tinha escutado as histórias sem dar mostras de entusiasmo e nem mesmo de interesse. Depois de alguns instantes disse:

— A vida tem de tudo. É um mercadinho bem sortido. — Mudou de tom. — Por falar em mercadinho, como esteve hoje o consultório?

— Um movimento incrível. Estou moído.

Sentou-se na mesa, na frente de Seixas.

— Estou cansado mas feliz. — Olhou por cima da cabeça do amigo, na direção da janela. Seu olhar se perdeu na distância. — A Olívia tinha razão... Felicidade é a certeza de que a nossa vida não está se passando inutilmente. São estes intervalos entre um trabalho cansativo e outro trabalho cansativo, estes momentos em que a gente pode conversar com um amigo, brincar com os filhos, ler um bom livro... O erro é pensar que o conforto permanente, o bem-estar que nunca acaba e o gozo de todas as horas são a verdadeira felicidade. Como agora eu vejo claro! É preciso o contraste... Como é que eu podia aproveitar bem uma hora de conversa e brinquedo com Anamaria se antes não tivesse passado muitas horas aqui curando as mazelas dos outros e pensando nas minhas próprias mazelas?

Seixas remexeu-se na cadeira.

— Você quer o contraste. Uma espécie de banho turco. Calor de vapor e depois — zuc! água fria em cima.

— Vá que seja. Banho turco. O nosso mal tem sido fazer do conforto e do gozo — boas roupas, boas mulheres, boas comidas e boas bebidas, casas luxuosas, automóveis e dinheiro em quantidade — o objetivo exclusivo ou quase exclusivo da vida. Comigo pelo menos a coisa foi assim. Eu queria o sucesso. Vestia esse desejo com palavras mais bonitas, disfarçava-o... Consegui o que queria. O senhor sabe o resultado. Fui derrotado. Só agora é que começo a me sentir forte e me vem uma grande paz por poder olhar para todas essas coisas com uma espécie de indiferença superior.

Seixas sacudia a cabeça devagarinho:

— Bonitas falas, rapaz. Mas apenas falas. Espere a minha idade.

Como se não tivesse escutado, Eugênio prosseguiu:

— Veja o mal que faz às pessoas a falta dum ideal superior, seja ele religioso, artístico ou simplesmente humano. O resultado disso é a corrida para o prazer. Só há um objetivo: gozar. O gozo se compra. Para comprar é preciso dinheiro. O senhor melhor que ninguém sabe que é custoso ganhar dinheiro honestamente. A vida é curta. A mocidade, mais curta ainda. Por isso ninguém mais olha os meios de ganhar dinheiro. Eis a razão por que nós estamos no século do gangsterismo. Fazem-se as maiores bandalheiras, as maiores imoralidades...

Com o cigarro colado ao lábio inferior, Seixas encarou o amigo e, esforçando-se por parecer cínico, perguntou:

— Mas... que é moral?

Eugênio sorriu.

— Não discutiremos esse assunto batido. Admitamos que moral seja uma coisa que varie de clima para clima. Mas há algo de eterno e de imutável. É a natureza do homem. Finque uma agulha no braço dum chinês, dum africano e dum boliviano que a reação será a mesma...

— Num faquir dizem que é diferente.
Eugênio ignorou a interrupção brincalhona.
— Não considero um ato moral ou imoral em si mesmo. O que existe são atos que prejudicam o próximo e atos que não prejudicam e ainda atos que lhe trazem bem.
— Você está me deixando tonto com essa lenga-lenga. Onde é que quer chegar?
— Quero dizer que o excesso de ganância, o excesso de avareza, o excesso de sensualidade e o excesso dum mundo de outras coisas traz o desequilíbrio geral, a desigualdade e as injustiças.
Seixas sacudiu a cabeça rápida e repetidamente como um homem que quer espantar o torpor da incompreensão.
— Não entendi níquel. Troque isso em miúdos.
— Olhe. Na sua corrida doida para o prazer, o homem não escolhe caminho e esmaga os outros homens, às vezes por cegueira, outras vezes por cálculo. Esse é o mal.
Seixas limpou as calças sujas de cinza, ergueu-se devagar e disse:
— Vou-me embora porque você hoje deu pra filosofar. Sou um homem simples. Prefiro não pensar na vida.
— Espere para sairmos juntos.
Na rua, Eugênio perguntou a Seixas se tinha alguma notícia de Simão.
— Tenho falado com ele. O pobre rapaz anda escangalhado, abatido, não vale um caracol. Me ofereci pra fazer nele umas injeções de estricnina.
— E o Filipe?
— Também falei com ele. Pedi que não perseguisse o rapaz. Fiz-lhe ver que era pior, todo o mundo no fim ia ficar sabendo a verdade sobre a Dora. Ele acabou concordando comigo. Mas apesar disso tenho medo que se encontrem...
Houve um longo silêncio. Os dois amigos caminhavam lado a lado. Anoitecia, acenderam-se os combustores.
— E o senhor não acha que o Simão pode fazer alguma loucura?
Seixas sacudiu a cabeça.
— Qual! O momento pior passou. Ele é moço, mais dia menos dia, esquece. O tempo é remédio pra tudo.
— Sim — pensou Eugênio —, o tempo cicatriza todas as feridas. Em breve Dora desapareceria da vida de Filipe, de Isabel e de Simão, assim como a própria Olívia havia de desaparecer de sua vida.

Era doloroso mas inelutável. E Olívia mesma compreendia isso de maneira profunda quando dizia que a vida começa todos os dias. O mundo seria insuportável se as criaturas tivessem boa memória.

24

Era a noite de 31 de dezembro. Hans Falk olhava com ansiedade para o relógio de cuco. Faltavam dez minutos para a meia-noite. D. Frida dispunha na mesa os pratos com sanduíches e croquetes. O rádio inundava a sala com os sons estridentes duma marcha.

Falk se ergueu e foi até o barril de chope, na copa, e tornou a encher o seu canecão. Estava a beber desde a hora do jantar. Tinha as faces muito vermelhas, os olhos brilhantes.

Parado à janela, Eugênio olhava para o Megatério, que se erguia gigantesco acima da cidade, com todas as suas janelas iluminadas. Eram mais de trezentos quadros de luz recortados na estrutura enorme. Dois faróis possantes postados na soteia varejavam o céu com seus pálidos feixes de luz.

A música cessou. Ouviu-se a voz do *speaker*.

— Fala PRH 2. Dentro de alguns instantes transmitiremos para todos os céus da América a cerimônia da inauguração do Megatério, o grandioso edifício construído pela firma Lobo & Cia. Esse gigantesco arranha-céu, orgulho da nossa engenharia, é a casa mais alta da América Latina. Foi ela projetada pelo notável engenheiro-arquiteto doutor Filipe Lobo, que dirigiu pessoalmente a sua construção. O Megatério será inaugurado por Sua Excelência o Excelentíssimo Senhor governador do estado. Estamos com os nossos microfones instalados no grande salão do trigésimo andar do Megatério, onde já se acham reunidas as altas autoridades federais, estaduais e municipais, representantes das principais sociedades de nossa capital e inúmeras pessoas gradas. Senhores ouvintes, o espetáculo é simplesmente deslumbrante. Ao soar da meia-noite, Sua Excelência o governador do estado pronunciará o discurso da inauguração e em seguida romperão os fogos de artifício da soteia deste monumental edifício. Faltam poucos minutos para a meia-noite. Ouçamos mais um pouco de música.

Os compassos duma valsa saíram do alto-falante e encheram o ar. D. Frida atravessou a sala a dançar tendo numa das mãos um prato de avelãs, nozes e amêndoas e na outra um cesto com passas de uvas. Falk acompanhava o ritmo da valsa sacudindo dum lado para outro o canecão de barro.

— Meu Deus! — disse d. Frida olhando para a mesa. — Será que não vai faltar comida?

Estavam esperando alguns amigos depois da meia-noite.

— Tendo chope eu estou satisfeito — declarou Hans, piscando o olho e lambendo a espuma que lhe ficara no lábio superior.

D. Frida comeu um croquete e deu uma viravolta, cantarolando. Hans Falk se levantou na ponta dos pés, avançou dois passos e deu uma palmada nas nádegas da mulher.

— *Prosit!* — gritou.

— Tem modos, Hans! — exclamou ela, soltando uma risada.

Sem largar o copo, Hans enlaçou-lhe a cintura e saíram a dançar. Estavam excitados como duas crianças.

— Credo! Hans! Me deixa ir arrumar as coisas.

Largou o marido e correu para a cozinha. Hans tornou a emborcar o copázio.

Eugênio olhava para o Megatério, fascinado. O casarão fazia parte de sua vida, era uma espécie de divindade onipresente, pois, onde quer que ele estivesse na cidade, sempre enxergava aquele vulto cinzento a subir para o céu. Não podia ver o Megatério sem passar a ver mentalmente Filipe, Isabel, Dora, Simão. Aquela criatura de cimento e aço era como que uma sólida advertência de todas as horas.

Os ponteiros do relógio se aproximavam da meia-noite. D. Frida e o marido sentados um de cada lado da mesa se entreolhavam numa grande e silenciosa expectativa. Era como se qualquer coisa de imenso e de raro estivesse prestes a acontecer. Dir-se-ia se achavam à espera duma revelação sobrenatural.

Eugênio também estava comovido. Uma vaga sensação de angústia, paradoxalmente agradável, tomara conta dele desde o anoitecer. Dentro de poucas horas entraria o novo ano. O Megatério ia ser inaugurado. Em vão ele tentava convencer-se a si mesmo que apesar desses dois fatos a vida não mudaria. Chegava a invejar a alegria despreocupada e simples do casal Falk. Quisera poder como eles sair a dançar, sem cuidados e sem recordações. Inútil. Continuava debruçado à janela olhando para o arranha-céu. Havia uma assustadora beleza naquela noite rígida, imóvel e enorme. Na pedra angular do Megatério — pensou ele — havia um cadáver. O Megatério estava edificado sobre o corpo de Dora. Poderia Filipe sentir-se amplamente feliz naquela noite? — perguntou Eugênio a si mesmo.

Olhou para as estrelas e se lembrou de Olívia. Os holofotes do Megatério moviam-se dum lado para outro como os olhos de fogo dum monstro que estivesse à caça de astros para os devorar. Vinha do rio o tuque-tuque do motor duma lancha. Os ruídos do tráfego chegavam abafados até os ouvidos de Eugênio, nos intervalos da música.

Ele só quisera saber em que estaria pensando Filipe no momento em que o governador declarasse inaugurado o edifício, no momento que deveria ser, como ele mesmo dissera, o mais feliz e grandioso de toda a sua vida. Se ao menos ele compreendesse agora o seu erro e se esforçasse para se tornar humano, a morte de Dora não teria sido em vão. Pensou também em Isabel, que ele avistara havia dois meses dentro dum automóvel, mais magra e envelhecida, de luto fechado nas roupas e na fisionomia.

De repente foi arrancado do fundo de seus pensamentos pela voz de Hans Falk:

— Meia-noite! — gritou ele, precipitando-se para abraçar a mulher. Ficaram no meio da sala agarrados, a se beijarem freneticamente.

Da cidade levantou-se um clamor. Tiros, apitos de fábricas e de vapores, guinchos de buzinas, badalar de sinos, gritos humanos, música...

Eugênio sentiu-se envolvido pelo abraço de d. Frida, que lhe deu em cada face um beijo estralado:

— Que Deus lhe dê felicidades pra você, Genoca, pra Anamaria e pra todos nós.

Ao abraçar Eugênio, Falk começou a chorar e a dizer coisas incongruentes sobre a Alemanha e sobre a vida. Os ruídos cresciam. O *speaker* falava em altos brados, contra um fundo formado por vozes masculinas e femininas que se entrecruzavam em emaranhada confusão.

D. Frida foi buscar Anamaria, que veio assustada, esfregando os olhos.

— Dá um abraço no papai, queridinha da madrinha.

Eugênio tomou a filha nos braços e estreitou-a contra o peito, beijando-a comovidamente. Anamaria ainda lutava com o sono, piscava os olhos, fazia beicinho, sacudia a cabeça.

D. Frida encheu um copo de vinho branco e deu-o a Eugênio.

— À saúde da Anamaria.

Eugênio empinou o copo.

Falk ergueu-se e caminhou para o retrato de Hindenburg e gritou:

— À velha Alemanha!

Bebeu o resto do chope e desatou a cantar em alemão uma cantiga arrastada e monótona.

O alto-falante projetava na sala as palavras do governador. Anamaria voltara para os braços de d. Frida, que lhe dava de beber um pouco de guaraná.

Eugênio postou-se de novo à janela. Na soteia do Megatério estavam acesos os fogos de artifício. O monstro cuspia fogo colorido para o alto. Era um espetáculo singular. Havia estrelas e espirais, florões e grinaldas de luz. Subiam para o céu os foguetes, marcando sua trajetória com um risco de ouro, depois estouravam, deixando cair um chuveiro de estrelas sulferinas, verdes, azuis, amarelas e vermelhas. Um clarão fantasmagórico coroava a cabeça do Megatério.

Seixas apareceu à meia-noite e vinte. Recebeu os abraços sem entusiasmo. Aceitou um copo de vinho. Beliscou um croquete. Olhou demoradamente para Anamaria, que dormia estendida no sofá.

— Vamos fazer um brinde — propôs d. Frida.

Com passos pouco firmes, Hans Falk se aproximou.

— Viva!

D. Frida encheu o copo de Eugênio e o seu.

— A quem o brinde?

— À vida... — sugeriu Eugênio.

Seixas fez uma careta.

— Não bebo à saúde dessa vaca — respondeu áspero. — Cortei as relações com a vida!

— Deixe de história — retrucou Eugênio. — No fundo o senhor é apaixonado por ela.

Seixas encolheu os ombros.

— Vamos beber à saúde de Anamaria. De todos nós é a única que ainda pode se salvar.

Os copos tiniram. E os quatro beberam em silêncio.

Quando chegaram os amigos que os Falk esperavam, Eugênio convidou Seixas para sair. Ganharam a rua. A noite estava morna e clara.

— Aonde vamos? — indagou Eugênio.

— Vamos andar sem rumo — murmurou Seixas. E depois duma curta pausa: — Aliás eu não fiz outra coisa desde que nasci.

Eugênio ofereceu-lhe um cigarro.

— O senhor está pessimista hoje.

— Queria que eu andasse soltando foguetes? Este ano entro nos sessenta e um. Não tem nenhuma graça.

Caminharam alguns metros em silêncio.

— Curioso... — disse Eugênio. — É uma tolice, mas quando entra um ano-novo a gente sempre faz planos, pensa no passado e vira filósofo.

— Fazer planos não custa dinheiro.

— E dá uma certa coragem, anima...

— Ilude...

A rua estava movimentada. Cafés e restaurantes fervilhantes de gente barulhenta. Grupos pelas esquinas falando alto, gesticulando, cantando. Bondes cheios. Automóveis com passageiros turbulentos, acenando, gritando.

Passou a toda a velocidade o carro cinzento da Assistência Pública, buzinando longa e tristemente.

— Bebedeira na certa — murmurou Seixas. — Estado de coma.

Essa observação levou Eugênio para outro rumo.

— Às vezes eu penso — disse ele — que a profissão médica bem compreendida tem uma função muito mais importante do que em geral se julga. Já que em sua maioria os homens são doentes psíquicos, acho que cabe aos médicos fazer alguma coisa pela humanidade. Os pequenos e os grandes médicos, cada qual no seu setor. Imagine um homem que tem um complexo de inferioridade e consegue fazer-se ditador... Veja do que é capaz um delegado de polícia do interior quando não tem os parafusos bem apertados... Pense nos outros homens que exercem postos de comando. Se fossem absolutamente sãos não fariam guerras, não cometeriam crueldades...

— Você está me saindo um filosofante pior que... pior que não sei quem.

— Que excelentes homens de governo dariam os médicos! Ninguém como eles está em contato tão íntimo com a vida, com as criaturas. Ninguém melhor que eles conhece as necessidades do povo...

Seixas fez um gesto agressivo.

— Mas o diabo é que, na maioria dos casos, quando os médicos sobem aos postos de governo se esquecem de que são médicos e passam a ser apenas políticos. Politiqueiros! Você tem por aí exemplos aos punhados. — Sacudiu a cabeça muitas, muitas vezes. — Que bicho curioso é o homem!... Vaidoso, vingativo, intolerante, leviano e principalmente fraco de memória. Esquece tudo, menos as coisas relacionadas com a barriga, com o sexo e com a vaidade.

Eugênio sorria. E como se não tivesse escutado as reflexões pessimistas do amigo, continuou:

— E pense mais nisto: se os técnicos em geral, os cientistas, os médicos, os escritores, os artistas, os economistas trabalhassem juntos e de acordo com um plano bem traçado, poderiam fazer alguma coisa para atenuar os males da humanidade. Não é possível, está claro, conseguir um mundo perfeito. É até mesmo inconcebível. Mas não seria absurdo desejar acabar essas incoerências do nosso século. Fome em época de superprodução. Excesso de trabalho para uns e falta de trabalho para outros, e isso na era da máquina. Falta de saúde num tempo em que a medicina avança tanto...

Seixas fumava em silêncio. Olhou para o amigo com o rabo dos olhos.

— Me diga uma coisa. Você vai mesmo salvar a humanidade?

— É curioso como eu penso agora nestas coisas. Antigamente só pensava em mim mesmo. Vivia como cego. Foi Olívia quem me fez enxergar claro. Ela me fez ver que a felicidade não é o sucesso, o conforto. Uma simples frase me deixou pensando: "Considerai os lírios do campo. Eles não fiam nem tecem e no entanto nem Salomão em toda a sua glória se cobriu como um deles".

— Fia-te na Virgem e não corras e verás o que acontece...

Eugênio sorriu. Atravessaram uma rua. Ao chegarem à calçada oposta tornou a falar.

— Tudo é uma questão de boa vontade. Os elementos aí estão. O difícil tem sido um acordo. Ninguém quer dar o primeiro passo.

Passaram pela frente dum clube. Janelas iluminadas. Os sons dum jazz vinham lá de dentro. Rumor de vozes.

— Bastava que eles cumprissem o que Cristo pregou no Sermão da Montanha — prosseguiu Eugênio, jogando fora o seu cigarro. — Não precisamos discutir a origem divina de Cristo. Podemos olhá-lo apenas como homem. Mas o essencial é o espírito desse sermão, que é condenação da guerra, da cobiça e da violência, elogio do amor, da tolerância, da paciência e da paz.

— Essas coisas escritas dão certo. Na vida é diferente, homem. Não se iluda. O Filipe, por exemplo, podia lhe retrucar que sem cobiça não haveria estímulo e sem estímulo era impossível o progresso...

Eugênio animou-se:

— Mas progresso é um meio e não um fim. Progresso: meio para atingir o conforto, o bem-estar, a felicidade. Mas um homem não deve querer tudo isso só para si e para os seus. Deve desejar o bem-estar de toda a humanidade.

— Será esse um sentimento humano? Olhe bem a vida e me diga se os homens não se têm portado sempre como lobos. Lembre-se do egoísmo, do instinto e me diga se tudo isso que você está pensando não é um sonho maluco.

Entraram noutra rua menos movimentada.

— Existem duas espécies de crueldade — disse Eugênio. — A crueldade que se comete por cegueira, por incompreensão, e a crueldade que se comete por prazer. No primeiro caso a educação dos sentimentos poderia melhorar a situação. O segundo é um caso de sanatório. Por isso é que eu digo que há um grande trabalho para médicos e professores.

Seixas fez um gesto de impaciência.

— Mas quem foi que lhe disse que os médicos e os professores não precisam por sua vez de outros médicos e professores?

— Seja como for, deve haver no mundo um punhado de homens bons, inteligentes e fortes que queiram fazer a tentativa.

Eugênio se admirava do próprio entusiasmo. Os argumentos lhe ocorriam com facilidade, as palavras lhe saíam com fluência. Devia ser aquela noite diferente...

— Quase nunca a bondade e a força andam juntas — contraponteou Seixas depois de alguns instantes de reflexão. — O homem bom e sábio odeia a violência. Pra fazer que os malucos sigam nossas prescrições, precisamos metê-los em camisa de força. Pra os homens sem juízo ouvirem os conselhos dos homens ajuizados, é preciso usar da violência. Ora, você mesmo é contra a violência. Os homens ajuizados são uma minoria insignificante... Em que ficamos?

Caminharam por algum tempo em silêncio. Seus passos soavam tristemente na rua solitária.

— Veja a guerra — disse Seixas. — Sob o ponto de vista humano é uma monstruosidade. Consulte homem por homem. Você quer a guerra? Não quero. E você? Eu também não quero. Ninguém quer. Mas a verdade é que a guerra sai. Tudo em conversa é muito fácil. Mas na vida, seu Genoca, é um buraco.

— É uma questão de reeducação. Não é com revoluções que conseguiremos esses milagres. Uma revolução pode mudar um sistema de governo, mas não conseguirá melhorar a natureza do homem.

— Então concorda que o homem é mesmo uma besta um pouco dominada pelo freio da religião, das leis e de mil outras coisinhas miúdas inventadas por um grupo de homens com fins utilitários?...

— Doutor Seixas! Estou desconhecendo o senhor. Que é isso?

— Deve ser o vinho. Vamos falar em coisas mais sérias. Melhorou o filho do Ulisses?

— Melhorou. Apliquei-lhe mais uma dose de insulina.

Seixas soltou um ronco de aquiescência. Dobraram a primeira esquina. Eugênio notava que sem prévia combinação caminhavam para o Megatério.

— Olhe o nosso caso em particular — disse Seixas, voltando insensivelmente ao caminho que queria evitar. — Que somos nós? Nada. Que é que podemos fazer? Muito pouco. Nem conseguimos nos salvar a nós mesmos, como é que vamos salvar o mundo? Veja como é difícil conseguir a paz numa pequena família, veja a luta duma pobre professora para manter a ordem numa classe de trinta alunos. E você ainda pensa em salvar a humanidade!

— Devemos então nos fechar no nosso egoísmo e procurar apenas o nosso bem-estar, a nossa tranquilidade, a nossa felicidade?

— Servimos de peteca para os brinquedos do destino.

— Seja como for... eu acredito num futuro melhor.

Seixas riu alto:

— Diga antes que quer acreditar, que faz uma força desesperada para não se entregar à descrença. — Tossiu longamente, aflito. — Quem é que pode ser otimista com esta tosse? E com letras vencidas no banco? E com uma filha nervosa em casa? E com sessenta anos duma vida fracassada?

Aproximavam-se do Megatério. Eugênio queria fugir dele, a cada esquina fazia tenção de mudar de rumo, mas inexplicavelmente continuava a caminhar sempre na direção do arranha-céu de Filipe.

Passaram por um longo muro onde havia escrita, de maneira rude, uma legenda de ódio.

— Olhe isso aí... — disse Seixas. — É muito mais fácil arrastar um povo acenando-lhe com uma bandeira de ódio do que com uma bandeira de amor. Há mais ímpeto, mais... mais força no ódio. O ódio é masculino, o amor é feminino. É mais fácil levar homens à guerra do que à oração.

— Não podemos esquecer o caso de Gandhi...

— Mas os hindus tratam com ingleses e os ingleses têm a velha mania de serem *gentlemen*. É o que salva a Inglaterra de todas as suas patifarias imperialistas.

Eugênio ficou um instante a fazer reflexão.

— Aí está. O espírito de gentileza podia salvar o mundo. O que nos falta é isso: espírito de gentileza. Boas maneiras de homem para homem, de povo para povo.

— Isso é um sonho. O ódio e o egoísmo são sentimentos naturais. O espírito de gentileza é uma coisa artificial.

— Voltamos então à necessidade da reeducação.

— Trabalho pra gigantes. Os gigantes se acabaram.

— Vamos deixar então a humanidade de lado. Olhemos para o nosso pequeno círculo. Veja como nos faria bem e nos facilitaria tudo o espírito de gentileza...

Seixas parou, pegou o braço de Eugênio.

— Você falou em Jesus Cristo... Não vou nessa história de levar um tapa numa face e oferecer a outra. Se alguém me desse uma bofetada eu respondia com um tapa-olho.

— E depois?

— Depois... ficava aliviado, me aproximava do homem e dizia: "Deixe o vovô ver o dodói". E botava carne crua ou arnica, conforme o caso. É, Genoca, tudo isso são sonhos...

— Mas um sonho deixa de ser apenas um sonho no dia em que alguém o realiza.

— Vida é vida. História da carochinha é história da carochinha. Você está na casa dos trinta. Ainda pode sonhar. Escute o que vou lhe dizer. Torne a pensar nessas coisas quando tiver cinquenta anos. Nesse tempo a minha carcaça já estará debaixo da terra. Não poderei ouvir a sua opinião. Não faz mal. Olhe. Saia sozinho uma noite como esta e diga assim: "Doutor Seixas, você era uma besta, mas tinha toda a razão". É possível que em alguma parte eu esteja escutando...

Tinham chegado defronte ao Megatério, diante do qual se comprimia pequena multidão. Ficaram lado a lado na beira da calçada, olhando em silêncio para o edifício iluminado.

— Não há dúvida que esse troço é bonito... — murmurou Seixas.

Eugênio sacudiu a cabeça afirmativamente.

— Olhando-o, eu sinto um calafrio. É como quando passa um batalhão ao som dum dobrado. Quando ouço um bonito discurso. A gente é capaz de ir à guerra, matar, estraçalhar os outros homens. Agora eu pergunto: até onde isso é devido à natureza do homem e até onde é consequência da educação defeituosa que todos recebemos?

— Não me faça mais perguntas.

O outro sorriu.

— Hoje estou pior que o Simão. Querendo ir ao fundo das coisas.

Fez-se um longo silêncio. Seixas enrolou um cigarro lentamente.
— Não leve a sério a minha conversa — disse, riscando um fósforo. — Pode ser que você tenha razão. Que diabo! Se eu não acreditasse na vida já tinha metido uma bala no coco. É que às vezes a gente anda amargo. Não vá muito atrás deste velho burro e rezingueiro que já está começando a caducar. Hoje a Quinota quando me abraçou à meia-noite chorou, a coitada. Eu não perguntei por quê... No fim de contas ela tem razão. Aguentou firme todos estes anos, roendo um osso duro. Tem sido uma companheira de primeira ordem. — Suspirou. Chupou o cigarro. — Há trinta anos numa noite como esta eu fiz lá umas promessas... Mudar de vida, ganhar dinheiro, comprar uma casa, um carro... Qual! Tudo continuou como antes. Me venderam um fumo brabo. — Olhou para o cigarro. — O velho hoje está azedo. Vamos embora? Isto aqui não é o meio do mundo.

Afastaram-se vagarosamente. Atravessaram a praça. E se foram em silêncio, cada qual voltado para dentro de si mesmo.

No fim do verão, Eugênio recebeu uma notícia que o encheu de grande e esquisita paz. Eunice e Castanho iam embarcar naqueles dias para o Uruguai, onde casariam sob contrato. *Pour enfanter de belles pensées* — refletiu ele. Sim. Agora Eunice e Acélio podiam passar dias inteiros a conversar sobre literatura e literatos. Leriam clássicos ingleses e franceses ao despertar. Almoçariam Platão. Teriam os modernos no chá das cinco. Jantariam os surrealistas. E dormiriam naturalmente com Freud.

Pensou essas coisas sem perversidade, até com uma sombra de ternura.

Naquela manhã de princípios de abril Eugênio saiu do quarto de banho, cantando. Estava tomado duma grande e serena alegria, que se esforçava por não analisar. Sentia-se em paz com o mundo e com a sua consciência.

À mesa do café, abriu o jornal do dia. Procurou na coluna dos "Pequenos Anúncios" a nota que publicava havia já meses todas as quintas-feiras e domingos, pedindo notícias de Ernesto. Havia de encontrá-lo, custasse o que custasse. Uma misteriosa intuição lhe dizia que o irmão ainda estava vivo e não muito longe.

Continuou a folhear o diário. Na última página viu um retrato de Filipe sentado à mesa de trabalho, diante de dois telefones, dum ditafone e duma pilha de papéis. Tratava-se duma reportagem em quatro colunas com cabeçalho vistoso. "O CONSTRUTOR DO MEGATÉRIO EMPENHADO EM NOVA E GRANDIOSA REALIZAÇÃO." O repórter fazia rasgados elogios ao dr. Filipe Lobo, descrevia-lhe o tipo físico e o ambiente em que ele trabalhava. As palavras *dinâmico* e *formidável* surgiam a cada passo. Filipe Lobo contava seus novos planos. A firma de que era a figura principal adquirira vastos terrenos à beira do Guaíba, onde pretendia construir, em breve, a vila balneária mais moderna e luxuosa da América Latina. Teria ela um grande e original cassino em estilo manuelino numa área de... Seguiam-se dados, cifras, pormenores.

Eugênio dobrou o jornal, pensando em Dora. Era cruel que ela estivesse morta num dia tão lindo como aquele.

Tomou o último gole de café, ergueu-se e caminhou até a janela. A manhã estava fresca e tocada pela luz dum doce sol cor de ouro velho. Pairava no ar uma fina neblina que amaciava todas as formas, dando à paisagem um suave tom violeta. Envolta nessa névoa trespassada de sol, a cidade parecia um brinquedo colorido embrulhado em papel celofane.

É impossível ser mau num dia como o de hoje — refletiu Eugênio, aceitando integralmente aquele momento. Teve um desejo de ternura. Pensou na filha, depois em Olívia. Um leve remorso toldou-lhe a clara superfície da alegria. Ultimamente ele pensava menos na morta querida. Os cuidados e complexidades da vida, o trabalho intenso e sem horário certo o desviavam daqueles momentos de intimidade em que ele podia pensar em Olívia, reler-lhe as cartas, recordar-lhe as palavras e a imagem.

Deixou a janela e, como costumava fazer quase todas as manhãs, abriu um livro de medicina para estudar. Leu algumas páginas com a atenção vaga. Não podia esquecer a doçura da hora. Deviam estar lindas as ruas sob aquele sol maduro e amigo. Imaginou-lhe os reflexos nas árvores do parque, de sombras frescas, azuladas e cheirando a sereno. Os marrecos nadando no lago, Anamaria atirando-lhes migalhas de pão... Fechou o livro, brusco, tornou a metê-lo na prateleira. Aproximou-se de novo da janela. O Megatério lá estava, esfumado no meio da neblina. Sua fachada de cimento se achava marcada de recortes claros e simétricos, tabuletas, placas com nomes de médicos, dentistas, engenheiros, advogados, modistas, escritórios, clubes...

Se naquele instante — refletiu Eugênio — caísse na Terra um habitante de Marte, havia de ficar embasbacado ao verificar que num dia tão maravilhosamente belo e macio, de sol tão dourado, os homens em sua maioria estavam metidos em escritórios, oficinas, fábricas... E se perguntasse a qualquer um deles: "Homem, por que trabalhas com tanta fúria durante todas as horas de sol?" — ouviria esta resposta singular: "Para ganhar a vida". E no entanto a vida ali estava a se oferecer toda, numa gratuidade milagrosa. Os homens viviam tão ofuscados por desejos ambiciosos que nem sequer davam por ela. Nem com todas as conquistas da inteligência tinham descoberto um meio de trabalhar menos e viver mais. Agitavam-se na terra e não se conheciam uns aos outros, não se amavam como deviam. A competição os transformava em inimigos. E, havia muitos séculos, tinham crucificado um profeta que se esforçara por lhes mostrar que eles eram irmãos, apenas e sempre irmãos.

Na memória de Eugênio soaram as palavras de Olívia: "Devemos ser um pouco como as cigarras". Era estranho como ele já não se lembrava com precisão do som da voz dela...

— Dona Frida! — gritou.

— Uhu! — a resposta jovial veio do fundo da casa.

— Faça o favor de aprontar a Anamaria. Vamos dar um passeio no parque.

Ao ouvir essas palavras, Anamaria, que estava a brincar na pia da cozinha, começou a sapatear e a dar gritos de alegria.

— Não se esqueça do pão pros marrecos! — acrescentou Eugênio.

Assobiando como um colegial, foi até o quarto de dormir, tirou o roupão, vestiu o paletó, apanhou o chapéu.

Anamaria chegou pouco depois, toda alvorotada. Estava vestida de azul. Parou no meio da sala, pegou as pontas do vestido e com ar faceiro fez uma meia-volta:

— Olha, pai, como o nenê está bonito.

E Eugênio reviu nela a Olívia da noite da formatura, no saguão do São Pedro: o vestido vaporoso, a braçada de rosas vermelhas, a paródia da faceirice feminina...

Sim. No parque ele pensaria em Olívia. Muito, muito...

Ajoelhou-se, abraçou a filha e beijou-lhe o rosto.

Anamaria afastou-o com as mãos espalmadas e, enrugando a testa numa expressão de contrariedade, choramingou:

— Ai, pai! Tu vai desmanchar os meus bucles.

Eugênio contemplou-a longamente. Sentia-se feliz e em paz com a vida. Quisera que aquele momento leve e luminoso não tivesse mais fim. Mas sabia como ele era frágil, frágil... e por isso fugia de analisá--lo. Sentia no fundo do espírito a presença dum pensamento escuro, que estava à espreita... Era preciso não deixar que ele subisse à tona.

— Vamos dar comida pros marrecos? — perguntou a Anamaria, sacudindo-a. — Vamos dar um passeio no parque?

Ela bateu palmas e pôs-se a pular.

— Vamos! Vamos! Ai que bom! Vamos dar comida pros bichos!

Mas Eugênio agora estava sério. Anamaria franziu o sobrolho, inclinou a cabeça.

— Pai... — estranhou ela. — Que tu tem?

Ele não respondeu. Estava pensando na menina que atendera à noite passada. Era magra, suja, triste, malvestida e mal alimentada. Caminharia fatalmente para uma tuberculose se não a arrancassem da casa imunda em que vivia, se não lhe dessem o tratamento conveniente. Existiam na cidade, no estado e no país milhares de crianças nas mesmas condições...

Eugênio se ergueu e enfiou o chapéu na cabeça, abstrato...

Sim, não bastava que ele se sentisse feliz, que tivesse Anamaria a seu lado corada, alegre, bem vestida e bem alimentada... Era preciso pensar nos outros e fazer alguma coisa em favor deles... Por que não começar algum trabalho em benefício das crianças abandonadas? Dar-lhes alimentação adequada, boas roupas, higiene, instrução, assistência médica e dentária, colônias de férias, oportunidades de se divertirem, de serem alegres... Aí estava um grande plano. Tinha a certeza de que Seixas o ajudaria. Amava as crianças e os moços. Achava que os adultos e os velhos estavam irremediavelmente perdidos.

"Mas ninguém está perdido", falou Olívia em seu espírito. Sim, era doloroso: ele havia esquecido por completo o som da voz dela. No entanto sabia que Olívia estava viva, sentia-se agora invadido pela estranha impressão de que ela lhe marcara uma entrevista à sombra das árvores do parque. Conversariam de si mesmos e dos outros, enquanto Anamaria atirasse migalhas para os marrecos do lago...

Sim. Fazer alguma coisa, não ser apenas...

Anamaria puxou-lhe a manga do casaco freneticamente.

— Pai bobo! Pai bobo! Pai booobo!

Eugênio baixou os olhos, ainda meio ausente.

— Hem?

— Vamos embora duma vez. Os marrecos estão com fome.

— Ah...

E, de mãos dadas, pai e filha saíram para o sol.

Crônica histórica

É muito difícil imaginar o impacto do processo deflagrado ou acelerado na vida brasileira pela Revolução de 30 — acontecimento que está no pano de fundo de *Olhai os lírios do campo* — sem pensar na vida cotidiana e na paisagem em que viviam as pessoas então. Lemos muitas vezes: "A Revolução de 30 é responsável pela criação do Brasil moderno", ou "A partir de 30 e depois do Estado Novo começa de fato a industrialização do país". Ou ainda: "Naquela época, 70% da população brasileira vivia no campo". Encontramos interpretações polêmicas sobre a Revolução de 30 e o regime que ela inaugurou, ora chamado de "modernizador", ora de "ditadura". Porém tudo isso fica abstrato se não atentarmos para as modificações ocorridas na vida do cidadão comum.

Comecemos por um esforço imaginativo: como seria a vida *antes* do caminho que a Revolução inaugurou, ou sinalizou? Era muito diferente? Era. Algumas coisas podemos dizer e até imaginar com facilidade: um mundo sem computadores (o reino da pequena tela começa no Brasil lá pelos anos 80), sem televisão, o rádio era novidade, o cinema falado também, o automóvel um luxo... O que mais? Da sala (reino da TV) ou do escritório (principado do computador), passemos à cozinha. Imaginemos um mundo sem Bombril, sem detergente, somente com fogões a lenha (que serviam inclusive para esquentar água para o banho), sem panelas de alumínio e, na maioria das casas, sem geladeira. Apenas as famílias mais abonadas dispunham de frigorífico doméstico. Esse frigorífico tinha dois compartimentos: no de cima punha-se uma grande barra de gelo e no de baixo a carne e o leite — se houvesse. Na falta desse notável avanço tecnológico, a solução era consumir charque ou carne de sol, que dispensam refrigeração. O leite era entregue de porta em porta pelos leiteiros, que às vezes vinham de autênticas zonas rurais muito próximas, ou encravadas nas cidades. Também de casa em casa entregava-se a lenha para o fogão, comprada em "talhas" — um feixe de achas amarradas que precisavam ser partidas em vários pedaços para caber no fogão. Depois das refeições, as mulheres passavam horas areando — com areia ou pó de tijolo — as panelas de ferro para tirar-lhes a tisna. Depois de arear as panelas, iam para o tanque lavar roupa. As peças brancas, depois de ensaboadas, eram estendidas ao sol para quarar, prática hoje substituída pelo uso do alvejante. Para passar roupa só havia ferro a carvão. Para alisar as calças, antes de dormir os homens as ajeitavam entre o colchão e o estrado da cama.

As famílias mais ricas costumavam contratar lavadeiras e passadeiras. Não raro, as mulheres lavavam roupa nos rios próximos às cidades (como o Guaiba, da Porto Alegre de Erico) ou mesmo nos riachos que as atravessavam. Muitas dessas práticas subsistiram até meados do século XX e ainda podem ser encontradas em locais isolados, mas naquele período eram dominantes até nos centros metropolitanos.

No escritório, não havia canetas esferográficas; a caneta-tinteiro, por ser novidade, era um objeto sofisticado. Quem a usava era "rico" e "moderno". Na escola, as crianças usavam tinteiros portáteis para molhar a caneta de pena de ferro ou aço (esta, caríssima, era muito mais durável, pois, de tão ácida, a tinta corroía as de ferro). As carteiras escolares tinham orifícios circulares a um canto para receberem os tinteiros sem risco de derramamento de tinta.

À noite, sem mais o que fazer, as pessoas tinham o hábito de escrever cartas. E como! Muitas vezes escreviam todas as noites, e várias cartas por noite. Telefone era coisa de rico, o correio aéreo mal começara, as cartas demoravam uma semana, quinze dias ou mesmo um mês para chegar, se vinham do exterior, pois viajavam de trem ou navio. A maioria das pessoas, contudo, era analfabeta ou mal conhecia as primeiras letras. Tudo era muito precário: no país não havia universidade nem indústria pesada. Existiam faculdades de engenharia, direito e medicina; a indústria era pouca, leve, e frequentemente quase artesanal. A maioria das empresas era familiar. Os brinquedos eram importados ou improvisados pelas crianças, com muita criatividade.

E o mundo do trabalho? Nas poucas fábricas existentes, o trabalho era duríssimo. Jornadas de dez, doze e até quinze horas diárias eram comuns. Algumas delas começavam às cinco da manhã e se estendiam até as oito da noite. Não havia salário mínimo, previdência social, férias ou descanso remunerado. Os patrões, na cidade e no campo, chamavam-se orgulhosamente de "classes conservadoras". Para apaziguar os ânimos temerosos, alguns manifestos apresentaram a própria Revolução de 30 como "conservadora"... "Revolução conservadora"! Só no Brasil, dirá alguém mais irônico. E hoje em dia ninguém mais quer ser "conservador".

Nas ruas, ainda era possível encontrar negros nascidos escravos, bem como velhinhos veteranos da Guerra do Paraguai e do Rio Grande do Sul das muitas revoluções. Dos cem anos do século XIX, o estado passara quase cinquenta mobilizado para alguma guerra — e os outros cinquenta chorando ou lembrando os mortos.

No comércio ou nas repartições públicas, a situação era mais amena, embora não houvesse nenhum tipo de segurança no emprego. Ai do funcionário público que votasse contra o governo. Perdia o emprego no dia seguinte, e não faltava quem o substituísse. Em *Solo de clarineta*, seu livro de memórias, o próprio Erico confessa que em 1930, ao se mudar de Cruz Alta, sua cidade natal, para Porto Alegre, preferia não se tornar funcionário público. Diz ele: "Associava essa condição à necessidade de votar sempre, submissamente, com o Governo".

Como isso era possível? É que o voto não era secreto. Nas eleições, o cidadão ia até uma junta eleitoral e lá assinava a lista de seu candidato "preferido". Capangas truculentos — e, no Sul, alguns até com armas debaixo dos ponchos — vigiavam a eleição... e os eleitores! O voto secreto só foi instituído no Brasil pela Constituição de 1934, que também instaurou em todo o território nacional o voto das mulheres. Antes só os homens votavam. Na eleição de 1932, depois da revolução, em alguns estados as mulheres votaram — mas só as casadas.

Ainda que o Brasil fosse uma república, política decididamente não era coisa para o povo. Os candidatos à presidência da República, por exemplo, apresentavam suas plataformas em reuniões fechadas, com os partidários, autoridades (se fossem do governo), jornalistas e gente importante. Podiam sair festivamente à rua, ou mesmo dirigir-se a partidários da sacada de um hotel, mas comícios políticos eram coisa para a plebe ou para arruaceiros. Essa foi uma das grandes inovações da candidatura de Getúlio Vargas em 1929: prenunciando um futuro de líder autoritário e populista de massas, o primeiro ato de sua campanha foi um comício na Esplanada do Castelo, no Rio de Janeiro, a céu aberto. Apesar da enorme popularidade, foi derrotado pelo paulista Júlio Prestes, que, rompendo a tradicional política do "café com leite", perdeu o apoio dos mineiros.

Em meio a acusações de fraude eleitoral por todo o país, a revolução tornou-se inevitável, e a foto dos cavalos amarrados pelos milicianos gaúchos no obelisco em frente ao Senado Federal, no Rio de Janeiro, tornou-se o símbolo de uma nova era. Misturam-se nela ícones do Brasil predominantemente rural, que declinava (os cavalos amarrados), e os da nova urbanidade nascente (a capital federal e a própria fotografia).

Esse mundo que a Revolução de 30 abalou pelas raízes era precário e conservador, mas estável, apesar das contínuas revoltas populares e militares, como a Guerra de Canudos, a do Contestado e a Coluna

Prestes. As oligarquias que sobre ele reinavam mantiveram-se no poder durante quase um século. Sobreviveram ao fim da escravidão, à queda do Império e a sucessivas crises econômicas, inclusive à de 1929.

Esse Brasil estava preparado para as rápidas mudanças que os novos tempos anunciavam ou ele e suas personagens, por vezes de horizontes tão estreitos, não teriam como ingressar na nova época, com as divisões drásticas entre direita e esquerda — fascistas e comunistas — a se espraiarem pelo mundo inteiro? Questões dessa natureza ajudam a discernir a riqueza de significados da sôfrega ambição de Eugênio ou da dolorosa serenidade com que Olívia enfrenta a morte. No crepúsculo de uma paisagem que se esfuma, o escritor arguto vislumbra com inquietação a outra que emerge.

Crônica biográfica

Olhai os lírios do campo mudou a vida de Erico Verissimo. Publicado em 1938, o romance projetou o escritor nacionalmente. As edições se esgotavam uma após outra, e o livro foi seu maior sucesso de vendas — até hoje um dos mais vendidos do país.

Como em outros romances, um incidente ocasional deflagrou o processo de construção da trama. No caso de *O resto é silêncio* foi o suicídio de uma mulher, que pulou de um edifício e caiu diante do escritor. Com relação a *O tempo e o vento*, Erico reconheceu que um dos elementos deflagradores foi a lembrança da atitude de um tio, homem bastante rústico, que se sentou desabridamente sobre um dos discos preferidos do escritor, reduzindo-o a cacos.

O evento-chave de *Olhai os lírios do campo* foi um fato presenciado por Erico numa visita a um hospital: de repente um homem saiu de um quarto com um recém-nascido nos braços; depois Erico soube que a mãe morrera no parto. A cena fez com que ele começasse a construir o jogo de cena entre o jovem médico (Eugênio) e a mãe que deve enfrentar a morte (Olívia).

A cena real, contudo, não contribui para explicar o sucesso de *Olhai os lírios do campo*. Erico vinha se sentindo inquieto, desejoso de escrever um novo romance. O que ocupava seu espírito? Como lembra ter confessado a um amigo num café do centro de Porto Alegre em seu livro de memórias *Solo de clarineta*, pensava na fúria aquisitiva que se impunha aos corações e mentes em detrimento de toda preocupação ética. Hoje podemos ver nessa preocupação um sinal dos novos tempos do Brasil que se modernizava, se industrializava, um Brasil cada vez mais urbano, em que os velhos costumes conservadores eram substituídos por um frenesi de consumo e ascensão social espelhado em várias personagens do romance, por exemplo em Eugênio.

Há também o fato, reconhecido por Erico, de que romances a respeito de médicos em crise estavam na moda. O de A. J. Cronin, por exemplo. Além disso, o romance retrata a constatação do escritor de que Porto Alegre, a capital do estado, a "cidade grande" — palavra que deve ser usada com todo o cuidado devido à diferença entre sua referência de então e a de hoje —, era de fato um "admirável mundo novo", parafraseando o título do romance de Aldous Huxley, autor que Erico admirava.

Em 1936, a situação de Erico na Editora e Livraria do Globo também estava mudando. Convidado por Henrique Bertaso, que assumia a liderança da empresa, Erico passa a exercer a função de conselheiro literário. Juntos, a partir de 1936 os dois criam a importantíssima Coleção Nobel, que lançou traduções que marcariam gerações. Com ajuda de Hamilcar de Garcia e Maurício Ronseblatt, e sempre com o apoio de Bertaso, Erico dá início à publicação de autores renomados como Thomas Mann, Virginia Woolf, Leon Tolstói, Honoré de Balzac e Marcel Proust. Em suas memórias, revela que esteve interessado em Franz Kafka e James Joyce. Como editor, atrai para a Globo colaboradores como Paulo Rónai e Mario Quintana.

Algum tempo antes, trabalhando no Rio de Janeiro, Erico conheceu, com a intermediação do amigo Ernani Fornari, renomado autor teatral, Jorge Amado, José Lins do Rego, Carlos Drummond de Andrade, Jorge de Lima, Graciliano Ramos, José Olympio, Marques Rebelo e muitos outros intelectuais que deixaram sua marca nas letras e no pensamento do país.

Dois anos antes (1934), o romance *Música ao longe* recebera o prêmio Machado de Assis da Companhia Editora Nacional, compartilhado com outros escritores, como o também gaúcho Dyonélio Machado, autor de *Os ratos*.

Em 1935 nasce a filha de Erico e Mafalda, que recebe o nome da personagem de seu primeiro romance: Clarissa. No ano seguinte nasce o filho Luis Fernando.

Mas nem tudo era fácil na nova vida do escritor. Poucos dias depois do nascimento de Clarissa chega a notícia da morte de seu pai, Sebastião, em São Paulo. Em tom amargo, em suas memórias Erico lembra que não pôde acompanhar o enterro e que depois jamais conseguiu localizar o túmulo do pai. No mesmo ano são lançados *Música ao longe* e *Caminhos cruzados*. Este último desperta a ira do clero conservador: padres fazem sermões violentos acusando o autor de pornográfico e subversivo. O Departamento de Ordem Política e Social ficha o escritor como comunista. Críticos de direita investem contra livro e autor. Erico chega a ser chamado para depor na polícia, entre outras coisas porque assinara um manifesto contra o fascismo e o nazismo. Tudo — diz ele em suas memórias — porque o livro expõe a distância enorme entre pobres e ricos e retrata algumas mazelas morais da nossa burguesia — na época "muito menos acentuadas que as de hoje", observa, irônico.

Olhai os lírios do campo consolida o "lançamento" da figura pública com quem dali por diante, apesar do jeito quieto e modesto, o cidadão Erico Verissimo teria de conviver. O que mais o impressionava, nessa sua nova moldura, era a quantidade de correspondências e de visitas que recebia. Uma verdadeira "romaria", observou mais tarde: gente (sobretudo mulheres) que o procurava para pedir conselhos, não só sobre literatura, mas sobre a vida.

O sucesso também trouxe amenidades: agora a família podia passar férias na estância serrana de Gramado e mudar-se para um apartamento central, de onde Erico ia a pé para o trabalho na editora; o escritor começou a compor sua discoteca de música erudita, que evidenciava sua preferência por Beethoven, Mahler e Mozart.

Mas novos cúmulos sombrios se armavam no horizonte. A guerra grassava na Europa, a sorte sorria aos nazistas, Paris estava sob domínio alemão desde 1940, a Espanha se dobrava aos falangistas de Franco, no Brasil a repressão do Estado Novo se abatia sobre os opositores. Um pacto entre Hitler e Stálin dividia a Polônia entre os dois ditadores. Os nazistas bombardeavam Londres. O mundo era um desastre. Para além do sucesso, o espírito atento de Erico voltava-se para muitas outras coisas. A testemunhar sobre esse tempo, ficou uma foto tirada com Henrique Bertaso na rua da Praia. Ambos, diz o escritor em suas memórias, apareciam "com caras de condenados à morte, a caminho do patíbulo".

Novos romances se preparavam naquela sensibilidade muito especial.

Erico Verissimo nasceu em Cruz Alta (RS), em 1905, e faleceu em Porto Alegre, em 1975. Na juventude, foi bancário e sócio de uma farmácia. Em 1931 casou-se com Mafalda Halfen von Volpe, com quem teve os filhos Clarissa e Luis Fernando. Sua estreia literária foi na *Revista do Globo*, com o conto "Ladrões de gado". A partir de 1930, já radicado em Porto Alegre, tornou-se redator da revista. Depois, foi secretário do Departamento Editorial da Livraria do Globo e também conselheiro editorial, até o fim da vida.

A década de 30 marca a ascensão literária do escritor. Em 1932 ele publica o primeiro livro de contos, *Fantoches*, e em 1933 o primeiro romance, *Clarissa*, inaugurando um grupo de personagens que acompanharia boa parte de sua obra. Em 1938, tem seu primeiro grande sucesso: *Olhai os lírios do campo*. O livro marca o reconhecimento de Erico no país inteiro e em seguida internacionalmente, com a edição de seus romances em vários países: Estados Unidos, Inglaterra, França, Itália, Argentina, Espanha, México, Alemanha, Holanda, Noruega, Japão, Hungria, Indonésia, Polônia, Romênia, Rússia, Suécia, Tchecoslováquia e Finlândia. Erico escreve também livros infantis, como *Os três porquinhos pobres*, *O urso com música na barriga*, *As aventuras do avião vermelho* e *A vida do elefante Basílio*.

Em 1941 faz uma viagem de três meses aos Estados Unidos a convite do Departamento de Estado norte-americano. A estada resulta na obra *Gato preto em campo de neve*, primeira de uma série de livros de viagens. Em 1943, dá aulas na Universidade de Berkeley. Volta ao Brasil em 1945, no fim da Segunda Guerra Mundial e do Estado Novo. Em 1953 vai mais uma vez aos Estados Unidos, como diretor do Departamento de Assuntos Culturais da União Pan-Americana, secretaria da Organização dos Estados Americanos (OEA).

Em 1947 Erico Verissimo começa a escrever a trilogia *O tempo e o vento*, cuja publicação só termina em 1962. Recebe vários prêmios, como o Jabuti e o Pen Club. Em 1965 publica *O senhor embaixador*, ambientado num hipotético país do Caribe que lembra Cuba. Em 1967 é a vez de *O prisioneiro*, parábola sobre a intervenção dos Estados Unidos no Vietnã. Em plena ditadura, lança *Incidente em Antares* (1971), crítica ao regime militar. Em 1973 sai o primeiro volume de *Solo de clarineta*, seu livro de memórias. Morre em 1975, quando terminava o segundo volume, publicado postumamente.

Obras de Erico Verissimo

Fantoches [1932]
Clarissa [1933]
Música ao longe [1935]
Caminhos cruzados [1935]
Um lugar ao sol [1936]
Olhai os lírios do campo [1938]
Saga [1940]
Gato preto em campo de neve [narrativa de viagem, 1941]
O resto é silêncio [1943]
Breve história da literatura brasileira [ensaio, 1944]
A volta do gato preto [narrativa de viagem, 1946]
As mãos de meu filho [1948]
Noite [1954]
México [narrativa de viagem, 1957]
O senhor embaixador [1965]
O prisioneiro [1967]
Israel em abril [narrativa de viagem, 1969]
Um certo capitão Rodrigo [1970]
Incidente em Antares [1971]
Ana Terra [1971]
Um certo Henrique Bertaso [biografia, 1972]
Solo de clarineta [memórias, 2 volumes, 1973, 1976]

O TEMPO E O VENTO

Parte I: *O Continente* [2 volumes, 1949]
Parte II: *O Retrato* [2 volumes, 1951]
Parte III: *O arquipélago* [3 volumes, 1961-1962]

OBRA INFANTOJUVENIL

A vida de Joana d'Arc [1935]
Meu ABC [1936]
Rosa Maria no castelo encantado [1936]
Os três porquinhos pobres [1936]
As aventuras do avião vermelho [1936]
As aventuras de Tibicuera [1937]
O urso com música na barriga [1938]
Outra vez os três porquinhos [1939]
Aventuras no mundo da higiene [1939]
A vida do elefante Basílio [1939]
Viagem à aurora do mundo [1939]
Gente e bichos [1956]

Copyright © 2005 by Herdeiros de Erico Verissimo
*Texto fixado pelo Acervo Literário de Erico Verissimo (PUC-RS) com base
na edição* princeps, *sob coordenação de Maria da Glória Bordini.*

*Grafia atualizada segundo o Acordo Ortográfico da Língua Portuguesa de 1990,
que entrou em vigor no Brasil em 2009.*

CAPA E PROJETO GRÁFICO Raul Loureiro

FOTO DE CAPA Leonid Streliaev

FOTO DE ERICO VERISSIMO Leonid Streliaev, c. 1973

SUPERVISÃO EDITORIAL E TEXTOS FINAIS Flávio Aguiar

ESTABELECIMENTO DO TEXTO Maria da Glória Bordini e Cristiana Bergamaschi

PREPARAÇÃO Maria Cecília Caropreso

REVISÃO Isabel Jorge Cury, Ana Maria Barbosa, Todotipo Editorial e Renato Potenza

*Os personagens e as situações desta obra são reais apenas no universo da ficção;
não se referem a pessoas e fatos concretos, e sobre eles não emitem opinião.*

1ª edição, 1938 [76 reimpressões, 2001]
2ª edição, 2002
3ª edição, 2005
4ª edição, 2005 [40 reimpressões]

Dados Internacionais de Catalogação na Publicação (CIP)
(Câmara Brasileira do Livro, SP, Brasil)

Verissimo, Erico, 1905-1975.
 Olhai os lírios do campo / Erico Verissimo ; ilustrações Paulo von
Poser ; prefácio Flávio Loureiro Chaves. — 4. ed. — São Paulo :
Companhia das Letras, 2005.

 ISBN 978-85-359-0609-7

 1. Romance brasileiro I. Poser, Paulo von. II. Chaves, Flávio Loureiro.
III. Título.

05-0084   CDD-869.93

Índice para catálogo sistemático:
 1. Romances : Literatura brasileira 869.93

Todos os direitos desta edição reservados à
EDITORA SCHWARCZ S.A.
Rua Bandeira Paulista, 702, cj. 32
04532-002 — São Paulo — SP
Telefone: (11) 3707-3500
www.companhiadasletras.com.br
www.blogdacompanhia.com.br
facebook.com/companhiadasletras
instagram.com/companhiadasletras
twitter.com/cialetras

Esta obra foi composta em Janson
por Osmane Garcia Filho e impressa
pela Lis Gráfica em ofsete sobre
papel Pólen da Suzano S.A.
para a Editora Schwarcz
em maio de 2025

A marca FSC® é a garantia de que a madeira utilizada na fabricação do papel deste livro provém de florestas que foram gerenciadas de maneira ambientalmente correta, socialmente justa e economicamente viável, além de outras fontes de origem controlada.